COLECCIÓN AUSTRAL

VOLÚMENES PUBLICADOS:

* Volumen extra.

REINALDO SOLAR

RÓMULO GALLEGOS

REINALDO SOLAR

ESPASA · CALPE, S. A.

Í N D I C E

I

Apenas comenzaban a perfilarse las cumbres avileñas en la luz de la albada, cuando Reinaldo estaba de pie, ávido de empezar con el día la nueva vida que se había propuesto.

Por la ventana abierta, el campesino amanecer iba esparciendo dentro del cuarto, junto con su hálito generoso, su turbia claridad. De los contornos venían ecos de labor madrugadora: voces del gañán que buscaba por entre los tablones el buey cerrero que en la noche se soltó, mugidos de vacas en el ordeño, palabras aisladas en el silencio, el trabajoso rodar de un carro tempranero por los callejones, el sordo rumor de la molienda nocturna, allá en el trapiche. A ratos oíase el griterío de las bandadas de pericos que empezaban a salir de la montaña. Cantaban los gallos: a una bronca clarinada próxima respondía, más allá, otra, clara y vibrante, y otra a lo lejos, apagada y quejumbrosa, como un ayear.

Mientras saboreaba el café que acababa de llevarle la negra Úrsula, antigua manumisa de la familia Solar, Reinaldo púsose a contemplar desde la ventana que dominaba los campos de la hacienda, cómo iba amaneciendo, sobre el valle y por encima de las colinas circundantes, sobre toda aquella tierra suya, aquel memorable día de marzo que marcaba en su vida tránsito y renovación. Un reborde de luz corría por detrás de los montes haciendo resaltar la cresta de Los Picos de Naiguatá, las lomas rotundas de La Silla, la línea ondulante de las serranías del sur, y en el abra próxima

donde El Ávila sumía sus últimas estribaciones, un
alba sin arreboles se iba levantando y encendiendo.
Abajo, en la noche remisa del valle, blanqueaban los
cañaverales de «Los Mijaos», en torno a la sombra vigilante del torreón del trapiche, en cuyo extremo se
alzaba un fantástico árbol de humo. En los ranchos
comenzaban a brillar los hogares.

Con una prisa infantil, Reinaldo salió al campo, y,
al pisar la tierra, como si no la hollara desde mucho
tiempo y ella estuviese esperándolo, ávido de sentirlo
sobre sus lomos, exclamó:

—Aquí me tienes de nuevo. Ahora te pertenezco, todo
entero.

Y echó a andar por el callejón que conducía al trapiche, entre hilera de altísimos sauces. El aire sereno
del amanecer comenzaba a removerse, oloroso a tierras
recién volteadas, a estiércol refrescado al relente de
la noche, a bagazo rezumante todavía, y a ratos traía,
envuelta en un áspero tufo de alambique y de cachaza,
la caliente fragancia de melado que hervía en las pailas
de la oficina, o de la montaña cercana el olor agreste
y sabroso del matorral serenado.

Reinaldo Solar caminaba jubiloso, haciendo frases
estupendas. Volvía a la Naturaleza, al goce de los delei-
tes sencillos, a la vida simple, pero sana e intensa de
los sentidos. Aspiraba el olor de los campos y se sentía
transportado como en una suave aura de arrobamiento:
era la tierra fecunda que lo absorbía como a un abono
virtuoso que, a su vez, debiera multiplicar la fecundidad de ella. Y para que esta compenetración fuese
perfecta, caminaba hundiendo las plantas en el barro
de las carriladas.

Ya aclaraba cuando llegó a un rancho que por allí
había, sobre una colinita coronada de coposos mangos.
Un perro flaco y todo cubierto de peladuras purulentas
salió a su encuentro gruñendo de una manera hostil.
La asquerosa sarna del animal produjo al joven viva
contrariedad. ¿Cómo era posible que la tierra, madre
generosa de abundancia y de salud, alimentase aquella
podre? Regañó al animal que se le encimaba enseñán-
dole los dientes.

—¡Clavel! ¿Qué es eso? ¿No me conoces?

A su voz, salió de un establo vecino al rancho un

viejo barbitaheño que tenía un mugriento escapulario terciado sobre el pecho casi desnudo.

—¡Contra! Si es don Reinaldito.

—Yo mismo, Gracián. ¿Pensabas que no volvería por aquí?

—Como hace tanto tiempo que no ha querío pisá su tierra.

—Pues aquí me tienes. Probablemente para siempre.

—Que asina sea. Que por algo dice el dicho que el ojo del amo es el que engorda al caballo.

—Anda mal esto, ¿verdad?

—Su miajita, Don Reinaldito. Que con el descuío pué resultá un mucho pa más tarde. Y no lo digo por mal de naide, que ya sabe usté que a Gracián Sayago no le ha gustao nunca está soplando murmuraciones en los oídos de los amos: contimás que usté no me lo ha preguntao. Pero ya irá mirando con sus propios ojos. Hay mucho barbechal por esos campos; la floramarilla se ha cogío el puesto de la caña.

—Ya se resembrará.

—Esa boca manda. ¿Y la familia? ¡Ah! Conque vino solo. ¿A reponese? Ya le estaba haciendo farta: se ha chupao mucho en esa Caracas, y usté me perdone la licencia. Pero el campo es güeno, don Reinaldito. Aquí me tiene usté a mí, que he perdío la cuenta de los años y toavía doy brega.

—Ya se ve, ya se ve. Eres como el Padre Eterno, que no se sabe cuándo envejeció y siempre se conserva igual.

—¡Já, já! No tanto, don Reinaldito, no tanto. Son setenta y pico, no más. Pero, ¡já caramba! Lo tengo de plantón. ¿No gusta sentarse un saltico anque sea?

—No, Gracián, salgo de la cama.

—Es verdá. ¿Y una camasita e leche?

—Eso sí.

Y caminó detrás del isleño hacia el cobertizo donde estaban las vacas. Algunas, ya ordeñadas, pacían la hierba húmeda de rocío de un barbecho cercano; las que permanecían en el establo amarradas a los horcones, mugían dulcemente, llamando los becerros. En el aire matinal flotaba el bucólico olor de la boñiga. Dentro del rancho se oía raspar las arepas. Un humo azul se escapaba de la techumbre pajiza, en cuya solera estaba encaramado un gallo, lanzando su canto ufano y desafiador.

Reinaldo quiso ordeñar con sus propias manos la leche que había de beber, y el isleño, asombrado y jovial, al verlo ponerse a la tarea, exclamó:

—¡Usté en esa bajeza! ¡Miren que don Reinaldito tiene cosas! Me se representa al difunto su agüelo, que también le gustaba jacé too. ¡Qué señor aquel don Hermenegildo, que no me canso de echalo de menos! Me parece está viéndolo en su yegua blanca, recorriendo los campos toas las mañanas. A tal hora como ésta pasaba po aquí a tomase su leche. En esa misma camasa que usté tiene en las manos la ordeñaba él mismo. Por eso se la di; ésa no la toca naide de nosotros. ¿Se acuerda usté de su agüelo?

—¡Cómo no! No hace tanto tiempo. Juntos hicimos muchas veces esa recorrida matinal.

—Él tenía muchas fiestas con usté. ¿Se acuerda de aquel fiestón que dió pa celebrá la llegá del agua de la cequia que él había trazao? No debe acordarse, usté era todavía una criatura.

—Pues me acuerdo como si lo estuviera viendo.

—¿De veras? Pos mire que pa ese entonce tendría usté cinco años no cumplíos. Fué un treinta de agosto, día de Santa Rosa. Y la mañana metía en agua. El viejo estaba que no le cabía el alma entre el cuerpo; ya le parecía que iba a resultá el pronóstico del ingeniero que le dijo que el agua no llegaría a la represa, polque el trazo y que estaba mal hecho. Y esa gentará, toa la familia, esperando la cosa. ¡Qué momento aquél, cuando por fin sonó el agua en la represa de la ruea! Al viejo se le salieron las lágrimas y lo cogió a usté en sus brazos y lo levantó parriba, y le dijo — me acuerdo mucho —: Muchacho, aprende, éstas son las verdaeras alegrías de la vida: el fruto de la idea de uno.

Hizo una pausa. Reinaldo, conmovido por la inesperada evocación de aquel recuerdo de su primera infancia, que ahora tenía para él una significación especial, interrumpió su faena y se quedó viendo al viejo, buen espacio.

Gracián continuó:

—Y es la pura verdá, don Reinaldito. Ésas son las

verdaeras alegrías de la vida: ve el fruto del trabajo de uno.

Y luego, cambiando el tono de la voz:

—No así su taita, el señol don Daniel, a quien Dios tenga también en su gloria. Ése no supo gozá e la vida.

—Papá vivía fuera de la Naturaleza.

—Asina debe sé — concluyó Gracián, al cabo de un rato.

Entretanto, habían salido del rancho dos mujeres.

—¡Bendita sea la Virgen pura! Aguaita, Plácida. Si es don Reinaldo. El niño Reinaldito, como lo llamábamos hasta ayer no más. ¡Y que ordeñando!

—Es necesario saber hacer de todo un poco, Efigenia.

Le respondió el joven, complacido en su tarea, mientras estrujaba torpemente la rosada ubre del animal, que se volteaba a mirarlo con sus ojos húmedos y mansos.

Entretanto, la rústica familia de Gracián, agrupada en el establo, contemplaba al joven señor con cariñosa admiración. Componíanla cuatro arrapiezos, cuyos ojos claros lucían su azorada pureza entre el mugre de las caras pálidas; Plácida, la hija mayor de Efigenia, la mujer agotada ya por los trances de una maternidad incansable.

Lleno el envase, Reinaldo se incorporó. Gracián le dijo:

—Bébasela toa, que debe está güena polque es postrera.

La leche tibia y olorosa se derramaba bañándole las manos. Manteniendo la vena del buen humor, grato a los campesinos, Reinaldo hizo un gesto de fingido asombro.

—¡Qué acontecimiento!; ¿verdad, chico? — dijo al más pequeño de los muchachos —. Todos han venido a verme ordeñar.

—Farta Tránsito — replicó el interpelado, frotándose la espalda desnuda contra un horcón.

Y la madre agregó, sonriente:

—Ella tiene reparo de que usté la vea asina como está. — Y soltando una risa franca y gozosa, de ingenuo rubor, agregó —: Como se casó, va pa siete meses...

—¡Ah! Ya comprendo.

Dijo Reinaldo. Y luego, alzando la voz, gritó a la

manera de los campesinos para hablarse a distancia:
—¡Tránsitoo! ¡Tránsitoo! Anda, mujer de Dios.
Déjate ver, que no es ningún pecado lo que has hecho.

Roja de risa y de vergüenza, la muchacha asomó
la cabeza por encima de la palizada que festoneaban
las últimas pascuas azules. A través del cañizo se ad-
vertía la redondez del vientre grávido.

—¡A la salud del que ha de venir!

Exclamó Reinaldo. Y levantando la camasa, bebió
el contenido a grandes y ruidosos tragos.

Los chicos lo miraban embobados; las mujeres sonreían silenciosas. Gracián se quitó el sombrero y dijo:

—Que Dios se lo pague.

Esto era más de lo que necesitaba Reinaldo para
abandonarse a la emoción que le estaba bullendo en el
pecho. Él también había tomado en serio su jovial
ofertorio, a causa de que, cuando levantaba la jícara
rebosante de leche, había visto aparecer el sol y su
frente había recogido el primer rayo de luz. El natural
acontecimiento y el ingenuo ademán del campesino
cobraron para él las proporciones de una señal mística:
bajo la rústica techumbre del establo, en el bucólico
ambiente oloroso a boñiga y a cogollos recién cortados,
rodeado de caras humildes que sonreían con una pura
sonrisa de asombro, él acababa de celebrar un rito
solemne, que tenía el sabor arcaico de las olvidadas
religiones de la Naturaleza.

Lleno de esta emoción cuasi mística se alejó del
rancho y anduvo a través de los campos de la hacienda,
cruzando los rastrojos, de donde se levantaban a su
paso bulliciosas bandadas de capanegras y de tordos,
saltando por encima de los tablones recién surcados,
metiéndose por entre los cañaverales, evitando el encuentro de la gente que discurría por los callejones,
para saborear a solas el interno deleite de sus exaltadas
imaginaciones. Luego remontó el cauce de un arroyo
que bajaba del monte, trepando descalzo por las piedras
bruñidas por las chorreras, hasta un paraje sombrío
donde había un ojo de agua.

Manaba ésta en el cuenco de una roca revestida de
musgos y de helechos; grupos de bejucos colgaban de los
altos y coposos árboles que tendían por encima un
toldo de frescura y de recogimiento; atravesado en el

cauce pudríase el tronco añoso de un jabillo derribado, y por debajo de él, la hebra del arroyo se deslizaba con un ruido suave hacia un remanso obscuro. El ambiente era frío y denso; la luz, tamizada por el follaje, tenía tonos verdinegros; más allá, cauce arriba de la seca torrentera, lucían manchas de sol en los claros del bosque. Un suave rumor nocturno de élitros en las espesuras marcaba el ritmo apacible de aquel silencio lleno de solemnidad y de misterio.

Era el sitio propicio a la comunicación con la Naturaleza: la fuente, que ha inspirado a los hombres, a través de los siglos, supersticiones diversas. Reinaldo se había acercado a aquélla con una emoción de espera mística.

Aquietó sus pensamientos, buscando el éxtasis, como quien busca el sueño; pero el torrente de sus ideas era incontenible, y turbando el silencio comenzó a declamar:

«Iba a buscar allí, en el seno de la Naturaleza redentora, la obra de la reconstrucción de su ser moral, como una planta que, deformada por el cultivo, volvióse a la selva originaria a recuperar el vigor de su antigua condición salvaje».

Era el primer capítulo de una novela que había concebido días antes y cuyo título, sugestivo y lleno de sabor de ciencia moderna: «Punta de Raza», había estampado ya con gordos caracteres en el croquis de la carátula dibujada por él, en la cual se veía un hombre desnudo, de hirsuta barba de tinta china, en la linde de una selva inhollada, bajo un largo vuelo de garzas, mirando salir el sol en éxtasis naturalista.

Sacó la cartera para fijar aquella frase; pero en seguida se arrepintió. Una sombra de contrariedad pasó por su rostro; aquel pensamiento literario había roto el encanto de la autosugestión bajo cuyo influjo estaba desde el amanecer.

Barajando en una misma ficción las emociones experimentadas durante la excursión matinal por los campos de la hacienda, con las que desde la víspera había atribuído a su protagonista, y acomodando su espíritu al estado preconcebido en que su héroe debía sentir dentro de su ser cansado y en trance de descomposición la panteística penetración de las energías eter-

nas de la naturaleza, había concluído por creer en la
sinceridad de sus sentimientos. No era un producto de
su imaginación, construído artificiosamente para llenar
las páginas de una novela, aquel interesante personaje,
punta y remate de una familia histórica, que después
de arrastrar por la ciudad una vida de refinamientos
y de desviaciones morales rompía inopinadamente con
su pasado para internarse en el corazón de una selva
virgen, a emprender la labor prodigiosa de destruir
en una sola vida de hombre la obra de varias generaciones que acumularon en su ser el morboso legado
de la decadencia; «Punta de Raza» era el mismo vás-
tago desmedrado de los antepasados legendarios que
vinieron en las carabelas de los conquistadores; de
los antepasados históricos que fundaron ciudades y
civilizaron naciones enteras de indios; de los próceres
que resplandecieron en la epopeya de la Independencia;
de los varones austeros que fundaron la República y
más tarde sacrificaron el peculio y la vida en aras de
la honra y en defensa de la convicción; de todos cuantos fueron muestra del temple y del vigor de la raza,
en aquella casa donde hasta las piadosas mujeres tuvieron raptos heroicos de orgullo y de altivez.

El último de aquella esforzada legión fué Hermenegildo Solar, el abuelo. Perseguido por los odios políticos
que la Guerra Federal había desatado contra el apellido mantuano, con él dejan de figurar los Solar en
el Gobierno de la República y llegan hasta perder el
rango principal que siempre tuvieron en la sociedad;
pero la honra de la familia se salva incólume, porque
el viejo se aísla, lleno de altivez, y metiéndose en la
hacienda, único resto de la cuantiosa fortuna de sus
mayores, se consagra a restaurarla de la ruina en que
se la dejaron el odio y la rapacidad de sus adversarios.

Pero allí se acaba la secular fortaleza de la casta;
sus hijos resultaron débiles e incapaces, y ninguno de
ellos supo continuar la tradición que vinculaba, a la de
la Patria, la historia de la familia: Juan Hermenegildo,
el primogénito, le salió campechano y montaraz, invirtió su patrimonio en un hato del alto Llano, sembró
hijos sin nombre en el vientre de una zamba de una
familia de peones sabaneros, no supo administrar su
peculio y paró en caporal de ganado; Vicente gastó

la juventud en seducir mujeres, prostituyó el valor en oscuras proezas de pendenciero y, despilfarrada su fortuna en parrandas que escandalizaron la ciudad, fué a morir de hematuria en Araya, donde desempeñaba un humilde cargo de vigilante de las salinas; Daniel, el preferido, fué finalmente un hombre lleno de fallas y de contradicciones.

Desde niño se reveló artista, con una marcada vocación por la música, y en ella demostró, precozmente, verdadero talento.

A fin de que adquiriese la conveniente educación, su padre le envió a los Conservatorios de Europa siendo todavía muy joven. Supo aprovecharlo al principio, y a poco su nombre figuraba en el número de los pianistas de mejor reputación. No era un «virtuoso», ni aspiraba a serlo; pero ejecutaba brillantemente e interpretaba a los grandes maestros con verdadero sentimiento e inspiración. Dominada la ejecución, se aventuró en la composición musical con un ambicioso proyecto, sólo comparable a la soberbia jactancia de Miguel Ángel pidiendo un monte para esculpirlo: musicalizar la historia de la humanidad desde el ignoto momento en que empieza a caer sobre la tierra la mística lluvia de mónadas espirituales que vienen a fecundar los gérmenes terrestres, y surge en silencio de las selvas prehistóricas el primer grito humano; hasta el remoto término en el cual la inefable esencia del Ego, agotada la ley del karma teosófico, se sumergirá en la plenitud del Único.

Fué una idea extravagante que concibió bajo la influencia de un círculo de ocultistas, a cuyas tenidas asistía en Londres, atraído por la alucinante sugestión que una teosofista rusa ejercía por entonces sobre los espíritus. Para llevarla a cabo se propuso hacer un viaje a la India, donde bebería la inspiración en la fuente misma del budismo. Pero antes de internarse en aquel mundo misterioso, de donde tal vez no saldría más, quiso venir a Venezuela a despedirse de su familia.

Caracas le hizo un fastuoso recibimiento, y su nombre, agobiado de descomunales epítetos, se hizo de moda. Un caballero de lo principal organizó en su casa un festival de arte para que él tocase, y allí se congregó un grupo de los más selecto de la sociedad caraqueña, deseosa de admirar aquella gloria nacional que Europa había consagrado. Recibiéronlo con agasajos. Daniel se sentó al piano y comenzó a ejecutar una sonata de Beethoven.

Pero, a los primeros compases, observó que unas señoras se distraían conversando entre sí, seguramente sobre motivos frívolos, y entonces, lleno de indignación, se levantó violentamente y abandonó la sala sin despedirse ni dar explicaciones. Desde aquel momento renunció totalmente a la música.

Naturalmente, el incidente creó en torno de él un aura hostil: se le negaron méritos con la misma facilidad con que se habían exagerado los que poseía; se le ridiculizó de todas las maneras posibles. Daniel no hizo caso; su renuncia al arte era tan absoluta que él mismo no se consideraba artista. Se impuso la tarea de borrar de su memoria los recuerdos del pasado. Encerróse en su casa y se entregó a continuas lecturas místicas y teosóficas. Al cabo de algunos años nadie se acordaba de que él era músico.

Poco después conoció a Ana Josefa Allende, cuya familia y la de Solar mantenían una tradicional amistad desde los remotos tiempos del esplendor de las casas de abolengo. Era Ana Josefa una muchacha dulce y mansa en extremo, en el leve estrabismo de cuyos ojos había — al decir de Daniel — la resignada expresión de los dolores sufridos en la serie de vidas del karma teosófico. A causa de esto, enamoróse de ella, y de un día a otro contrajo matrimonio. Al año nació Reinaldo. Dos años después una niña, Carmen Rosa.

A partir de este acontecimiento, empezaron a hacerse más agudos los síntomas de la rara dolencia moral de Daniel Solar: se encerró en su habitación, y allí, aislado de su familia, llevó durante años consecutivos una vida extravagante, mezcla de misticismo y de abulia.

Escogió, para su retiro, toda una vivienda de las que, a ambos lados del patio principal, poseía la espaciosa casa solariega, y en la cual, respetada por las reformas que a ésta le hicieron, perduraba la austera fisonomía de las mansiones coloniales. Componíanla dos hileras de piezas contiguas y paralelas, donde la familia actual guardaba los muebles que tenían historia, como típicas reliquias de los usos de antaño y del elevado rango de la casa. En una de las piezas que daban al corredor que rodeaba al patio y que fué en tiempo de las rancias costumbres de la Colonia la galería donde las mujeres de las familias recibían a sus amistades íntimas, había un estrado carcomido y unos cortinajes semideshechos; del techo de estuco colgaba una araña de luces con briseras de cristal; el pavimento era de ladrillos exagonales, y a lo largo de las paredes se conservaban restos del viejo zócalo, compuesto de varias franjas de arabescos sobrecargados de colores que la pátina del tiempo destiñó. La pieza de atrás, que fué dormitorio de una tía abuela de Daniel Solar, ante cuya belleza, según la tradición de la familia, se ablandó sin frutos la ferocidad de Boves, era entre todas la más confortable y mejor conservada. Tenía el techo de obra limpia, todo de oloroso cedro, y recibía el aire y la luz de un patinejo vecino, abierto dentro del cuerpo de las viviendas, por lo cual a toda hora del día había en ella una deliciosa frescura y una discreta claridad que invitaba al recogimiento. Componían el menaje una cama con baldaquino de columnas salomónicas, torneadas en caoba negra de Santo Domingo, dos armarios de lo mismo, con orlas doradas en las cornisas y en los peinazos, un arcón ornamentado con incrustaciones de cobre, una enorme alacena toda de cuarterones, entre los cuales, en ambas hojas, dos cruces denunciaban el antiguo uso eclesiástico, una mesa de rica y minuciosa talla y un sofá revestido de damasco rojo.

Daniel Solar la eligió como celda; hizo trasladar allí su piano, lo cubrió con un manto negro, a la manera de simbólico sudario de su extinguida vocación artística y se extendió en el sofá, decidido a pasar en aquella actitud el resto de sus días, hasta que entrase en el nirvana.

Por las noches iban a visitarlo su cuñado Valerio Allende y un literato amigo, grande admirador de cuantos fuesen tipos raros y tan dado como Daniel a las especulaciones teosóficas.

En cuanto a Valerio Allende, aparte la extremada magrez de su persona, a lo cual debía el apodo de Valerio Flaco que cariñosamente le pusiera Daniel, no tenía otra singularidad que la de ser tallista de todo

género de menudencias en cortezas de bucare y sumamente habilidoso para construir edificios y ciudades
célebres con una pasta de cartón que había inventado
y resultaba muy sólida. Profesábale Daniel un afecto
extremoso y tierno que le salía ingenuo del alma ani-
ñada, y en su compañía se pasaba largas horas ayudándolo a fabricar sus Babilonias y Jerusalenes de cartón.
En la noche, ellos dos y el literato amigo formaban una
misteriosa tertulia en el estrado donde antaño las man-
tuanas abuelas de Daniel recibieran a las linajudas
señoras de su amistad, y allí, a la luz de las velas que
ardían dentro de las briseras, porque la habitación no
tenía lámparas de gas, ni Daniel las hubiera usado, permanecían a puertas cerradas hasta el mediar de la
noche.

Entretanto, en el corredor penumbroso, Ana Josefa
pasaba y repasaba las cuentas de su rosario, resignada,
suspirante. En las noches de sábados y domingos, el
viejo Hermenegildo Solar, que pasaba la semana en la
hacienda, formaba tertulia con Agustín Allende, el hermano mayor de Ana Josefa, y con otros señores que
hablaban sigilosamente de la eterna revolución que
estaba en armas o se estaba fraguando para derrocar
al Gobierno.

A veces Reinaldo asistía a estas pláticas, cuyo sentido no penetraba bien, pero que le llenaban la fantasía
de imaginaciones truculentas de batallas y saqueos,
y con esto y con la curiosidad de saber lo que se hablaba
en el cuarto del estrado, cuando se metía en la cama
sufría insomnios y pesadillas.

En el día, él y Carmen Rosa se pasaban la mayor
parte del tiempo haciendo compañía a su padre. Tenía
Daniel Solar el don de ser amado de los niños; a menudo se le veía rodeado de los de la familia y aun de
los del vecindario, que iban a contarle sus travesuras,
en las cuales se complacía, aniñado y sonriente, o a
escuchar los fantásticos cuentos que inventaba para
ellos, seguramente en aquellas horas de perenne sinquehacer que pasaba tumbado en el sofá, con las manos
entrelazadas bajo la nuca y la mirada fija en un vago
punto del espacio, que no parecía estar dentro del cuarto, arrullado por el bordoneo de las moscas en el silencio del patio de luz.

Procuraba Ana Josefa que los niños estuviesen el menor tiempo posible en aquella habitación.

Era Ana Josefa Allende de Solar, un alma de Dios, cándida como un niño. Heroica cuando le tocaba sufrir y abnegada hasta los extremos del verdadero sacrificio, tenía, sin embargo, el ánimo medroso y el corazón más blando del mundo. Sus conceptos eran pueriles y descabellados; no había patraña que no le cupiese holgadamente en la inteligencia, desprovista de cultura, y hasta su misma fe estaba hecha de un cúmulo de inocentes supersticiones: creía en daños y maleficios, y vivía en un auténtico temor de Dios, esperando a cada rato los cataclismos del Apocalipsis, que no había leído ni sabía a punto fijo si lo escribió San Juan o Jesucristo. Amaba a Daniel entrañablemente y era el mayor dolor de su vida verlo en aquel estado de aplanamiento moral; pero no se atrevía ni a dirigirle la palabra para sacarlo de él, y nadie le quitaba de la cabeza el pensamiento de que a su esposo le había puesto así la teosofista rusa, que para ella tenía, como todos los teosofistas, comercio con Satanás. Firme en esta convicción, vivía temiendo que Daniel contagiase su mal a los niños.

Pero ellos, y sobre todo Reinaldo, le estaban tan apegados que no había forma de impedir que se pasasen horas enteras en aquella habitación.

Por otra parte, Reinaldo empezó a dar, desde muy temprano, inquietantes muestras de una violenta ebullición del pensamiento. Se le ocurrían cosas muy raras, como la de asegurar cómo era la fisonomía de una persona sólo porque la oyese hablar, y aunque jamás acertaba, Ana Josefa seguía pensando que aquella extraña cualidad adivinativa no era nada tranquilizadora. Asimismo sufría como una insensata cuando le oía decir que en la punta de tal ladrillo era día de fiesta, porque estaba cubierta del musgo de la humedad, o que el número tres le era sumamente antipático porque no dejaba vivir al número dos. Finalmente, este supersticioso temor de la madraza llegó a su colmo un día que le oyó decir al marido, a propósito de Reinaldo:

—Este pobrecito niño ¡lo que va a sufrir!

Y como ella inquiriese la razón por qué lo decía, el terror le heló el corazón cuando Daniel respondió:

—Porque tiene el signo de los elegidos por el dolor.

Desde entonces redobló para Reinaldo los extremos de su ternura maternal, hasta el punto de olvidarse de que Carmen Rosa era también hija suya; y a menudo, cuando nadie podía verla, cogía entre sus manos la cabeza del niño y se ponía a buscarle aquel misterioso signo que Daniel había visto impreso en su hermosa faz pensativa.

Pero esto mismo acabó de excitar más la desbordante imaginación de Reinaldo. Entreveía en aquella conducta de la madre, lo mismo que en las largas miradas que su padre fijaba sobre él, llenas de melancolía y a veces de lágrimas, algo inquietante que no acertaba a explicarse y que por eso le parecía misterioso.

Por otra parte, en su casa todo concurría a afirmarlo en la idea de que vivía en medio de un misterio que querían ocultarle: los cuchicheos de la servidumbre, el llanto cotidiano de la madre, que en vano trataba de esconderlo cuando a él se acercaba; el ceño sombrío del abuelo paseándose por los corredores después que Ana Josefa le había contado algo que no podían oír ni él ni Carmen Rosa; las frecuentes y cautelosas conferencias de la madre con su hermano Agustín Allende y con el padre Moreno, aquel cura de la parroquia hacia quien experimentaba una invencible antipatía, porque solía reírse de una manera burlona cada vez que Ana Josefa le contaba alguna de sus tribulaciones; el aire aflictivo de Valerio Allende al salir de la habitación de Daniel Solar, y sobre todo, aquella extraña angustia que asaltaba a Ana Josefa, cuando a medianoche se empezaba a oír en la casa aquella música que parecía salir de bajo de la tierra.

Era Daniel Solar, que, aprovechando el silencio de la medianoche, tocaba en el piano, a la sordina, unas armonías graves y lentas, trozos de la fracasada composición musical que se le pudrió dentro de la mente, como una semilla que no encuentra salida para el brote.

¿Por qué se angustiaba tanto su madre al oír aquella música que a él le parecía tan deliciosa? Reinaldo no acertaba a explicárselo; pero sí advirtió que cuando aquello sucedía, al día siguiente la habitación del padre amanecía cerrada, y así permanecía durante dos o tres días, sin que él ni nadie pudiese entrar.

Entretanto, en el oratorio doméstico, las velas ardían interminablemente ante las imágenes milagrosas y el abuelo aparecía inopinadamente en la casa. Indudablemente era algo muy grave lo que estaba sucediendo en la vivienda de los muebles viejos.

Reinaldo quería descubrirlo a todo trance; pero la madre evadía sus preguntas y lo mandaba que se fuera a jugar con la hermanita en el corral, aun a riésgo de la temible insolación que era su sobresalto continuo. Un día, Reinaldo insistió más de lo conveniente, y la negra Úrsula le dijo, saliendo en auxilio de la tribulada Ana Josefa, que no hallaba qué responder:

—¡Ave María con el muchachito! ¡Qué curiosidá! El amito Daniel está haciendo los ejercicios de San Inacio. No aturruyes más a tu mama con tu preguntaera.

Reinaldo se la quedó viendo y no insistió; pero no quedó convencido. Por el contrario, acabó de persuadirse de que allí había un misterio que no debía conocer: desde entonces su infantil curiosidad se transformó en sobresalto y en miedo.

Por su parte, Daniel Solar parecía víctima de terribles y secretos sufrimientos. A menudo llamaba a Reinaldo, y sentándoselo en las piernas, se ponía a verlo larga, dolorosamente, como si tuviese algo que decirle y no se atreviera a expresarlo.

Un día se resolvió por fin, y oprimiendo al niño contra su aniquilado pecho, le dijo:

—Hijito, yo no tuve la culpa. Cuando te des cuenta de esto no me hagas cargos. Hay una cosa que no es bien ni mal: la desgracia.

Poco tiempo después, una noche, Reinaldo despertó sobresaltado: el mundo se acababa, un ruido infernal atormentaba sus oídos, una terrible trepidación lo sacudía violentamente y en torno suyo se espesaba la espantosa oscuridad. Intentó gritar, pero sintió que unos brazos descomunales y fornidos le oprimían fuertemente, y el terror le estranguló la voz. Un tumulto de imágenes extravagantes pasó por su mente: era que se había acabado el mundo y él iba en brazos del Ángel del Apocalipsis a través de aquel incomprensible vacío de que le hablara su padre cuando él le preguntaba qué había detrás de las estrellas; y aunque la oscuridad no

le permitía ver nada en redor, percibía claramente la
faz impresionante del Ángel, tal como estaba pintado
en la estampa de aquel libro que una vez encontró en el
cuarto donde se guardaban los muebles inservibles de
su casa.

Cerró los ojos y se resignó a su destino, compade-
ciéndose de sí mismo.

De pronto, cesó la trepidación y oyó la voz de Valerio
Allende, que decía:

—Úrsula, baja tú a Carmen Rosa; yo me encargo
de éste, que es más pesado. Abrígala bien, que está
lloviznando.

Tranquilizado, Reinaldo abrió los ojos. El Ángel del
Apocalipsis era el tío Valerio, que lo llevaba en un
coche que acababa de detenerse frente al portón de la
casa de los Allende, situada en la parte alta de la
ciudad.

Reinaldo se echó a reír y contó al tío cuanto había
venido pensando en el coche. Todavía reía mientras
Valerio, ayudado por la negra Úrsula, lo desvestía para
acostarlo en su cama; pero enserió súbitamente como
oyera que la manumisa decía, a tiempo que se restre-
gaba los ojos:

—¡Qué felices son los niños!

Reparó entonces que el tío Valerio, ordinariamente
risueño y juguetón, estaba sombrío y lloroso. Tuvo una
intuición de lo que había sucedido en su casa; pero
no se atrevió a preguntar. Al cabo de un rato dormía
profundamente.

La mañana siguiente la pasaron, él y Carmen Rosa,
solos con la negra Úrsula. La hermanita preguntaba
a cada rato que dónde estaba su mamá y que por qué
los tenían allí; él permanecía callado, como si nada de
aquello le interesase; pero no tenía ganas de jugar. A
mediodía llegó Agustín Allende y en seguida salió,
vestido de negro. Al anochecer regresó Valerio. Tenía
los ojos encarnizados y parecía haber envejecido en pocas horas. Se metió en su cuarto y estuvo largo rato
sin que se oyese qué hacía.

Picado por la curiosidad, Reinaldo entró en la habitación y lo encontró llorando, de bruces sobre la mesa
donde ardía Sodoma en llamas de cartón molido y pintado de rojo. Era su última reconstrucción y estaba

inconclusa. A Reinaldo le llamó la atención la mujer de Loth y se absorbió en su contemplación.

II

Arrullado por la sinfonía del silencio en la soledad del boscoso canjilón del Ojo de Agua, Reinaldo Solar seguía reconstruyendo mentalmente su vida.

El duelo en la hacienda. La imagen del padre fija en su mente, durante los primeros días; su voz, que a cada paso creía oír en el silencio del caserón de «Los Mijaos»; los terrores nocturnos, cuando desde su cama escuchaba crujir las maderas del techo o los muebles de los vastos dormitorios, o cuando oía el graznido de las lechuzas y el canto agorero de las «pavitas» en los laureles que rodean la casa; los paseos matinales con el abuelo por los campos de la hacienda, embebecido en la contemplación del paisaje, que fué su iniciación estética; el baño al amanecer, en el estanque, donde el viejo le obligaba a meterse para que perdiera el miedo y aprendiese a nadar, que fué su primera escuela de energía; la charla sosegada y edificante del abuelo, que iba descubriendo ante su mente los misterios de la naturaleza y formándole en el corazón el orgullo de sí mismo, al referirle la historia de la familia, sembrada de hazañas heroicas que le llenaron la infantil imaginación de sueños de grandeza y de dominio; las faenas del campo, que le enseñaron a amar la tierra; los paseos vespertinos al Conventico, a visitar a las tías monjas.

Eran éstas dos hermanas de don Hermenegildo, en el mundo Filomena y Carmen Solar, monjas exclaustradas del hábito de la Concepción, que vivían en una casa de la hacienda desde que las autoridades de Caracas las expulsaron de su convento. Sor Teresa, la mayor, hacía de priora en aquel resto de la comunidad dispersada y vivía recordando las cosas del Convento, con lo cual Carmen Rosa se embelesaba; Sor Buenaventura, amorosa, locuaz, tenía señaladas preferencias para Reinaldo y lo colmaba de golosinas hechas por ella y de

frutas de la huerta, que ponía a madurar expresamente
para él.

Pero lo que más agradaba a Reinaldo era lo que llamaba la tranquilidad del patio. Gustábale sentarse en
un viejo banco del antiguo locutorio conventual que
había en el corredor; allí quedábase largo espacio saboreando el silencio y la quietud de aquel patio de guijarros bruñidos, donde había unos granados que el sol
de la tarde teñía de oros suaves. La hermana Buenaventura aseguraba que Reinaldo iba a ser fraile, porque
la inclinación a la soledad y al silencio es señal de vocación monjil.

Por cuaresma, un capuchino de Las Mercedes iba
todas las noches a predicar misiones en la capilla del
Conventico, para edificación de los campesinos de la
hacienda y sus contornos. Allí comenzó a formarse el
sentimiento religioso de Reinaldo y a acendrarse la
piedad precoz de Carmen Rosa.

Concluído el sermón, la familia Solar regresaba a
su casa acompañada del capuchino, que pernoctaba con
ellos. Reinaldo se adelantaba para ir solo y poder disfrutar a todo su gusto las inefables emociones que le
llenaban el corazón, enamorado de Jesús. El recogimiento de la noche, la plateada serenidad de los campos, los suaves rumores que llenaban el agreste silencio,
la apacible montaña teñida de un azul diáfano de lumbre lunar, todo era propicio a aquel sentimiento de
religiosidad que empezaba a brotar en su alma, confundido con el sentimiento de la naturaleza y teñido
de poesía.

Así pasaron tres años. Las tías monjas enfermaron
y murieron, una en pos de la otra. Al año las siguió
don Hermenegildo. Fué una muerte dulce que se fué
adueñando de él lentamente, sin violencias. Momentos
antes de expirar posó su mano gruesa y velluda sobre
la cabeza del nieto y dijo las postreras palabras:

—El último Solar.

Reinaldo no les penetró el sentido; pero se le gra-
baron en la mente para siempre.

Meses después, Ana Josefa regresaba a su casa de
Caracas, acompañada de los hijos. Jamás hubiera vuelto
a aquella casa llena de recuerdos ingratos, si no fuera

porque Reinaldo necesitaba escuela, como le dijera su
hermano Agustín.

La larga ausencia de la familia había cubierto la
casona de una pátina de vetustez que la hacía más som-
bría para Ana Josefa. Agustín Allende le había acon-
sejado venderla y comprar una moderna más apropiada
a su situación, pues aquélla era demasiado espaciosa
y gravosa para una fortuna que ya había mermado
mucho; pero ella no se atrevió a disponer de aquella
reliquia de los Solar, temerosa de que más tarde se lo
desaprobase Reinaldo.

Bien pronto se arrepintió de no haberlo hecho. A Reinaldo le había dado por la manía de meterse en la habitación de Daniel Solar, y en ella se pasaba horas
enteras, sin que hubiese forma ni manera de sacarlo
de allí. Ya le parecía estar viendo al hijo, lo mismo que
al marido: ¡toda la vida dentro de aquel cuarto de sus
tormentos!

Y su angustia colmó la medida cuando Reinaldo le
contó algo muy singular que le había sucedido al entrar
en la habitación, por primera vez, después de la muerte
del padre.

Y fué que al abrir la puerta, todavía con la mano
sobre la llave, Reinaldo se vió a sí mismo acostado en el
sofá de las meditaciones paternas, no como era entonces, sino ya hombre, con una barba como aquella de
su padre, del color de las barbas del maíz. Este des-
doblamiento alucinatorio había sido tan perfecto, que
Reinaldo experimentó a la vez la sensación de frialdad
de la llave que tenía en la mano y las sensaciones de
contacto de su cuerpo acostado sobre el sofá.

Ana Josefa estuvo a punto de volverse loca. Aquel
mismo día llamó a sus hermanos para que no la dejasen
sola en aquella casa donde sucedían tales cosas, y mandó
en busca del padre Moreno para que exorcisace la habitación y le aconsejase qué debía hacer con Reinaldo.

El cura prescribió medicina espiritual: que Reinaldo
se preparase para la primera Comunión.

Poniendo manos a la obra, Ana Josefa encargó la
delicada misión a una amiga de su infancia, acerca de
la cual corría en la parroquia una leyenda milagrera
que era pasmo y envidia del beaterío de Caracas.

Era esta amiga una mujer de más de treinta años,

cuyo rostro, deformado por una misteriosa enfermedad, conservaba huellas de la perdida hermosura. Llamábase Elena y vestía hábito del Carmen.

Horas enteras, todas las mañanas, pasaban ella y Reinaldo entretenidos en piadosas conversaciones. Generalmente Elena tejía mientras hablaba; entretanto, Reinaldo, con los codos apoyados sobre las rodillas, las muñecas juntas y la cara entre las palmas de las manos, se embebecía en la contemplación de aquellos dedos exangües, pero de líneas perfectas, que urdían sabiamente la malla sutil de blanquísimos soles, o de aquellos ojos enigmáticos que habían sido deslumbrados por la visión del milagro.

Del cuerpo de aquella mujer emanaba una suave fragancia de piel limpia y jabonada, de ropas olorosas a vetivé, y a Reinaldo se le antojaba que tal perfume debía ser el mismísimo olor de santidad de que hablaban los libros piadosos. Estas impresiones, mezclándose y confundiéndose con las imaginaciones que hacía a propósito del misterioso caso sucedido en la vida de Elena, le producían el efecto de hallarse en presencia de lo sobrenatural y le llenaban el corazón de voluptuosa inquietud. Buscaba en la faz enfermiza de la preparadora la huella de la mano de Dios y experimentaba una intensa fruición cuando sus ojos se encontraban con la mirada de aquellos que habían visto a Jesucristo.

A veces este sentimiento religioso se bastardeaba, mezclándose con un infantil, pero violento y turbador deseo: besar aquella boca en cuya excesiva movilidad se condensaba toda la femenil coquetería de Elena, y que se recogía y se plegaba, en un gesto de succión voluptuosa, al hablar de las dulzuras del divino amor. Dominado por este impetuoso reclamo precoz de su sensualidad, Reinaldo dejaba de escuchar las palabras edificantes y permanecía largo rato devorándola con los ojos llenos de lumbre.

Atribuía Elena a piadosa exaltación tal enardecimiento, y satisfecha de su elocuencia, redoblaba el calor de sus palabras, con lo cual se hacían más provocativos los melindrosos mohines de la boca tentadora y más sugestivo el alucinante estrabismo de los ojos visionarios; pero quizá, allá en el fondo de su ser, ella también sentía rebullir el rescoldo de la voluptuosidad cuando descubría aquella llama en la mirada del bello adolescente, en cuyo rostro se hacía entonces más enérgica la expresión varonil, porque muchas veces éste hubiera podido advertir que la plácida cara se le enrojecía súbitamente y los dedos infalibles anudaban y enredaban la hebra.

Un día fué tan violenta la turbación de Elena que, abandonando de pronto el tejido, interrumpió su plática y dijo:

—Vamos a rezar.

Reinaldo comprendió y se sintió confundido, avergonzado. Haciendo un esfuerzo sobrehumano por vencer la presión de la garra de llanto que le atenaceaba la garganta, púsose a seguir el rosario que ella guiaba; pero no pudo sobreponerse mucho tiempo y de súbito rompió a llorar.

Ella continuó rezando en voz más alta. Concluídas las oraciones, le dijo a Reinaldo, pasándole la mano por los ensortijados cabellos:

—Ya es tarde, puedes irte. Y pídele mucho a Dios que te dé la paz del alma, ¿sabes?

Aquel día, al llegar a su casa, Reinaldo se encerró en su cuarto y allí estuvo hasta el anochecer, a pretexto de jaqueca, con la cabeza escondida entre las almohadas, torturándosela con el pensamiento de su pecado. Entre ratos se golpeaba la frente, se mesaba los cabellos, haciendo propósitos de duras y tremendas penitencias; entre ratos, la pueril vanidad se le ablandaba al halago de haber tenido tentaciones, como los elegidos de Dios, y entonces se entregaba a gratos fantaseos: él era un santo; Elena también, y, sin mengua de la santidad, se amaban, con amor místico que placía al Señor.

En los días siguientes se dedicó con ahinco a la lectura de «La Imitación de Cristo», que Elena le recomendara como la más eficaz medicina del espíritu. El rudo ascetismo kempiano despertó en él un voraz deseo de sacrificio: se aplicó disciplinas, observó rigurosos ayunos, se entregó a largas y complicadas oraciones que hicieron la delicia de Ana Josefa, quien estaba convencida de que su hijo iba a ser un santo, si ya no lo era.

Pero ni oraciones ni penitencias le devolvían la paz

del alma. La precoz pasión por Elena crecía voraz en su pecho, y bien pronto ya no fueron románticas fantasías impregnadas de candoroso misticismo las que ocupaban su pensamiento, sino torpes imaginaciones que le enardecían la sangre inflamable. En realidad, jamás trataba de desecharlas; por el contrario, se complacía en ellas, orgulloso de ser tentado y poseído por el más temible de los demonios, y cuando aquellos pensamientos lo dejaban, él los buscaba voluntaria y obcecadamente para experimentar el insano deleite de su tormenta interior. Así creía alcanzar mayores merecimientos a los ojos de Dios, a quien se imaginaba ocupado solamente en someterlo a terribles pruebas.

Pero aun no estaba satisfecho; todavía no le había sido dado ver, con los ojos de la carne, la inevitable mujer desnuda de las tentaciones de los santos. Este menosprecio en que lo tenía Satanás lo contrariaba y lo exacerbaba más: él se sentía digno de las más eficaces tentaciones que jamás inventó la diabólica astucia.

Por fin, una noche, mientras hacía sus oraciones, sintió la presencia de Elena y percibió distintamente el peculiar olor que emanaba de su cuerpo. Era una Elena resplandeciente de belleza, tal como debió ser antes de la misteriosa enfermedad que la dejara mustia y bisoja.

Llegó y se tendió en la cama de él, cual hiciera la bíblica Ruth, según aseguraba aquel verso, de no sabía cuál poeta, que se había quedado clavado en su memoria como un tábano:

Y Ruth se tiende desnuda en el lecho de Booz.

Cayó de cara al suelo y oró frenéticamente. Un copioso sudor sincopal le bañó el rostro. Pero tuvo una desilusión al pasarse la mano para enjugarse: ¡No era sudor de sangre!

Al día siguiente amaneció con fiebre. La enfermedad lo retuvo varios días en cama y de allí se levantó profundamente extenuado, pero con el espíritu más tranquilo. Entretanto, sus compañeros del catecismo parroquial habían hecho la primera Comunión. La noticia no le produjo la impresión que Ana Josefa temía: lo oyó sin interés y no se ocupó más de aquello.

Tampoco pensaba ya en Elena, desde un día que,

habiendo ido ella a visitarlo, al sentarse junto a su cama dejó ver una bota sujeta con un solo botón, el único que le quedaba, y a través de la abertura, la media rota.

Fué un remedio heroico que le curó subitáneamente de su mal sentimental, dejándole en el espíritu una imperecedera semilla de misoginismo. Poco después, a instancias de la madre, hizo la primera Comunión, fríamente, como quien cumple un deber trivial. Su displicencia era absoluta: cuando recordaba sus pasadas tormentas espirituales, le parecía que todo aquello había sucedido en otra persona.

El padre Moreno dijo, cuando Ana Josefa le refirió el caso:

—¡Hogueras de papel!... Así lo esperaba yo.

Y la madraza, que se había hecho la ilusión de que su hijo iba a ser santo, suspiró desconsolada.

Semanas después, Reinaldo ingresaba en un colegio que dirigía un amigo de Agustín Allende, llamado Jaime Payares, personaje todo huesos y severidad, que padecía una desagradable hipertrofia del «yo» y ejercía una especie de monopolio de la cultura de sus alumnos, burlándose groseramente de toda la que fuera adquirida extra aulas, porque estaba convencido de que tenía derechos absolutos sobre las inteligencias que se le confiaban.

Este juicio a propósito del maestro lo oyó Reinaldo de boca de un estudiante de Filosofía que se quejaba de haber sido víctima del sarcasmo brutal de don Jaime, porque dijo en la clase de religión algo que había leído en una obra que acababa de llegar a la librería de su padre. Era un joven de aspecto reposado y bondadoso, llamado Antonio Menéndez, a quien, por otra parte, no podían tolerar los condiscípulos a causa de su superioridad mental, y sobre todo, a causa de la mirada irónica que solía fijar en quienes dijeran en su presencia alguna atrocidad o alguna simpleza.

Ya Reinaldo lo conocía de vista, pues a menudo lo encontraba paseándose por los jardines del Calvario, con un libro en la mano, mientras él, acompañado de otros jovencitos de la aristocrática «cuerda del Capitolio», iba a los avances de piedra que solían tener contra los desarrapados de la «cuerda del Teque», que se reunían en la redoma del paseo. A fuerza de verlo siempre

solo y abstraído en sus lecturas, Reinaldo se interesó
por Menéndez y más de una vez salió en su defensa,
disuadiendo a sus compañeros del propósito de molestarlo.

Una secreta afinidad lo impulsaba a buscar la amistad de aquel joven que ejercía sobre él un extraño ascendiente, pues solía sucederle que, cuando se encontraba con él, se avergonzaba de ir entre la chusma de
pendencieros y se apartaba de ellos disimuladamente.

Por su parte, Menéndez le demostró desde un principio sus simpatías, y a pesar de la diferencia de edad
y de conocimientos, trabó con él una amistad que cada
día se fué haciendo más íntima y cordial.

Menéndez inició a Reinaldo en el gusto de las buenas
lecturas, prestándole libros que le revelaron la existencia de un mundo desconocido, pues, aparte de «La
Imitación», Reinaldo no había tenido entre sus manos
sino truculentos novelones. El primero de aquellos fué
«La Vida de Jesús», de Ernesto Renán.

Con resistencias al principio, luego de manera furtiva, al fin franca y triunfalmente, el dulce Jesús, de
Renán, como si recogiese sus pasos, fué recorriendo los
senderos de aquel espíritu por donde la áspera sandalia
del Cristo de la Imitación discurriera poco antes; y
una emoción nueva, ya no puramente religiosa, sino
más bien mística y poética, se adueñó del corazón de
Reinaldo.

Fué entonces cuando vino a darse cuenta de que
en el mundo había una divina cosa que se llamaba Arte
y cuando aprendió a sentir la belleza del paisaje nativo en medio del cual había vivido como ciego: las ma-
ravillosas descripciones de Renán le enseñaron a ver
y le desarrollaron el gusto por la pintura.

Releyó «La Vida de Jesús» en compañía de Menéndez.
De corazón a corazón trasegábanse sus sentimientos:
los de Menéndez, mesurados y pasados ya por la prueba
de su precoz espíritu de análisis; los de Reinaldo, exal-
tados y violentos, tal como le salían del alma, vehemente,
sin freno ni medida.

Una tarde, paseando a través de un mudo paisaje
de lomas herbosas que reposaban ya sin luz, en la dulzura del anochecer, comentaban la trascendencia y el
hondo sentido filantrópico de aquella obra que, huma-

nizando a un dios, no había hecho sino demostrar cuánto de divina substancia encierra el barro humano. Reinaldo, deteniéndose de súbito como si hubiese sentido la brusca revelación de su destino, exclamó:

—Te prometo que entregaré todo mi corazón a una obra sobrehumana. Yo me siento capaz de llevarla a cabo. ¡Yo también llevo un dios en mi interior!

La lumbre alucinante del crepúsculo en el rostro empalidecido por la emoción le daba un aire de iluminado. Menéndez lo miró en silencio: acababa de manifestársele un alma. Y desde aquel momento puso una esperanza indestructible en aquel joven a quien veía dotado de todos los dones, elegido, tal vez, para un alto destino, con una fe profunda en sí mismo.

En los días siguientes, Reinaldo se olvidó de la pintura, a la cual se había dedicado con febril ahinco, y se entregó a buscar aquella obra sobrehumana, devorando los libros que el amigo le recomendaba, con la esperanza de encontrar en ellos la palabra mágica que le mostrase su camino. Fué la encrucijada de la adolescencia; había cumplido quince años y su naturaleza empezaba a dar la plenitud de sus fuerzas; sus instintos estallaban y ardían en la alta presión de su atmósfera espiritual, como los crepitantes brotes tiernos en la llama que consume al árbol.

Cada libro nuevo le impuso un nuevo rumbo; en perenne búsqueda de lo trascendental, cayó bajo todas las influencias; las teorías más opuestas, exageradas y deformadas por su imaginación, rigieron sucesivamente su conducta.

Lee a Tolstoy, y la «Sonata a Kreutzer» lo vuelve misógino y nihilista; las páginas de «El Trabajo» lo hacen irse a la hacienda, y allí, con los pies descalzos, vestido con una burda blusa que llama la atención de los campesinos, se pone a arar las tierras, asesorado por el gañán, que le ríe la extravagancia; las de «El Hombre Libre» lo impulsan a poner en práctica el místico socialismo del gran apóstol ruso, en cuya prédica, que hace por las noches en el plan del trapiche, en medio de un círculo de peones que lo escuchan embobados, se siente un flamante Jesús poeta que habla bellamente de cosas de las cuales empieza a dudar.

Pero fué «Resurrección» la obra de Tolstoy que

más lo impresionó. Un día anunció a su familia que
pensaba repartir la porción de sus tierras entre los campesinos que la trabajaban, pues eran ellos sus legítimos
propietarios. Al mismo tiempo púsose a recorrer los
prostíbulos de Caracas, en busca de una Máslowa criolla
a quien redimir. En uno de ellos conoció a una muchacha
llamada Vidalina, que se enamoró de él locamente. Él
la llamaba Vida y le decía cosas edificantes e inútiles,
al cabo de las cuales ella saltaba a su cuello y lo besaba
ruidosamente. Reinaldo jamás devolvía aquellos besos,
y en llegando a su casa, se daba en la cara fuertes res-
tregaduras con agua de Colonia.

Así pasaron dos años. Rousseau lo desorienta, otros
lo vuelven escéptico y ateo, y cae por fin en manos del
energúmeno de Nietzsche. La teoría del superhombre
encuentra asideros propicios en su espíritu ambicioso
y autoritario de niño consentido y produce en él una
feroz explosión de egoísmo.

Con esto y con sus lecturas del Darwin de segunda
mano de las ediciones baratas, abandona definitivamente su misticismo de pega, y convencido de que su yo
es el centro del universo, se traza un violento plan de
vida y acción, en el cual había de imponer, implacablemente, el «imperativo categórico» de su voluntad.

Para entrenarse, concibe y pone en práctica una teoría que titula «de los pequeños heroísmos», según la
cual el dominio de sí mismo y su secuela, el dominio
del mundo, se alcanzaban a costa de un paciente ejercicio de la voluntad de sufrir, que empezaba con el hecho
vulgar de chuparse un limón sin hacer grimas, y concluía con la heroica impavidez de los estoicos ante el
riesgo de la vida.

Consecuente con su principio, participa un día a
Menéndez que se va a la costa, porque le tiene miedo
al mar y va a quitárselo, arrostrando sus peligros.

Allí pasa, todas las mañanas, horas enteras en el
agua, a la cual se arroja temblando de miedo. Lejos de
las rompientes, solo y excitado por el imponente silencio de mar adentro, con los nervios vibrantes por la
expectativa del torbellino mortal del cantil, o del tiburón
que creyó ver cerca de él acechándolo, o de la «manta»
que le pareció distinguir bajo su cuerpo, a media agua,
experimentaba el intenso deleite de su propia fortaleza

y hacía prodigios de audacia y destreza. Entretanto
componía versos, poemas enteros que le salían fáciles
de la fantasía exaltada por la voluptuosa atracción del
peligro.

Era Byron, en el Cuerno de Oro.

Hizo que un barbero le abriese entradas en las sienes,
para parecerse más al lord poeta, con quien tenía se-
mejanzas fisonómicas; compró un caballo para emprender locas carreras nocturnas por la orilla del mar, y
finalmente, se propuso acometer una aventura amorosa
con una mujer que solía encontrar paseando al atardecer, del brazo del marido, y a la cual llamaba La Gioconda, porque se le parecía al célebre retrato del Vinci.

Una noche, recorriendo las angostas y tortuosas callejuelas de la Guaira, que, con sus casas de construcción
colonial, de amplias ventanas de madera y anchos aleros
que casi se tocan de frente à frente, y con los arcos
de sus puentes sobre la enjuta torrente del Osorio,
le traían a la memoria las sabrosas impresiones de
Toledo, que leía cuando era niño y quería ser fraile
inquisidor, oyó sonar en un piano los primeros acordes
de un nocturno de Chopin. Detúvose y púsose a escuchar.

Aquella música removía en su alma olvidadas emociones que lo llenaron de inquietud. Era el pasado que
volvía: la música de medianoche en la casa paterna,
la imagen del padre tumbado en el diván, todo el misterio familiar que rodeó sus primeros años y que ahora
se le revelaba de pronto; Daniel Solar fué un enfermo
en quien se manifestaron patentes los síntomas de la
degeneración de las razas históricas.

Era un brote intempestivo de sus lecturas no dige-
ridas de Lombroso y Max Nordau, que eran su evangelio de turno.

Es evidente — monologaba —; la familia Solar es un
caso típico. Hasta la generación de mi abuelo llega sana
y viril; hombres de acción, de médula, perfectamente
equilibrados; luego, un brusco estancamiento, una patente involución; mis tíos, unos desorientados; papá,
un abúlico, un místico fracasado; en suma: fuerzas de-
tenidas. Ahora yo: en mí renacen o quieren renacer
los antiguos bríos de la familia, pero son fuerzas que
no encuentran su trayectoria. Estos entusiasmos míos,

seguidos inevitablemente de abandonos totales, estas
alternativas de consagración y de renuncia, son, indudablemente, los últimos esfuerzos de un organismo que
se siente morir y, queriendo producir movimientos, sólo produce convulsiones.

La brusca interrupción de la música detuvo su pensamiento, y entonces oyó en la sala donde sonaba el
piano la voz estrangulada por el llanto de una mujer,
que decía:

—No puedo. No puedo soportar más esta vida.

—Hija. Es tu deber. Piensa que es tu deber —res-
pondíale otra voz varonil, cascada por los años.

—¡Hola! ¡Hola! —exclamó Reinaldo—. Aquí también hay una tragedia.

Se acercó a la ventana, pero no pudo oír más. La
sala quedó en silencio largo rato. En la calle se oía el
soñoliento rumor de las conversaciones sostenidas por
mujeres dentro de las casas herméticas. Nadie discurría por los tenebrosos callejones; a intervalos las campanas de las iglesias daban el toque de ánimas.

De pronto se abrió una de las ventanas de la casa
frente a la cual estaba Reinaldo en atisbo de la tragedia entreoída, y en ella apareció una mujer.

—La Gioconda —se dijo Reinaldo, y el corazón le
saltó dentro del pecho.

La mujer lo miraba fijamente. Aquella mirada acabó
de fascinarlo; sin darse cuenta de la situación, avanzó
unos pasos hacia la ventana, con una súbita resolución, y en llegando allí se detuvo, descubriéndose.

Ella no esperó a que le hablase y cerró la ventana.

Momentos después Reinaldo caminaba por la orilla
del mar con el ánimo profundamente turbado. Ya no
era un capricho, sino una verdadera y violenta pasión
que había concebido rápidamente hacia aquella desconocida, cuya tragedia conyugal construyó sobre los
datos del corto diálogo sorprendido, confundiendo sus
imágenes con la realidad de un modo tal, que a vuelta
de poco, ya no pudo distinguir dónde terminaba la verdad y empezaba su ficción.

En los días siguientes repasó obstinadamente la cuadra de La Gioconda. Pero la ventana permanecía cerrada y adentro la sala silenciosa. Un día encontró
cerrado el portón, y averiguando, supo que la familia

se había ido, sin que nadie pudiera decirle para dónde.

Reinaldo regresó a Caracas. El pensamiento de La Gioconda no se apartaba un momento de su mente, y mezclándose con las continuas reflexiones que hacía a propósito de sí mismo, empeñado en encontrar en su psiquis las marcas de la degeneración, llegó a convertirse en una verdadera obsesión morbosa. Como si en realidad la amase, deseaba a la mujer para vivir en su compañía el sensualismo pesimista de «El Triunfo de la Muerte», cuyas páginas releía con malsana complacencia.

Por otra parte, esta idea perenne del amor morboso excitó su sensualidad que, inhibida bajo el imperio del hábito de la castidad que llegó a formarse cuando leía a Tolstoy, reaccionaba ahora violentamente aumentando sus luchas interiores.

Para concluir de una vez con todo aquello, resolvió una noche entregarse totalmente a los placeres más abyectos, y así lo hizo.

Al amanecer, regresaba a su casa asqueado de sí mismo. Se sentía definitivamente envilecido y se complacía en decirse:

—¡Esto era mi verdad!; ¡esto era yo! La vida rota; toda una vida consagrada al perenne afán de perfeccionamiento, que se desmorona de pronto tan sólo porque una mujer se atraviesa en mi camino. Ahora, ¿qué recurso me queda? ¿Cómo podré sobrevivir a mi bancarrota moral, al fracaso de mí mismo?

Atormentado por estas lucubraciones, levantó la cabeza. Desde la calle por donde iba se divisaba una gran porción del Ávila, que era todavía una mancha oscura sobre el cielo de la madrugada.

Imaginó la dulzura del amanecer en las alturas, y una idea consoladora atravesó su mente: acaso era posible redimirse todavía; el fondo de su alma no había sido contaminado, puesto que aun era capaz de experimentar emociones puras. Y en seguida, con la rapidez de todas sus decisiones, un nuevo rumbo: el retorno a la Naturaleza.

Era la teoría de Rousseau y de todos los escritores que recomiendan, como una infalible terapéutica espiritual, los puros gozos de la vida descendida al nivel primitivo. Allí su ser moral, en trance de descomposi-

ción, bebería el agua de la vida y de la fortaleza en las
fuentes diuturnas.

Pensó por un momento ir a internarse en el corazón
de una selva virgen; pero como no tenía ninguna a la
mano, se contentó con marcharse a «Los Mijaos», donde
no dejaba de haber sitios bastante silvestres, como el
Ojo de Agua, suficientemente propicios a la panteística
compenetración con el alma de la tierra.

Lleno de júbilo apresuró el paso. Las campanas del
templo de Las Mercedes tocaban la misa de alba cuando
entraba en su casa. En el patio clareaba la mañana
dulce y fría. Las puertas de los dormitorios estaban
cerradas todavía y en toda la casa había ese ambiente
inefable de los tranquilos amaneceres; los corredores
de arcadas chatas se iban llenando de una luz difusa;
aun no cantaban los pájaros, pero ya se los veía es-
ponjando sus plumones dentro de las jaulas; un suave
soplo de brisa comenzaba a mover las ungidas copas
de los cipreses simbólicos.

Aquella paz de su casa caía sobre su espíritu como
un agua lustral, lo volvía puro. Se detuvo en el vestíbulo
sin hacer ruido. Desfogada la naturaleza en la noche
de concupiscencia, apaciguado el ánimo por el saludable
estrago de su tormenta espiritual, experimentaba esa
deliciosa sensación de cansancio y de abulia que da
el abuso de la fuerzas, y sobre esta atonía se esparcía
la suave fruición de un vago anhelo místico, que le iba
llenando el alma a medida que las campanas que llamaban a misa removían en ella el viejo sedimento de
la olvidada religiosidad.

El rechinar de una llave en la cerradura lo hizo
volver en sí. Era la hermana, que salía para la misa.

Apresuradamente, Reinaldo se metió en su cuarto,
evitando el encuentro. Estaba impuro y le horrorizaba
la idea de que su hermana se acercase a darle el beso
acostumbrado.

III

En el corredor del Conventico, sentado en el mismo
banco donde se ponía, cuando niño, a contemplar la
tranquilidad del patio de los granados, y ante una
mesa cubierta de papeles, Reinaldo escribía el capítulo
de su novela que había comenzado mentalmente en la
mañana, en la soledad propicia del Ojo de Agua.

Pero, como si en los párrafos escritos hubiese agotado toda la fecundidad de la selva virgen, al final de
uno de ellos quedóse largo rato con la ociosa pluma en
la mano y los ojos errátiles por las cosas que lo rodeaban. Luego, comprobando en la imperturbable serenidad
de su espíritu la eficacia de la celebrada terapéutica
de soledad y silencio, que en el recinto del Conventico
cobraba una mayor virtud tónica y sedante, impreg-
nándose del ambiente de religiosidad que dejaran allí,
como una impalpable huella de almas, las beatas mujeres que lo habían habitado, pensó que bien podía
su místico héroe de «Punta de Raza» ir a buscar en
un análogo retiro de devoción la fortaleza interior,
porque, indudablemente — se lo decía a su propia incredulidad, una y otra vez, como para obtener de ella
una concesión —, entre todos los ideales que le dan
valor sobrehumano a una vida, ninguno más eficaz que
el ideal religioso.

Y con esto y con la falta de plan, pues no se había
ocupado en trazarse el de «Punta de Raza», decidió
que el primer capítulo se desarrollara en un convento
abandonado. Puesto que la acción pasaría en las selvas
de Guayana y en esta legendaria región no deberían
faltar ruinas de los conventos o casas de misioneros,
no habría en ello incompatibilidad de lugar. Andando
a la ventura de su vago propósito de regeneración,
bien pudo «Punta de Raza» detenerse a pernoctar al
abrigo de alguna de aquellas ruinas que, con un poco
de buena voluntad, conservaran la fisonomía doblemente sugerente de la antigua casa de oración. Por
otra parte, esto tenía sus ventajas: así podría el nove-

lista describir mejor el ambiente, puesto que bastaría
con desfigurar un poco la arquitectura del Conventico,
aunque en realidad no era sino una vulgar casa de campo en estado semirruinoso, mientras que, por mucho
que sugiriera, el Ojo de Agua no era lo bastante agreste
como para dar la impresión de majestuosidad de una
selva virgen.

Estando en estas reflexiones, oyó voces de mujeres
que se acercaban, por las cuales descubrió, con sorpresa, que eran su hermana Carmen Rosa y la amiga
de ésta, Graciela Aranda.

—¿Qué vendrán a hacer aquí? — se preguntó con-
trariado.

Carmen Rosa entró la primera y se le acercó ofre-
ciendo su frente al beso de costumbre. Detrás de ella
entró Graciela.

—Señor cenobiarca, muy buenas tardes.

Y la gallarda figura de la muchacha se dobló en
una profunda zalema.

—Buenas — respondió Reinaldo, molestado por lo
de cenobiarca, más de lo que ya estaba, por la inopor-
tuna invasión.

Era Graciela la amiga íntima de Carmen Rosa. Los
Aranda eran vecinos de los Solar, desde tiempo inmemorial, y ambas muchachas habían crecido y se habían
educado juntas. La única disparidad que había entre
ellas era la fortuna; pues Graciela era pobre, y desde
su salida del Colegio tuvo necesidad de trabajar, ense-
ñando a las hijas de familias ricas. Este dinero, ganado en el enojoso trajín de las clases a domicilio,
no era sólo para sus propios menesteres, sino también
para ayudar al sostenimiento de su casa, porque su
padre, Pepito Aranda, como todo el mundo le decía,
con ser un activísimo sujeto y gran devorador de calles,
pocas veces alcanzaba, en su continuo y desaforado
correr de revendedor de mercancías maulas, el diario
sustento de su numerosa familia.

Gracias a esto, Graciela poseía ese aplomo de ánimo
que distingue a las mujeres que se ganan la vida fuera
del hogar y que le comunicaba a la jovialidad esencial
de su carácter una virtud mayor. Tenía en los ojos
la lumbre inefable del corazón generoso en ternuras,
velada por cierto aire de soñadora languidez, en suges-

tiva antinomia con la expresión del rostro, llena de vida y de risa.

Graciela fingió no haber advertido el disgusto que causaron a Reinaldo sus palabras, y continuó en el mismo tono:

—¿Me da el santo cenobiarca su bendición?

—¡Cómo no, hija mía! ¡Que el espíritu de la discreción sea contigo! Sobre todo para que no incurras en el vano alarde de las palabras recién aprendidas.

—¿Eso va por lo de cenobiarca? Agradezco la lección.

Y el claro batir de la risa de Graciela disipó las reservas de ánimo de Reinaldo.

Carmen Rosa terció:

—Hoy está terrible Graciela.

—Ya se deja ver. Y ¿podría saberse? ¿A qué debo el honor...?

—A que somos vecinos — se apresuró a explicar Graciela, obedeciendo a la insinuación de las miradas de Carmen Rosa —. Hemos venido a pasar unos días en la hacienda.

—¿Solas?

—No, señor. Muy bien representadas; con la respetable madre de usted. Yo he venido invitada. O mejor dicho: invité a que me invitaran.

—¿Cuándo resolvieron eso? Ayer no se pensaba en tal cosa.

—De pensarse, hace tiempo que se pensaba. Pero como tu madre y esta hermanita tuya son dos grandísimas tontas, no sé atrevieron a decírtelo, porque tú manifestaste que querías estar solo. Fué necesario que yo hiciera prodigios de elocuencia para convencerlas de que estando ellas en la Casa Grande y tú aquí, en nada te estorbarían.

—¡Qué necedad!

—Ésa es la palabra — y dirigiéndose a la amiga —: ¿Lo oyes, tontísima? El ogro de tu hermano ha resultado una persona sensata.

—Pero, ¿qué he dicho yo?

Y ante el manifiesto desagrado del hermano, Carmen Rosa no hallaba qué actitud adoptar. Pero Graciela acudió en su auxilio:

—¡Anda! Anda a cumplir el encargo de tu madre.

Luego a Reinaldo, cuando Carmen Rosa desapareció de su vista:

—No te imaginas la consternación en que las has puesto.

—¿Con qué?

—Con tu venida para acá. Te aseguro que ni Carmen Rosa ni Misia (así llamaba a Ana Josefa) han pegado los ojos anoche.

—Pues yo no los despegué. ¡Vaya lo uno por lo otro!

—No necesitas jurarlo. Ustedes los hombres son seres privilegiados.

—¡Privilegio de sensatez!

—No sé de qué será. Pero sí sé que si yo tuviera un hermanito déspota, me oiría las cuatro verdades.

—Eso envuelve una acusación bastante arbitraria — dijo Reinaldo, sin ocultar el disgusto.

Pero Graciela volvía a adoptar su primitiva actitud juguetona. Encaróse a él, engallando el busto desafiador:

—¡Abogo por los fueros de mi sexo! ¡Soy feminista!

—¡Enhorabuena! — respondió Reinaldo en el mismo tono, después de una breve pausa de admirativa turbación ante aquel rostro que embellecía el gesto altanero.

—¡De hoy en adelante no habrá más lágrimas de mujer derramadas por causa de los hombres!

—¡Lo lamento por ustedes!

—Pues por mí puedes ahorrarte la compasión. Todavía no he derramado la primera.

Reinaldo puso en una mirada la interrogación que estuvo a punto de escapársele. Ella apartó las suyas rápidamente.

Habían tenido el mismo pensamiento. Era un recuerdo de la infancia: estaba ella una tarde en el corral de los Solar, en compañía de Carmen Rosa, en la acostumbrada contemplación de las flores, cuando, al hacer un movimiento brusco por librarse del revuelo de un cigarrón, se hirió una mano con una espina. Reinaldo, que estudiaba sus lecciones del día siguiente sentado en el borde de la pila, acudió a sacársela; pero lo hacía tan torpemente que sólo lograba desgarrar más la herida. Ya la mano sangraba copiosamente; la vista de la sangre produjo al improvisado cirujano un súbito vahído, y al levantar los ojos se encontró con los de

ella, arrasados en lágrimas y fijos en él, con una ingenua expresión de resignado y voluptuoso dolor. En
aquel momento, Reinaldo no comprendió; pero años
más tarde, en la derivación romántica de sus primeras
aficiones literarias, este recuerdo le dió asunto para
unos versos. Leídos por Carmen Rosa, fueron luego a
parar a manos de Graciela, y entonces ella experimentó
la mayor y más dulce satisfacción de su vida: eran
sus olvidadas lágrimas de niña que tornaban a su corazón, cálidas como si aun las vertiese, pero con calor
de otra vida, con sabor de otro corazón.

Procurando zafarse de la dulce violencia de este recuerdo que los retenía en un silencio comprometedor,
Graciela comenzó a buscar palabras:

—Este..., este... ¿Qué te iba a decir?... ¡Ah, sí!
Iba a contarte: anoche hubo escenas graciosísimas en
tu casa.

—De sainete. Ya me las imagino.

—Consejo de familia. Pleno. Presidió el padre Moreno; asistió Antonio Menéndez.

—¡Qué estás diciendo! A ver. Cuéntame. ¿De qué
se trataba?

—Pues del acontecimiento del día: tu venida al
Conventico. Tu madre temía que hubiera profanación
de lugar bendecido, sobre todo porque ella sabe que
cuando tú te pones a escribir no te alcanza el papel
para poner herejías y atrocidades.

—Ya lo esperaba. Naturalmente, el cura le dijo que
era necesario hacerme salir de aquí y a eso han venido
ustedes. ¿No es cierto?

—Pues te equivocas. El padre Moreno, lo que hizo
fué soltar la risa. Y había motivos: Agustín y Valerio
estuvieron estupendos. Agustín sostenía que sí; Valerio que no.

—Y se fueron a las manos, como siempre.

—Para que veas. Estuvieron muy comedidos. Están
a partir un confite.

—Conozco la causa. Sé que el Arzobispo le dijo hace
días a Agustín que la Jerusalén de Valerio es como
ver la verdadera, y ya sabes: el éxito infunde respeto.

—Sería por eso. Pero estuvieron de alquilar butacas.

—¡Qué lenguas! — dijo por allá dentro Carmen Rosa.

—¡Adiós! Nos estamos luciendo: Carmen Rosa ha

oído todo — observó Graciela apagando la voz. En seguida, con finguido disimulo, comenzó a tararear mirando al techo.

Reinaldo sonreía contemplándola. ¡Estaba linda! En
aquella actitud de ingenua coquetería la curva impe-
cable del cuello, torneado y palpitante, era tan sabrosa
a los ojos, y a la vez tan llena de gracia y de castidad,
que Reinaldo, recordando haber oído decir que las dis-
cípulas de Graciela, enamoradas de su suave blancura,
saltábanle encima a besárselo, murmuró mentalmente,
como si no hallase mejor elogio:

—Bendita sea tu pureza. Garganta hecha para los
besos de los niños.

Graciela enserió súbitamente:

—¿Y qué haces? — preguntó. Pero en seguida, como
si recelase de la intimidad del tuteo, agregó tornando
a su humor bromista —: ¿Qué hace el solitario con
tantos papeles por delante?

—Perder el tiempo escribiendo lo que debería vivir.

—Pues el remedio es sencillo — y cogiendo una cuar-
tilla de las que estaban escritas y haciendo la mención
de rasgarla —: ¿Lo aplico?

—En tus manos está.

Soltó ella el papel, enrojeciendo bajo la mirada de
Reinaldo, y para disimular su turbación, dió unas
palmadas:

—¡Carmen Rosa! Anda, chica, que se nos hace de
noche.

—¿Qué hace ella por allá dentro? — preguntó Reinaldo a tiempo que se oía el rechinar de una llave en
la cerradura herrumbrosa.

—¿No oyes? Cerrar bajo llave los dormitorios de las
monjitas para que no se te ocurra aposentarte en ellos.

—¡Qué superchería tan necia!

—¡Hijo! Cada cual con sus ideas. Así está hecho el
mundo, y lo más prudente es no tocarlo.

—Te equivocas, Graciela. El deber es reformarlo,
expurgarlo de errores y prejuicios.

—¡Quién lo dice! Un señor que le da la espalda a su
casa, es decir, a su mundo chiquito, donde están sucediendo cosas que reclaman su atención, y se mete,
muy si señor, en un claustro. Suponiendo que esto sea
un claustro.

Al mismo tiempo, Carmen Rosa volvía a aparecer en el corredor, seguida de la negra Úrsula.

—¿Nos vamos?

Reinaldo se puso de pie:

—Sí, vámonos.

Graciela lo miró sorprendida:

—¡Cómo! ¿Abandona el cenobiarca su refugio?

Y Carmen Rosa, simultáneamente:

—¿Por qué no te quedas aquí más bien?

Graciela miró a la amiga con un gesto de protesta que, advertido de Reinaldo, le hizo decir:

—A ver, a ver. ¿Qué tienen ustedes entre manos? ¿Por qué no quieres que me vaya con ustedes?

—Nada chico, nada — evadía Carmen Rosa.

Pero Graciela se decidió:

—Esto no es natural. Reinaldo debe saberlo. Es una tontería, pero tú debes estar al corriente. Lo que sucede es que, al llegar esta mañana a la Casa Grande, nos encontramos con que estaba habitada.

—¿Habitada? ¿Por quién?

—Las sospechas no son muy tranquilizadoras. Juan Sevillano asegura que es gente buena; pero no parecían. En fin, el hecho es que la casa estaba habitada sin el consentimiento de ustedes.

—¿Acaso Juan Sevillano se ha atrevido?...

—Eso. Se ha atrevido. Como es el mayordomo...

Reinaldo se mordió los labios. No era la primera noticia que tenía de los abusos del mayordomo.

Graciela seguía explicando:

—Pero ya todo pasó. La gente se fué en seguida que llegamos.

—¡Que todo pasó! Ya veremos lo que falta.

—No intervengas tú, Reinaldo — suplicó Carmen Rosa —. Ya le dije a Juan Sevillano lo que había que decirle.

—¿Tú? Pero ¿qué concepto tienen ustedes de mí? ¿Por qué no me mandaron a llamar inmediatamente?

—Se pensó en eso; pero llegó Juan Sevillano y Carmen Rosa hizo tus veces, por evitarte un disgusto.

Luego, cambiando de tono:

—Lo extraño es que tú no hayas descubierto nada ayer. Se comprende que no has salido de aquí.

Reinaldo la oía sin protestar. Había en las palabras

de Graciela veladas inculpaciones que lo avergonzaban, pero de una contundente justicia. Cogió su sombrero y volvió a decir:

—Vámonos. Y tú, Úrsula, cierra esto y vete para la Casa Grande.

Graciela mostró los papeles que quedaban sobre la mesa:

—Y esto, ¿se queda así?

Reinaldo chasqueó la lengua, haciendo al mismo tiempo el ademán de abandono.

Por el camino, Graciela charlaba copiosamente, haciendo esfuerzos por romper el mutismo de Reinaldo. Carmen Rosa, arrepentida de haber dado aquel paso, temerosa de lo que pudiera sucederle al hermano en el encuentro con Juan Sevillano, dirigía furtivas miradas al caviloso rostro de Reinaldo, como para adivinarle los pensamientos.

Era Juan Sevillano, el mayordomo de «Los Mijaos», un hombre de cara enjuta y afilada, que hablaba con un ceceo infantil y tenía un aire manso y tristón; pero se aseguraba que bajo aquella hipócrita apariencia inofensiva se ocultaba un hombre peligroso, impulsivo y violento, que apelaba muy pronto a la suprema razón del revólver, para suplir la torpeza de la lengua, cuando se la enredaba la ira, y no para ociosas amenazas.

Pensando en esto iba Reinaldo al día siguiente, cuando vió desembocar al mayordomo en el extremo del callejón por donde él se dirigía al trapiche, a tomarle cuenta de lo que Graciela le refiriera la víspera. Un movimiento instintivo lo hizo palparse el cinto desarmado, al tiempo que se decía:

—¡Qué torpe! ¿Cómo se me ocurre venir así?

Pero inmediatamente reaccionó, y pegando los talones inermes a los ijares del potro que montaba, lo lanzó veloz al encuentro de Juan Sevillano, cuyo caballo redoblaba también el paso bajo el apremio de la espuela. Ya pasaban uno al lado del otro, cuando, a un tiempo mismo y en un mismo alarde de equitación, sofrenaron las bestias, parándolas en seco.

—¿Cómo estás, Reinaldo? Casualmente iba a buscarte.

—Y yo a ti.

A Reinaldo le pareció que Juan Sevillano, que vi-

niera altanero, se había amansado súbitamente al oír
sus palabras. Agregó, haciendo esfuerzos para que no
trasluciera su excitación:

—Desde temprano te andaba buscando.

—¿De veras, Reinaldo? Mire, pues, cómo no nos en-
contrábamos.

Y sonreía como la más apacible criatura del mundo
bajo su equívoca máscara de mansedumbre y simpleza
de espíritu.

A Reinaldo se le encogió el corazón. Ya había oído
decir que cuando Juan Sevillano sonreía de aquella
manera estaba más peligroso que nunca: su ira, presta
a saltar, se agazapaba detrás de aquella sonrisa bona-
chona. Pero la misma insensatez del miedo lo impulsó
a provocarla.

—Tenemos cuentas pendientes. Mejor es arreglarlas
de una vez.

—¡Ah, sí! Para eso te buscaba. Tu hermanita...

Reinaldo le detuvo la lengua con una mirada.

—Ten cuidado con lo que vas a decir.

—Yo siempre tengo mucho cuidao con lo que voy a
decí, Reinaldo. Por eso es que nunca he tenío que re-
cogé mis palabras. Contimás que, tratándose de ustedes... Es la primera vez que hay entre nosotros una
desavenencia.

—Por culpa tuya.

Y en seguida Reinaldo se arrepintió de sus palabras:
le pareció que comenzaba a flaquear.

Pero Juan Sevillano prosiguió como si no hubiera
oído:

—Desde en vida de tu abuelo, que en paz descanse,
he sío el mayordomo de «Los Mijaos», y aunque me
esté mal el decilo, nunca había habío quejas. Será que
ustedes ya se han cansao. Y que cuando las cosas no
andan en manos de los hombres...

—¡Alto ahí! Sí andan. Y aquí estoy yo para de-
mostrártelo.

Juan Sevillano fijó en él una mirada intraducible.
Luego dijo, sin perder su presencia de ánimo:

—Lo digo porque como tú no has querío intervení
nunca en ná de lo que se refiere a los negocios de la
hacienda. Pero ya veo que tú has venío preparao.

—¿Por quién?

—No lo tomes a mal. Digo, preparao contra mí. De
seguro que los chismosos, que por ahí abundan como
la mala hierba...

—De eso tienes culpa tú.

—¿De qué?

—De la mala hierba —y Reinaldo lo dijo con una
sonrisa francamente claudicante.

—Ahora va a resultá que de too tengo yo la culpa.
Si no dan dinero pa sembrá las tierras, ni siquiera pa
limpiarlas, ¿cómo quiees tú que yo vaya a hacé milagros?

—Sin embargo, hay tablones bien cuidados.

—Así pasa en toas las haciendas.

—Éste, por ejemplo.

—Está a tu orden.

—¡Ah! ¿Es tuyo? ¿Y aquel otro que ya está de
corte?

—También está a tu orden.

La ironía del mayordomo acabó de exasperar a Reinaldo.

—Sí. Todos están a mi orden; pero todos son tuyos,
por lo que veo. Sólo los rastrojos son de nosotros.

—¡Guá! Con no habémelo permitío tenían. Ustedes
son los amos. Yo los sembré por mi cuenta, porque me
daba lástima que se estuvieran perdiendo las tierras.
Y como uno se cansa de pedí y de pedí...

—Imagínate cómo no se cansará uno de que le estén
pidiendo, sin que nunca se vea el rendimiento. Las cuentas de la Comisión dan tristeza: ya las cañas no producen, cuando no se pierden los tablones enteros por
falta de riego, como sucedió con el del matapalo y con
los de la Vega del Cedral.

—La culpa de eso la tiene tu tío don Agustín, que
por componé la acequia la dejó que el agua corría
pa atrás.

—Sí. Unas veces por culpa de uno, otras veces por
culpa de otro.

—Pero por culpa mía, nunca, Reinaldo.

—Por culpa tuya, precisamente, casi siempre.

Juan Sevillano volvió a mirarlo, pero esta vez Reinaldo soportó la mirada, mientras recalcaba:

—Así como suena: por negligencia tuya. Sólo te

ocupas de lo que te interesa, de tus medianerías. Lo demás, ¡que se pierda!

—Está bien, Reinaldo.

Guardaron silencio. Entretanto, Reinaldo prendía un cigarro. Tirando el fósforo, dijo:

—¿Y lo de la Casa Grande?

—Ya se lo dije ayer a tu hermanita: ustedes me estaban debiendo unos centavos, y como yo los necesitaba y la casa estaba desocupá, se la alquilé a una señora que vino a proponémela.

—¿De modo que también somos deudores tuyo?

—Si tú no lo sabías, dispénsame que te lo haya mentao. Y de eso solo no; también hay riales míos gastaos en la composición que hubo necesidá de hacé en las baterías. Yo no los estoy cobrando. Si hice lo de la Casa Grande, que yo sé que estuvo mal hecho y mejor es no mentá más la cosa, fué porque me vi en un apuro.

—Bien. Haz la cuenta de todo lo que se te debe y pásamela hoy mismo. Hasta el último centavo, ¿sabes?

—Eso quiere decir que la mayordomía...?

—Desde hoy en adelante, la hacienda no necesita mayordomo.

—Está bien, Reinaldo. Pero...

Y Juan Sevillano se quedó con la palabra en la boca, viendo alejarse a Reinaldo.

A la hora del almuerzo, éste llegaba a su casa rendido de cansancio y de disgustos.

—Esto es un desastre. Si no pongo remedio a tiempo, la hacienda hubiera ido a parar dentro de poco a manos de Juan Sevillano: los bueyes son de él; los mejores tablones, de él; las siembras de frutos menores; ¡hasta el agua del río! Todo eso era su feudo.

—¡Dios mío! ¡Quién lo creyera! ¡Un hombre tan bueno como Juan Sevillano, tan cristiano! — lamentó Ana Josefa.

—¡Oh! Eso no ha cambiado. ¡Cristianísimo! Y ahí está la causa de todo este desastre. Como Juan Sevillano carga el palio en las procesiones del Santísimo, no había necesidad de vigilarlo y se le daban amplísimas libertades. Buen negocio estaba haciendo el muy astuto con el tal palio. Las tenían engatusadas a ustedes.

—¿A nosotras, Reinaldo? — inquirió muy asustada la madre.

—A ti, principalmente. Si yo conozco el procedimiento; bastante lo he oído: «Misia Anita, ¡si usted viera qué Virgen del Carmen tan preciosa la que hemos comprado para la iglesia del pueblo!». Y en seguida: «Misia Anita, hay un pedazo de tierra que está sin sembrá y yo tengo una poquita de semilla, que si usté me lo permite...» Y misia Anita, derretida de admiración y de complacencia ante el cristianísimo vagabundo, accedía a todo. Ésa es la historia.

Ana Josefa se desmigajaba de risa oyendo a Reinaldo imitar las maneras tímidas y el ceceo de Juan Sevillano; pero, como advirtiese que el hijo hervía de enojo, recobró la seriedad, para decir:

—No tanto, hijo. Yo, es verdad, convenía en algunas cosas; péro siempre consultaba a Agustín.

—¡Ah! ¡Valiente cabeza de administrador la de Agustín! Pues ¿no se le ocurrió una vez que el papelón tenía mal precio aplazar el corte de un tablón que estaba de tiempo hasta esperar el alza? Naturalmente, la caña, a quien no le había consultado la espera, decidió espigar y se perdió toda.

—¡Ay, pero eso es culpa de Juan Sevillano! — terció Carmen Rosa —. ¿Porqué no le dijo a tío Agustín que eso no se podía hacer?

—¡Ya iba a decírselo él! Todo lo que fuera en perjuicio de la hacienda redundaba en beneficio suyo.

—Ese hombre tiene muy mala fe — concluyó Carmen Rosa, que no le perdonaba que le hubiese dicho, cuando ella le hacía cargos por lo de la Casa Grande, que no quería entenderse con mujeres.

La esencial bondad de Ana Josefa acudió en su descargo:

—Hija, no digas así.

Y Reinaldo, imitándola:

—No, hija. Si ése es un santo varón. Carga el palio. ¡Imagínate!

Graciela, que asistía a la escena, se decidió a intervenir:

—¡Ahora va a pagar el palio todas las fechorías de Juan Sevillano!

Reinaldo comprendió que estas palabras velaban una inculpación contra él, y no fué dueño de disimular su desagrado:

—Bien sé yo de quién es la culpa. Pero de esto no hay que hablar más. Ya sabré remediar el mal. Por ahora se trata de conseguir, hoy mismo, seis mil pesos que se le deben a Juan Sevillano.

—¡Seis mil pesos! — exclamó Carmen Rosa.

Y Ana Josefa, apresurándose a resarcir los daños causados por su candidez:

—Mira, Reinaldo. Me parece que a eso alcanza lo que tengo depositado en el Banco. Cógelos y págaselos.

Reinaldo no respondió. A él también le había parecido muy natural, en el primer momento, que aquella suma se pagara con el dinero de la madre; pero ahora, al oír que ella lo ofrecía antes de que se lo exigieran, se avergonzaba de su egoísmo. ¿Cómo no se le ocurrió que él también tenía una cantidad suficiente para cubrir aquella necesidad?

—Bien — dijo cambiando el tema —. Cuando quieras puedes mandar servir el almuerzo. ¡Tengo un hambre atroz!

—¡Ay! Sí, es verdad, hijo. Debes estar molido con tanto trajín y tanto disgusto como habrás tenido. ¡Y tú que no estás acostumbrado a estas cosas!

Y Ana Josefa pasó al interior de la casa, dándole gracias a Dios por haber sacado a Reinaldo con bien del peligroso trance, pues de sobra conocía ella la terrible fama del mayordomo.

Entretanto, Reinaldo, en su habitación, con las manos olvidadas en la toalla con que se las enjugaba, repasaba mentalmente la escena sucedida con Juan Sevillano, saboreando el sano orgullo de su hombría, sintiendo que sobre él pesaban ya deberes positivos que eran también una buena razón de existir.

Poco rato después, en el almuerzo, como advirtiese que en él estaban fijas las miradas complacidas de las tres mujeres que lo acompañaban en la mesa, se dió cuenta de que él era el apoyo y el centro de un pequeño mundo: su casa, y comprendió que hay satisfacciones sencillas que bien pueden llenar toda una vida. Ganas tuvo de bendecir el pan, como antaño lo hicieran sus abuelos, castizamente.

IV

En la tarde, orgulloso de su fecundísima jornada, Reinaldo quiso finalizarla a la manera del laborioso abuelo, dando una recorrida a caballo por los campos de la hacienda, y en este paseo llegó hasta el pueblo situado en los aledaños de «Los Mijaos».

Una torre pintarrajeada de rojo, cuatro airosas cimeras de chaguaramos y un conjunto irregular de tejados patinosos, componían sobre un fondo de cielo resplandeciente la pintoresca silueta del pueblo, encaramado sobre un cerro de poca elevación que dos ríos bordean en el encuentro de sus aguas.

Esta visión familiar avivó el fermento de ambición que hacía rato venía llenando con su hinchado bullir el pensamiento de Reinaldo. En épocas pasadas, los Solar habían sido los caudillos tradicionales de aquel pueblo, de modo que se decía, y era cierto, que bastaba que uno de ellos golpeara el suelo con la planta imperiosa, para que de todas partes brotaran hombres decididos a seguirlos adonde los llevasen, y mucho después, venida a menos y apartada de la política del país, todavía la familia era acatada y querida, como fué patente en el entierro de don Hermenegildo Solar, detrás de cuyo féretro se agolpó todo el pueblo, disputándose el último honor de cargarlo sobre los hombros, como lo habían cargado siempre sobre los corazones. Pero, muerto el viejo y radicada la familia en Caracas, la popularidad se fué entibiando y desacostumbrando y terminó por desaparecer, sustituída por otra más allanada y cordial: la de Juan Sevillano. Formóse ésta en torno de esa aura de sugestión que rodea a los hombres que esconden valor o fiereza bajo un aspecto apacible y bonachón, y luego se acrecentó cuando lo vieron convertirse, paso a paso, en el verdadero señor de «Los Mijaos», a fuerza de lo que denomínase entre nosotros «chivaterías», ambigua fama de pícaro y de inteligente, que era allí, como en todo el país, la mejor credencial que un hombre puede ostentar para el logro de la po-

pularidad. Así, pues, Juan Sevillano, genuino producto
de la democracia, había suplantado a los Solar.

Haciéndose estas reflexiones, Reinaldo agregaba:

—Pero ahora yo puedo y debo volver por los antiguos
fueros. Ya aquí debe estar corriendo la noticia de la
caída de Juan Sevillano; seguramente voy a encontrar
hostilidad; pero éste es el momento indicado para acabar totalmente con el prestigio que le quede. Mi presencia aquí confirmará, de manera decisiva, la reivindicación que comenzó esta mañana. ¡Quieran que no,
volverán a sentir la garra!

Y con este propósito, Reinaldo hizo su entrada al
pueblo por el sitio más concurrido por el peonaje de
las haciendas de los alrededores, foco principal del prestigio de Juan Sevillano.

Acudían ya al trago y a la charla vespertina a la
ranchería de la salida del pueblo, frente a la cual había
un largo convoy de carretas. Los carreteros desuncían
las mulas mientras sostenían entre sí una charla bulliciosa sobre asuntos del oficio, cruzadas de noticias
y de chismes del pueblo nativo, de donde unos venían
y a donde otros volvían, salpicada de bromas picantes
y de términos procaces. En el interior de la ranchería,
a través del ancho portalón empedrado con guarda-
cantones de lajas, análoga animación de los arrieros
descargando sus recuas, y, en el fondo, en torno al
estanque del abrevadero, como una nota de paz, un
rebaño de borricos ya libres de sus enjalmas, con los
belfos sumergidos en el agua. En la pulpería, el zum-
bido de los bebedores; en el camino, un grupo de hombres jugando a los bolos.

Reinaldo se detuvo a contemplar este cuadro típico,
y cuando paró los ojos en los que jugaban, olvidóse
de sus señoriles reflexiones; la actitud estatuaria y las
vigorosas líneas de los torsos de los jugadores al lanzar
los bolos, evocaban, en medio de la campiña luminosa,
una remembranza de la remota Grecia olímpica. Pero
como su atención empezó a atraer sobre sí la del peonaje y ya se dejaban oír, entre el runrún de las voces,
inequívocas señales del comentario que el pueblo hacía
sobre la noticia de lo sucedido con Juan Sevillano,
juzgó que convenía hacerse el indiferente, y continuó
su paseo.

Luego, ya en el pueblo, dobló por una calle empinada y angosta, en cuyo empedrado antiquísimo crecía la hierba. Viviendas de amplios portones con batientes claveteados, descalabradas y patinosas fachadas, ventanas herméticas con rejas de madera torneada, algunas, y anchos aleros casi todas, conservaban en algunas partes el aspecto colonial, y en los interiores silenciosos, que sugerían cierta sensación de soledad y abandono, veíanse patios floridos y adivinábase ese ambiente inefable del crepúsculo doméstico en las casas viejas. Por las callejuelas discurría poquísima gente; en la plaza de la iglesia la sombra caía de los altos árboles en medio de una paz que no turbaba un ruido. En un banco, un joven de largas melenas negras tomaba el fresco con la cabeza descubierta.

Reinaldo rodeó la plaza. Ya cruzaba la esquina cuando oyó que lo llamaban. Detuvo el caballo. El sujeto de las largas melenas negras se había parado del banco y se le acercaba, con paso de enfermo, haciendo visajes:

—¡Reinaldo Solar! ¡Vaya que por fin veo la cara de un hombre!

Éste no sabía quién pudiera ser aquel personaje tan maltratado, cuya fisonomía no le era, sin embargo, completamente desconocida. Lo saludó lo más amablemente que pudo, mientras hacía memoria.

—¿No me conoces? Ya veo que no me conoces.

Y por su demacrada faz pasó una mueca de desaliento mortal. Luego agregó, con una voz cavernosa de la cual no parecía capaz su pecho enteco:

—Soy Felipe Ortigales.

—¡Sí, hombre! ¡Cómo no te iba a conocer! ¡Ortigales, cómo no! En el Colegio de Jaime Payares. Sí, sí.

—Es decir: la sombra de Felipe Ortigales. Soy el fantasma de un hombre que no vive hace tiempo. ¿Te acuerdas de aquellos tiempos del Colegio? ¡Qué tiempos aquéllos! ¿Qué se ha hecho aquel Antonio Menéndez? ¿Recuerdas que yo no me transaba con él? ¿Y aquel Rafaelito Olmeta? ¿Te acuerdas de que decías que no estarías tranquilo hasta que no supieras más que Menéndez y hasta que no le hubieras pegado a Rafaelito, que era el gallito de la cuerda? ¡Qué tipo eres tú, Reinaldo! ¡Qué tipo!

—Y tú, ¿qué tal? ¿Qué te has hecho?

—Es largo de contar, caro amigo. Si fueras tan amable nos podríamos sentar un rato. Yo no puedo estar mucho tiempo de pie.

A Reinaldo no le interesaba en absoluto conocer la vida de Ortigales, que por lo que se dejaba ver no había sido muy risueña; pero comprendió que quería referírsela a todo trance, y, resignándose compasivamente, echó pie a tierra para conversar con aquella sedicente sombra, que a duras penas podía mantenerse sobre sus piernas de agudísimas rodillas agresivas. Se sentaron donde lo había estado Ortigales, quien gastó buen espacio de tiempo acomodando sus pobres huesos sobre la dura madera. Y comenzó a declamar:

—Pues ya adivinarás, por el estado en que me encuentras, cuál habrá sido mi vida.

—¿Has estado enfermo?

—Mortal.

—No estabas en Caracas, ¿verdad?

—De tumbo en tropiezo por esos pavorosos pueblos del interior, por esa provincia anodina y disolvente, con la farándula aquella de que te escribí. Por cierto que no obtuve contestación a mi carta.

—¡Ah, sí! Ya recuerdo. Andabas de empresario de una compañía de cómicos infantiles. ¿No es eso?

—De apuntador. Con cierta ingerencia en la empresa, efectivamente. Aunque, si bien se mira, yo era el alma de la cosa.

—¿En qué paró eso?

—En lo inevitable: el fracaso. El tenor cómico, por sarcasmo del destino, murió trágicamente, despanzurrado por un caimán del Apure, a pesar de las formidables pancadas del barítono que se bañaba a dúo con él; la tiple concibió, por obra y gracia de un jefe civil, y los demás párvulos, cansados de pasar hambre cantando, decidieron continuar pasándola de otra manera menos irritante.

Reinaldo se aburría con aquel humorismo forzado, que resultaba doblemente macabro en boca de Ortigales. Al cabo de una pausa, éste continuó su oración fúnebre.

—Luego, dos años sepultado en un pueblo asesino, que me mató el alma y me iba matando el cuerpo, finalmente. Una precaria administración de correos que me daba veinte pesos para plátanos y quinina. Al resto de

mis necesidades suplía el exiguo sueldo de maestro de
capilla en la iglesia del pueblo, por mor del campechano del cura. Una cosa horrible: ¡fastidio, embrutecimiento, hambre, paludismo! El espíritu vuelto un gui-
ñapo; el cuerpo, un hervidero de parásitos y de
bacterias. Hube de abandonar al fin mi violín, mi buen
hermano de infortunio; dejé de escribir mis dramas,
y así me quedé sin emociones estéticas. Y venga el
horrible y cotidiano temblor del paludismo. Al fin, un
amigo que me depara el azar: Guaicaipuro Peña. Un
ganadero rico y estólido, no sé si más rico que bruto
o más bruto que rico. ¡Pero bueno, eso sí! Advierte
que me estoy muriendo, y en un viaje que hace me trae
entre su vacada como un maute más. Aquí vivo, si a
a esto se le puede llamar vivir, en su casa, en el seno
de su familia, que gasta unos nombres pavorizantes:
América, África, misia Oceanía, la madre; el padre
se llamaba Atahualpa. ¡Héteme, pues, viviendo en un
mapamundis!

Fatigado de su parlamento, dobló la cabeza y quedó
un rato en silencio, enlazando y desenlazando los dedos
flacos, que tenían un color ambiguo de cera y de ceniza.
Reinaldo le perdonó la actitud teatral y se compadeció
de sus miserias.

—Y tú, ¿qué cuentas? — tornó a declamar Ortigales.

—Pues viviendo, pensando, trabajando.

—¿Para qué todo eso? La felicidad suprema es el
nirvana.

—¡Al cuerno el nirvana! La felicidad suprema es la
acción.

El enfermo, como si acabara de oír la voz de un
oráculo, levantó hacia él los ojos, asombrado:

—¿La acción?

—¡Sólo ella le da valor a la vida!

Y desatando su facundia en cálidas frases que electri-
zaron a Ortigales, expuso su flamante teoría. Cuando
concluyó, Ortigales dijo:

—Sí. Pero para todo eso se necesitan energías, nervio, músculos, que yo no tengo. Mira — y se palpaba
los biceps fláccidos, como demandando compasión.

—No importa. La función hace el órgano.

Y Reinaldo se despidió súbitamente. Ya se alejaba
y todavía Ortigales le decía:

—Bueno, Reinaldo. Ya sabes. Aquí está un hombre necesitado de tus palabras. Después de oírte me he sentido mejor. No dejes de venir a menudo a charlar.

Consecuente con su nueva orientación, Reinaldo modificó el plan de «Punta de Raza». Ahora el protagonista, lejos de absorberse en una extática contemplación de la naturaleza, se entregaba a la voluptuosidad sana y generosa de un fecundo empleo de sus energías recuperadas: gemía la selva imaginaria bajo el hacha incansable; rugía la tierra bajo la garra de acero de formidables máquinas que le arrancaban su entraña de oro; emigraban de los pantanos drenados aquellas garzas que eran un símbolo de la hierática contemplación, y por todas partes el augusto silencio secular se llenaba con el poderoso alentar de los férreos pulmones del progreso.

Pero como el novelista no se contentaba con la ficción, sino que necesitaba realizar en la propia vida el plan de su novela, se dió a concebir otro, tan vasto y desenfrenado, de reformas en la hacienda. Sosteniendo una noche, en la sobremesa, el aforismo del mejoramiento de la condición moral por el género de trabajo edificante a que dedique el individuo, pasó a pensar, en una de aquellas subitáneas y fulminantes descargas de sus propósitos, que en vez de sembrar caña era más noble sembrar trigo, porque aquélla, dando origen al alcohol, fomenta un azote social, mientras que del trigo sale el pan, que es cosa útil, y la hostia, que es cosa tenida por sagrada.

—Por otra parte —decía—, considerándolo desde el punto de vista práctico y comparándolo ahora con el del maíz, el cultivo del trigo traería el mejoramiento de la raza, porque es un hecho comprobado por los modernos estudios sociales que los pueblos que se alimentan con trigo son más capaces de cultura que los que se alimentan con maíz.

Y esto bastó para que se decidiera a convertir en trigales los cañaverales de «Los Mijaos». Poniendo manos a la obra, resolvió consultar con cierto ingeniero agrónomo, oriundo de la Argentina, que acababa de establecer en Caracas un instituto de agricultura.

El agrónomo argentino se llamaba Heine Lenzi; era pequeño y redondo como una bola, y Reinaldo lo encontró en la sala de clases del sedicente instituto, metido en un chinchorro, en calzoncillos, chupándose una naranja.

Lenzi mostró a Solar el plantel, diciéndole que era todavía un cotiledón, y le presentó al único alumno que había caído: un joven taciturno, por encima de cuyas ropas trascendía la provincia, que se entretenía leyendo «Tierra», de Zola, en un rincón de la sala, bajo una enorme sierra de pez espada que colgaba de la pared.

Enterado del propósito de Reinaldo, el agrónomo fué a «Los Mijaos». Allí pasó seis días, regalándose en la mesa de los dueños a cuerpo de perito, devorando pavorosos alfondoques con queso y anís que le aderezaba el tachero, echándose al coleto frecuentes cachos de aguardiente y charlando incansable con Reinaldo de sus estupendos ideales de cría de cerdos, a los que llamaba «chanchos». En las horas frescas recorría los campos, agachándose de trecho en trecho a coger un puñado de tierra para alalizarla en el instituto, y, por fin, un lunes, se fué con sus tieras y con un alfondoque monumental.

Dos días después reapareció en «Los Mijaos», asegurando que el terreno era propicio para el trigo. En seguida agregó, para mayor abundamiento de razones:

—En mi país, hace unos años, examiné una tierra como ésta; la compré para un amigo y hoy es una de las más hermosas estancias. Si viera usted los chanchos que se crían allí... Así, de grandes, como borricos.

Y extendiendo en el aire los brazos cortos, que remataban en dos manos casi esféricas, sugería un infinito rebaño de cerdos gigantescos.

Reinaldo temió que Lenzi supiese más de «chanchos» que de trigo, pero, no obstante, le propuso la dirección técnica de las reformas que pensaba llevar a cabo en «Los Mijaos». Lenzi aceptó en seguida, y de regreso a la casa, ante una perspectiva ambigua de trigales y de «chanchos», habló copiosamente, con un entusiasmo que le comunicaba agilidad inusitada.

—¡Che! Créame usted, amigo Solar: si en este país todos los ciudadanos pensaran como usted, Venezuela prosperaría rápidamente. Lo que hace falta es agricultura científica. ¡Nada de escavatierras empíricos!

Agricultura científica. ¿Que la tierra es pobre? ¡Pues se enriquece! ¿Que no hay agua? ¡Pues se busca! Y ya está todo remediado.

Efectivamente, con tales procedimientos ejecutivos no podía haber tierra pobre ni yermo enjuto; pero Lenzi tenía para Reinaldo el poder fascinante de un espíritu aventurero y fantaseador.

Las reformas proyectadas sembraron el pánico en el ánimo de la familia. Agustín Allende —que desde la muerte de don Hermenegildo Solar ejercía la administración de la hacienda y que no le perdonaba a Reinaldo que hubiese despedido a Juan Sevillano sin consultarle previamente—, cuando se enteró de los proyectos del sobrino, aseguró que en «Los Mijaos» no se daba trigo, y con aquel redundante estilo suyo, pronosticó fracaso o bancarrota. Ana Josefa gimoteó inútilmente, pero se resignó al fin, aconsejada por Carmen Rosa, quien, a pesar de la desconfianza que le inspiraba Lenzi, recomendaba que dejaran a Reinaldo hacer el ensayo. En cuanto a Valerio Allende, por contrariar a Agustín y por halagar al sobrino, aseguró el éxito.

Se fué Lenzi, clausuró el instituto y regresó en seguida. Colgó su chinchorro en la casa donde lo alojara Reinaldo, sacó del baúl varios catálogos de herramientas de labranza y de maquinarias agrícolas, y en apuntar las que se debían pedir invirtió una semana.

Entretanto, Reinaldo se ocupaba con otro proyecto de trascendencia mayor, que era toda una empresa de dioses.

Concibiérala una noche, como viese a los labradores de la hacienda congregados en la capilla del Conventico suspensos de la plática que, según la antigua costumbre, predicaba un fraile capuchino, para edificación de las rústicas almas. Eran las «misiones», que removían en el espíritu de Reinaldo el rescoldo de religiosidad de los años de la infancia; y aunque este sentimiento, después de haber corrido una bordada de positivismo, volvía a él, como barca desarbolada, a fuerza de remos, sintió la conmoción de los elegidos, que oyen la voz de su destino.

Como oyera al fraile predicar a propósito del pecado, reflexionó sobre la dureza contra humanidad, del ascetismo cristiano, y de pensamiento en pensamiento, llegó a esta conclusión:

«Puesto que todavía la semilla ancestral de religiosidad está germinando en el espíritu humano, es imposible destruir esa Gran Ilusión; pero sustituirla por otra es ya más fácil y quizá más eficaz».

Esta reflexión produjo una larga teoría, y en seguida un nuevo plan de acción que lo absorbió por completo en los días subsiguientes, permitiendo a Lenzi disfrutar a sus anchas de la paz del chinchorro: predicar entre los campesinos la religión «monista», vislumbrada a través de unas cuantas líneas de «Los Enigmas del Universo», de Haeckel.

Por las tardes, iba al pueblo a conversar con Ortigales. El convaleciente, cuya cabeza no estaba firme todavía, se quedaba embobado oyéndolo.

—¡Qué actividad la de este Reinaldo Solar! ¡Qué energía! Reinaldo Solar es un cordial; ¡al lado suyo, el más apático se siente sacudido, levantado en vilo, transformado! ¡El trigo regenerador! ¡La religión monista! ¿De dónde sacará Reinaldo tanta idea genial? A mí nunca se me hubiera ocurrido pensar que la indolencia del venezolano se debe a que en Venezuela no se come pan de trigo.

Y el pobre Ortigales se desesperaba por descubrir la fuente de aquella sabiduría de Reinaldo, que lo dejaba deslumbrado.

Le pidió libros y los devoró ávidamente; pero nunca se le ocurrió uno de aquellos brillantes comentarios. La chispa de la idea original no quería brotar en su cerebro. Un día cayó en la cuenta de la causa de su esterilidad:

—La culpa la tienen esas malditas arepas de maíz que se comen en casa de las Peñas. ¡Y tanto que me gustan!

Y desde entonces Ortigales exigió que le dieran pan de trigo. Las Peña se sorprendieron de tal cambio en el gusto de su huésped, y mucho mayor fué su sorpresa cuando le oyeron hacer la apología del pan de trigo, glosando las teorías de Reinaldo.

Poco después comenzaron a notar que en la conducta del convaleciente se operaba una verdadera transformación.

Ya no pasaba los días tendido en la cama, con los ojos fijos en aquel agujero del techo, huraño, silencioso, pensando en aquel misterioso nirvana cuyo sentido nunca comprendieron ellas. Se volvió locuaz y jovial, y vivía ahora predicando los milagros que puede hacer la voluntad. Comenzó a tocar el violín, y se quitó la melena. Un día, en el desayuno, después de haber devorado un gran bollo de pan isleño, anunció que iba a escribir una tragedia, titulada: «Gesta de Titanes».

—Es otro — se decían las hijas de Atahualpa Peña.

—Digo yo que será el pan de trigo — advirtió América, la más pizpireta y buena moza de las cinco hermanas.

—Yo me alegro de que ya esté bueno — concluyó la madre —. Porque ya el pobre Guaica no podía con tanto gasto de médico y botica. Que si fuera por un pariente no importaría; pero por un extraño, ya pasa de caridad. Supongo que ahora se irá.

Pero Ortigales no se iba. Por otra parte, se permitía emitir las más extravagantes ideas a propósito de la caridad y del reconocimiento por el favor recibido. Un día, de sobremesa, dijo:

—La caridad es una ofensa. ¡Una porquería! Humilla a quien la recibe y pervierte a quien la hace.

—¿Y los pobres, Ortigales? Los que no tienen familia, ¿qué sería de ellos sin la caridad? Los enfermos...

—Los pobres, señora, los débiles, los enfermos, son una rémora para el progreso de la especie. No se les debe conservar; se les debe destruir, como los destruye la Naturaleza, implacablemente, porque la Naturaleza sólo quiere individuos y especies fuertes.

—Pero eso no es cristiano — objetó América, a quien le era profundamente antipático el dramaturgo.

—Por de contado, puesto que es humano — repuso él —. Humano y cristiano son dos extremos, dos conceptos contrarios que se destruyen uno a otro. Como bien dice mi amigo Reinaldo Solar.

—¡Qué monstruo será ese amigote suyo que dice tales herejías! — exclamó furibunda misia Oceanía, no tanto por lo que de herejía hubiese visto en la frase de Reinaldo, citada por Ortigales, como para aprovechar la ocasión que buscaba de poner a éste en la puerta de la calle.

—¡Señora! Reinaldo Solar es mi amigo de corazón. Hágame el favor de no expresarse de él en esos términos.

—Yo estoy en mi casa, y hablo como me parezca.

Ortigales tuvo un gesto olímpico para aquella grosera salida y se levantó de la mesa.

—¡Habráse visto! Una mujer que tiene un espantoso lunar de pelos en una mejilla y que es viuda de un bárbaro que se llamó Atahualpa, atreverse a calificar de monstruo a Reinaldo Solar. Y todo porque no alcanza a comprenderlo. ¡Qué ha de alcanzar!

Y el flamante propagandista de un nietzscheanismo de segunda mano, no digerido, desahogó en acerbas diatribas a propósito de la grosera mentalidad católica de las mujeres del clan de Atahualpa, que lo habían humillado con su caridad, su inverecundia de super-hombre.

Al día siguiente se presentaba en «Los Mijaos», con el rollo de su tragedia por todo bagaje, a contarle a Reinaldo cómo, por haberlo defendido «a capa y espada» contra las furiosas invectivas de la señora Peña, ésta lo había puesto de «patitas en la calle».

Y concluyó:

—Me he quedado, pues, sin pan ni techo; pero ¡qué diablos! El mundo es grande y ya no me arredra. Empiezo otra vez mi vida trashumante. Sólo te exijo que me dejes estar aquí unos días, en la bagacera o en el muladar, mientras me oriento.

Reinaldo le respondió, conteniendo la risa:

—¡No, hombre! Con Lenzi, el agrónomo, puedes estar el tiempo que quieras. Entretanto, te buscaré algo que hacer. Ya habrá mucho.

Y desde aquel día Ortigales convivió con Lenzi. El agrónomo, en almillas, desde su chinchorro, fué iniciando al dramaturgo en el amor a la tierra y a los «chanchos», y éste, en cambio, le leyó su tragedia. Por las noches, sentados hasta altas horas junto a la represa, de la acequia, Reinaldo completaba esta iniciación exponiéndole los pormenores de su grandioso proyecto de religión monista. Ortigales lo oía en suspenso, experimentando a veces la emoción de estar en palique con un dios, cuyo apóstol fuera él, y otras veces sintiéndose desgraciado al comparar con aquella exuberante imaginación de Reinaldo, la suya, desmedrada y rastrera.

Al mismo tiempo, los propósitos de Reinaldo alarmaron a la familia. Un día, Ana Josefa preguntó a unos peones que bajaban del cerro con el hacha al hombro:

—¿Qué hacen ustedes en el Ojo de Agua?

—Talando el plan de la nueva iglesia.

—¿Qué iglesia?

—¡Guá! ¿Usté no sabe? Esa iglesia que va a hacé don Reinaldo pa esa religión que él dice que hay ahora.

Ana Josefa se alarmó sobremanera, y en la tarde del día siguiente estaba refiriéndoselo al padre Moreno, a quien llamara expresamente para pedirle consejos.

Era el padre Moreno un mestizo de estatura larga y desgarbada, voz gruesa y presuntuosa y fama de incomparable orador. En su continente duro y soberbio todo revelaba al profesional del púlpito, en quien había desaparecido completamente la emoción del apostolado, dejándole en el corazón la sequedad maleante de la misantropía. Metido en su camino sin salida por un impulso de juvenil religiosidad, convirtióse poco a poco en el perfecto tipo del eclesiástico que pierde la fe en la familiaridad con el dogma y la suple con el frío espíritu de casta. Así jamás se le oía en la boca palabra que denunciase un verdadero sentimiento religioso, y cuando alguien los manifestaba en su presencia, adoptaba una actitud desdeñosa, en lo cual alguien quiso ver una insólita muestra de humildad templada en el molde del más severo ascetismo kempiano: la humildad que desdeña la propia virtud. Gracias a su misma dureza ejercía un gran ascendiente sobre su rebaño espiritual y especialmente en el ánimo de las mujeres de la familia Solar, de quienes era el confesor. Ana Josefa se ovillaba en su presencia, con supersticioso temor de aquellas humillantes carcajadas con que él acogía siempre las simplezas de su corazón; Carmen Rosa enmudecía, fascinada por aquella absoluta carencia de idealidad que traslucían sus palabras, siempre al ras de las cosas de la vida ordinaria y corriente, porque a ella se le había metido en la cabeza, de la manera más gratuita, que aquel yermo espiritual del cura era la más alta señal de la perfección cristiana.

Cuando Ana Josefa hubo expuesto su tribulación por lo que estaba maquinando Reinaldo con aquello de la iglesia nueva, el clérigo soltó su habitual y vulgarísima carcajada:

—¡Pero, misia Josefa! ¿Hasta cuándo estará usted haciéndole caso a Reinaldo?

Y como Carmen Rosa, que asistía a la entrevista, hiciera un gesto de contrariedad al oír el tono despectivo con que hablaba de su hermano, el padre contrajo el ceño y dijo con dureza de reconvención:

—Bien está el amor al niño mimado de la casa; pero no hay que olvidar que, por encima de eso, hay algo que vale mucho más.

Carmen Rosa bajó la cabeza, resentida, pero subyugada.

Entretanto, Graciela Aranda — que se había alejado de la casa en previsión de que Reinaldo pudiese llegar, para detenerlo mientras concluía la entrevista —, reunida con él, charlaba sosegadamente bajo los mangos coposos.

De pronto, le preguntó, con un acento que insinuaba la confidencia:

—¿Qué escribes con tanto misterio, Reinaldo?

—¿Será la novela?

—No. Es otra cosa, a la cual estás muy entregado en estos días.

—A su hora lo sabrás.

—No debe ser cosa buena, puesto que lo ocultas. Bajo llave metes tus papeles cuando sales.

—¿Quiere decir que has cometido el feo pecado de curiosear?

—Ya sabes que no tengo esa debilidad. Pero, francamente, andas haciendo cosas raras. ¿Para qué has hecho talar la montaña del Ojo de Agua?

—Pienso construir allí un quiosco. Es un sitio agradable.

—Hay quien dice que será una capilla. Y ahora que recuerdo: la otra noche me hablabas de una religión natural monista, ¿no es así como se llama?

—Pues ya estás al cabo de la calle. Después de todo, no era tan difícil descubrirlo: ya he hablado bastante a propósito de eso contigo. Ahora comprendo que has oído como quien oye llover.

—Pero, Reinaldo. ¿Te has vuelto loco? ¿Crees que así como así vas a encontrar gente tan cándida que se trague esas patrañas?

—Hablemos formalmente, Graciela. Entre nosotros

ha llegado la hora de la absoluta sinceridad. ¿Te atreves a calificar de patrañas al Bien, a la Verdad y a la Belleza?

—¿Qué quieres que te diga? — respondió ella, buscando las palabras —. Si de eso se tratara...

—Pues de eso se trata.

Y, excitado por la misma turbación que le causaba el confesar lo que hasta allí había sido de más íntimo en sus proyectos, hizo una larga y hermosa apología de la obra que intentaba llevar a cabo: hacer que los hombres volviesen a la Naturaleza, al amor a los verdaderos ideales humanos, de los cuales los han alejado las supersticiones seculares.

Después de una pausa, que Graciela no se atrevió a interrumpir, concluyó:

—Sí, Graciela. Es una locura mía; acaso una locura ridícula, pero te confieso que a veces me siento animado del espíritu de un dios. Yo he buscado muchos caminos, me he propuesto muchas obras, muchas y estupendas; pero siempre me ha desalentado la pequeñez del esfuerzo necesario para llevarlas a cabo, porque todas eran obras humanas y muchas de ellas realizadas ya por otros hombres. Necesito una que sobrepase la medida de las posibilidades humanas. ¿No crees que por fin la he encontrado? Hacer que los hombres vuelvan al sentimiento de la Naturaleza, a la devoción por los ideales que son la esencia misma de la condición humana en lo que tiene de más puro y de más noble, y de los cuales los apartó una religión de dolor y de renunciación, cuya doctrina toda se resiente del origen esclavo: del odio a la Vida, de la abominación de todo lo que sea una forma de fuerza o de belleza, de la proscripción de la alegría, ¡la santa alegría que no podía conocer ni tolerar el siervo de Roma!

Graciela, que lo escuchaba admirada, sintiéndose por momentos arrebatada por el vuelo de aquel espíritu que se cernía en las regiones de un verdadero iluminismo, se asustó de su pecaminosa complicidad en tales herejías y lo interrumpió para preguntarle:

—¿Cuántos evangelios tendrá esa religión, Reinaldo?

—Tres: el de la Verdad, el de la Belleza y el del Bien.

—Pues le falta uno: el de la locura.

Y echó a correr hacia la casa, riéndose de las extravagancias oídas, como para destruir con su burla el encanto de la fascinación que había experimentado en un momento de abandono.

Reinaldo, desairado e iracundo, profirió una frase brutal:

—Imbécil. Me había olvidado de que eres mujer.

Y así se desvaneció de su mente un sueño de amor. Había alimentado el propósito de abandonarse al ingenuo impulso de su corazón, declarándole a Graciela el amor que siempre sintiera por ella, y bajo la infuencia de esta determinación cayó, como siempre le acontecía, en las más exaltadas vehemencias: todos sus estupendos proyectos de aquellos días no habían sido, en el fondo, sino la manera personal y característica bajo la cual se manifestaba en él ese instinto de ostentación que en el pájaro llena de gorjeos la garganta del macho en trance de amor.

Ahora, el desaire sufrido lo alejaba definitivamente de Graciela, y con el brusco movimiento de sus reacciones decidió intentar una aventura, ya entrevista, que acabase de borrar de su espíritu la sandez del casto idilio fracasado.

V

Pocos días después, Ortigales se vió precisado a modificar el concepto en que tenía a América Peña: Reinaldo se había enamorado de ella.

Verdad era que éste juzgaba a la muchacha como un espécimen de la perfecta madre: vigorosa, alegre, capaz de concebir y de amamantar una numerosa prole de superhombres fuertes y sanos, y este concepto, demasiado naturalista, se rozaba con el de Ortigales, quien llamaba a América la ternera retozona de la vacada de Atahualpa; pero nunca se le hubiera ocurrido al delicado autor de «Gesta de Titanes» que tales brutales facultades pudiesen ser virtudes en una mujer, y mucho menos, que despertasen un sentimiento amoroso en el espíritu quintaesenciado de un poeta como el amigo Solar.

Indudablemente, era muy hermoso todo lo que éste

decía sobre la necesidad de engendrar hijos robustos y
sanos, y Ortigales convenía en que para ello estaba,
como de encargo, América Peña; pero él no estaba organizado para esa forma del amor. A pesar de las co-
piosas raciones de cerdo que devoraba en compañía de
Lenzi, y de las incontables rebanadas de auténtico pan
de trigo que éste confeccionaba para ambos, él no experimentaba los brutales reclamos de la especie y era
de opinión que el amor ha de ser algo puramente espiritual, muy tierno y delicado.

—Yo estoy hecho para las suavidades — confesaba —.
Para las ternuras recónditas. Para mí: ¡una noviecita
blonda, pura, frágil!

—¡Para mí una mujer! ¡La más mujer! — replicaba
Reinaldo.

Por las tardes, los cascos de su caballo batían incan-
sables el empedrado de la calle de las Peña.

La varonil belleza de aquel joven rico y de buena
familia, y sobre todo, la elegancia y el aplomo con que
sabía tenerse en el brioso potro, cuyos escarceos acreditaban la pericia del jinete, despertaron en el alma
llanera de América una pasión tumultuosa.

Los ojos negros, largos, ardientes; la boca carnosa,
de labios sensuales, rojos como la pulpa de los cundeamores; la risa sonora; la carne lujuriante; el espíritu
inflamable, América Peña era, a la vez, el mejor bocado
del pueblo.

Las vehemencias de Reinaldo la volvieron más ardiente de lo que ya era, prendiendo en su imaginación
llamaradas sensuales; a su vez, ella lo contagió de su
apasionamiento.

Trigos y monismo se desvanecieron de la mente de
Reinaldo; Lenzi dormitaba tranquilo entre sus catálogos de herramientas y maquinarias que todavía no se
habían pedido; la semilla adquirida para el ensayo era
pasto realengo de los ratones; en el «Ojo de Agua»
volvían a crecer y enredarse en paz las malezas, y en
la gaveta del escritorio esperaban la polilla los evangelios de la Verdad, de la Belleza y del Bien. América,
solamente, absorbía el pensamiento de Reinaldo. Como
de costumbre, no faltaron teorías que justificasen el
caso: ¡tanto valía educar y moldear un alma virgen
como redimir a un mundo!

En cambio, Ortigales sufría horriblemente. A fuerza de oír los elogios que Reinaldo hacía de América, se fué despertando en su corazón un vivo amor a ella; pero amor puro, afección romántica y tierna que lo puso estúpidamente sentimental. Mezclábase con esta pasión un vago sentimiento de odio al amigo, cuya superioridad mental comenzaba a serle enojosa, y con tan encontradas y absurdas emociones pasaba los días absorto, imaginando el modo de zafarse de Reinaldo, que lo dominaba como un íncubo, obligándolo a oír las más íntimas y crueles confidencias.

Un día quiso rebelarse.

—Y Guaicaipuro, ¿por qué no viene?

—Hombre, ¿por qué quieres que venga?

Y sin darse cuenta de la situación de Ortigales, Reinaldo rió hasta cansarse.

Entretanto, los ojos enormes del dramaturgo giraban atolondrados. Mil pensamientos de muerte pasaban en tumulto por su cerebro; el dolor y el odio zarandeaban su pobre corazón. Por fin, exclamó anatematizador:

—Eres el anticristo.

En los días siguientes no lo vió más Reinaldo. Horas enteras se pasaba embobado, sobre una mano la mejilla y sobre la frente torva las guedejas de la melena, otra vez crecida, viendo los ratones llevarse los granos de trigo del semillero. Así, las confidencias de Reinaldo le quitaban día por día pedazos del corazón platónicamente enamorado de América.

Las procesiones nocturnas de los pasos de la Semana Santa en el pueblo favorecían aquellos amores contrariados por la madre de América, que era llanera zamarra y desconfiaba de los propósitos del patiquincito, como llamaba a Reinaldo. Toda la gente se aglomeraba en las calles por donde pasaba la procesión; aprovechando la soledad en que quedaba lo restante del pueblo, América se separaba del cortejo de rezanderas, y, con una amiga complaciente, acudía al sitio donde la esperaba Reinaldo, bajo la sombra discreta de un bambual frondoso.

En la mañana del Domingo de Resurrección, Reinaldo hablaba con Lenzi cuando se presentó Ortigales, y llamándolo aparte, con mucho misterio, le dijo:

—Guaicaipuro Peña acaba de llegar. Lo he visto.

—¿Y bien?

—América te manda decir que no vayas por el pueblo mientras esté aquí. Yo te aconsejo que no te dejes ver con él. Guaica es un hombre terrible; ya ha matado a dos.

Reinaldo sonrió:

—¿Que no me deje ver? ¡Hombre! ¡No faltaba más!

Ortigales se quedó viéndolo, con despecho rabioso, como si lo humillara aquella jactancia. En un momento pasaron oleadas feroces de rencor por su espíritu atormentado. Con ironía remota le preguntó:

—¿Vas a provocarlo?

—No. ¿Por qué? No acostumbro a provocar a nadie. Haré lo que siempre he hecho — respondió Reinaldo, y despidiéndose de Lenzi espoleó el caballo y partió al galope.

Ortigales le gritó:

—Esta tarde habrá toros coleados en el pueblo. Guaicaipuro coleará.

Pero ya Reinaldo se había alejado. Ortigales permaneció en la orilla del callejón, siguiéndolo con la vista. Lo odiaba cordialmente. Ya lo veía con un balazo en el pecho, derribado del caballo en mitad de la calle, y a Guaicaipuro Peña, en la mano el revólver humeante todavía, contemplándolo con una sonrisa de triunfo en la recia faz curtida por los soles del Llano. Una alegría feroz le hacía saltar el corazón. Abandonándose al goce malsano de tales imaginaciones, ya no era Guaicaipuro Peña el vencedor de Reinaldo, sino él, en quien, de pronto, por obra de milagro, hubieran nacido fuerzas extraordinarias, y deseando para su rival una humillación mayor, no se lo imaginaba muerto sino acobardado, huyendo por las calles llenas de gente, perseguido por él, que le azotaba las espaldas con la misma fusta que le arrebatara de las manos, en una pasmosa explosión de coraje.

Entretanto, Reinaldo iba pensando en el probable lance con el temible hermano de América. Experimentaba vagas desazones; por los brazos le corrían sensaciones indescriptibles, que se hacían dolorosas en las palmas de la mano; luego, violentas reacciones electri-

zaban sus nervios relajados; en seguida sobrevenían
crisis de reflexión serena y lúcida.

—¿Por qué he de reñir con Guaicaipuro Peña? No
lo provocaré, pero tampoco esquivaré el lance. Seguramente él va a buscarme pendencia. Pero, ¿tengo acaso
derecho de arriesgar mi vida por un motivo necio, como
lo es el demostrar que no le temo al matachín? ¿No
estoy seguro de mi valor y de mi hombría?

De pronto, se dijo en voz alta:

—¡Sofismas, cobarde, sofismas! ¡Si tienes valor,
anda a probarlo!

Y decidió ir en la tarle al pueblo a tomar parte en
la coleada de toros que se preparaba, en la cual no
podía faltar Guaicaipuro Peña, quien, como buen llanero, debía ser buen coleador.

Cuando se disponía a salir pensó llevar el revólver;
pero, al cogerlo, se arrepintió. La idea de un arma en
sus manos, esgrimida contra alguien, le produjo un
movimiento de repugnancia. Iría desarmado, como de
costumbre. Para el caso, mejor era la fusta: así probaría su verdadero valor. Era su incurable horror al
miedo.

En el pueblo, en la única calle ancha y llana, que
era la de la entrada, cuyas bocas estaban cerradas ya
por las talanqueras, se sentía el bullicio de la fiesta
típica y primitiva. El gentío, encaramado sobre las
empalizadas, agrupado en las puertas, excitado por el
aguardiente, por el sol y por la expectativa del rudo
espectáculo, prorrumpía en gritería, silbaba a los espectadores de a caballo, se agitaba en un júbilo febril o
enmudecía de pronto en un silencio unánime que le
comunicaba mayor intensidad al cuadro, como si hiciera
resaltar más el colorido del sol y la animación de las fi-
guras. Desbordados los instintos, a cada rato, en simu-
lacros de riña al garrote, los hombres se daban acome-
tidas entre las aclamaciones de los espectadores que
celebraban los ágiles saltos, las paradas y las puntas
de aquella esgrima bárbara y fachendosa, mientras los
muchachos, estremecidos de júbilo, aclamaban a los
coleadores que iban llegando ufanos, haciendo cara-
colear los caballos en alardes de destreza y gallardía.
En las ventanas y sobre los pretiles de los corredores,
jarifos grupos de mujeres reían y se agitaban loca-

mente. Ardía la sangre en todas las venas; chispeaba
el sol en el metal de los arneses; gritaba el color en
todas partes, y entre el clamor unánime de una embriaguez dionisiaca, gemía el joropo nativo o vibraba
el pasodoble español.

Cuando Reinaldo llegó, un rumor confuso de hostilidad y admiración fué recorriendo el coso de un
extremo a otro, y, desde la ventana de las Peña, los
ojos de América lo saludaron con una mirada cálida
que acabó de excitarlo.

Se detuvo frente al tranquero del toril donde se agru-
paban los coleadores. Una voz le gritó:

—¿El patiquín, como que va a coleá?

—Si se puede.

E instintivamente miró a un jinete que lo veía con
fijeza.

Era Guaicaipuro Peña, un indiazo membrudo, de
negras patillas que le bajaban hasta las comisuras de
la boca, confundidas con el bigote. Un sombrero de
«pelo de guama», de anchas alas, le cubría de sombra
el rostro bien parecido, en el cual Reinaldo descubrió
las mismas facciones de América y la misma expresión
sensual.

—Es un bello ejemplar de la raza — pensó, mientras
soportaba la mirada buida del hombre temible, satisfecho de sí mismo al comprobar que en sus músculos
no había un estremecimiento de miedo.

Transcurrieron unos minutos. Iban a soltar el primer
toro. La expectativa hacía enmudecer al gentío que
llenaba el coso. Todas las miradas estaban fijas en la
puerta del corralón de donde había de salir la res, y
los coleadores se apercibían para el arranque de la
carrera. La emoción puso trémulo a Reinaldo; bajo
sus piernas tensas sentía vibrar los nervios fogosos
del potro que paraba las orejas atentas, resoplando
y piafando.

De pronto, un estremecimiento, un clamor que se
propagó rápido a lo largo de la calle, un súbito arre-
molinarse del gentío, un bufido del toro y el arranque
simultáneo de los coleadores pugnando por apoderarse
de la cola, en cuyo extremo la mota de cerdas era un
airón que bien valía una vida.

Reinaldo iba entre ellos, ciego, tendido fuera de la

silla, la mano izquierda aferrada a las crines del caballo, la derecha rozando ya el bárbaro trofeo. En pos de él Guaicaipuro Peña, empeñado en atravesarle la bestia, empujándolo, y detrás, entre la polvareda, un tumulto de brazos que se extendían, de crines que revolaban, de cuerpos que chocaban en un vértigo de lucha y de carrera.

Por fin, Reinaldo se apoderó de la cola del toro; con un solo movimiento se la arrolló en el puño, se tendió sobre el caballo, que saltó al sentir la espuela, y, cargando la res, con un esfuerzo de locura, la derribó patas arriba en mitad de la calle.

La gritería se hizo ensordecedora; el potro, enardecido, se iba tascando el freno. Reinaldo, perdida la conciencia de sí mismo, llegó sin contenerlo casi, hasta el extremo de la calle. A pocos pasos de la talanquera recobró las riendas, y empinándose sobre los estribos, con un golpe de consumado jinete, paró en seco a la bestia.

Ortigales no pudo menos de gritar:

—¡Bravo, Reinaldo! ¡Bravísimo!

Reinaldo se revolvió en medio de una ovación, y cuando se acercaba a la ventana de las Peña, Guaicaipuro, que lo esperaba, le gritó:

—¡Así se tumba, compañero!

Y luego a la hermana:

—América. Póngale usté misma la mejor cinta que tenga. ¡Eso es coleá!

En la noche, contemplando la montaña, sobre la cual la luna, al salir, iba esparciendo su turbia claridad, Reinaldo le propuso a Ortigales:

—¿Quieres acompañarme mañana a una excursión a Naiguatá? Te prometo un día delicioso.

Ortigales aceptó, no porque le agradase la invitación, sino porque, en el estado de espíritu en que se hallaba, no podía negarse a nada que le propusiera Reinaldo.

La superioridad de éste, de tan diversos modos comprobada, pesaba sobre su alma como una losa inconmovible. En su interior, le decía:

—Haz de mí lo que te plazca. Así lo ha dispuesto la Vida.

Y al meterse en la cama lloró y se mesó sañudamente las melenas. A medianoche despertó sobresaltado: en

sus oídos zumbaba, como un trueno, una voz formidable,
la voz de Reinaldo, que había gritado dos veces: ¡La
vida es del fuerte! ¡El mundo es mío!

Se incorporó en la cama y aguzó el oído esperando
volver a oír aquel grito de triunfo. Afuera, los campos
dormían serenos en la callada dulzura de la noche; en
la pieza vecina, Lenzi roncaba; de la sala venían ruidos
muy tenues: eran los ratones llevándose los granos de
trigo del semillero.

En la madrugada, Reinaldo llegó a buscarlo. Cerro
arriba, por el camino que se empinaba detrás del trapiche, comenzaron a subir. El caballo de Reinaldo aco-
metía briosamente los repechos, dejando atrás la mula
de Ortigales, no acostumbrada a aquellas andanzas.
Bajo la claridad sin luz del cielo reposaban las masas
informes de la montaña; el aire inmóvil entumecía sin
contactos; la voz de los torrentes subía de las hondonadas obscuras, perenne, igual. Oyéndola, Reinaldo
pensaba:

—Es la Vida impasible, la actividad imperturbable
en medio de una absoluta serenidad. Un curso de agua
es el mejor maestro de energía: libre y rebelde en la
torrentera, sumisa en la acequia, laboriosa en la rueda
hidráulica, fecundante en el surco, soñadora en el pozo
escondido que la noche llena de estrellas. El hombre
debe hacer como hace el agua inconsciente. ¿Por qué
la línea recta de un destino único, de una misma actividad?

Sólo el imbécil gasta la vida en llevar a cabo un
solo propósito. La verdadera constancia está en no
perseguir dos días el mismo ideal. La actividad es una,
pero la acción ha de ser múltiple.

En pos de él, Ortigales echaba siniestras miradas
al fondo de las barrancas. ¿Por qué no terminar de
una vez? Ya que la vida lo había hecho presa fácil al
zarpazo de los fuertes y una ley inexorable lo condenaba a ser absorbido o aniquilado por las energías
victoriosas, ¿por qué no se decidía a hundir su miseria
esencial en el definitivo derrumbamiento de una muerte
que podría redimirlo, dejando impresa en la memoria
de sus flaquezas, siquiera la huella de un vigoroso
gesto liberador?

Y ante la incapacidad para la resolución suicida,

el pobre Ortigales se maceraba el espíritu con desesperantes reflexiones. ¿Por qué aquella sañuda crueldad
de la vida, que se complació en hacer de él una absurda
antinomia de grandes alientos espirituales, amasados
en el más frágil barro humano?

Ya salía el sol cuando llegaron a una ensenada donde
había un vecindario compuesto por unos cuantos ranchos esparcidos entre labrantíos. De un caney de ba-
hareque techado de cinc, salió a recibirlos un montañés
recio y jovial.

—¡Guá, don Reinaldo! Ya yo creía que su promesa
se iba a quedá en veremos —y advirtiendo los trabajos que estaba pasando Ortigales por apearse de la mula,
acudió a tenérsela del freno.

—¿Y cómo marcha la cosa? —preguntóle Reinaldo.

—Ya usté verá. Por ahora pasen pa dentro y pidan
su desayuno tan y mientras desensillo las bestias, que
de aquí pa allá no se necesitan. Digo, polque supongo
que ustedes van a pasá el día por aquí.

—No. Seguimos de largo. Vamos hasta el Pico.

Los jóvenes devoraron el copioso desayuno que les
sirvió la mujer del montañés. Cuando hubieron concluído, éste les dijo:

—Bueno. Ustedes dirán.

—Andando —dijo Reinaldo a Ortigales, que estaba
mudo y sombrío.

—¿El señor es el ingeniero? —preguntó el hombre,
ya en camino.

—No, un amigo.

—¡Ah! Pedro Nolasco Fuentes. Pá servile en lo poco
que valgo.

Ortigales musitó su nombre y metió su mano fría
y fláccida bajo la presión de los dedos recios y encalle-
cidos del campesino.

Al cabo de una corta ascensión llegaron al tope de
un cerro, en donde se veía una casa a medio construir,
a la sombra de unos árboles. Pedro Nolasco dijo:

—Ahí la tiene. No dirá usté que no le hemos metío
duro.

—No. Bastante adelantada va.

Ortigales, ajeno a cuanto no fueran sus cavilaciones,
se tendió en la paja fresca, mientras Reinaldo seguía
con Pedro Nolasco hacia la casa que los ocupaba. Al

cabo de un rato volvieron a reunírsele. Pedro Nolasco, descubriéndose de nuevo, le tendió la mano:

—Bueno, amigo. No tengo nada que decirle; ya usté sabe. Yo soy lo que usté me ve, y estoy a su mandar. De muy buena gana los acompañaría hasta la fila, pero tengo mucho que hacé por aquí abajo.

Reinaldo le recomendó:

—A los peones que vienen más atrás con las cobijas y el bastimento, que apuren el paso, que aquí los esperamos.

Una vez solos, Ortigales preguntó, sin verle la cara, a Reinaldo:

—¿Cómo, que estás fabricando una casa?

—El nido de amor. Aquí será el idilio. En esta altura solitaria nos amaremos de lo lindo América y yo.

—¿Te casas?

—¡No, hombre! ¿Quién piensa en eso? ¡Amor libre, como el viento que sopla por aquí!

Ortigales palideció de celos. Adoptando una violenta actitud, exclamó:

—¡Reinaldo! ¡Tú te sientes amo del mundo! ¿Crees que tienes derechos divinos para disponer así de todas las cosas? Repara que la honra de esa niña...

—¡Historia antigua! —interrumpió Reinaldo.

—¡Cómo! ¿Qué dices?

—Chico, que te preocupas por la doncellez de América mucho más que ella misma, cuando llegó el caso.

—¿Luego...? —empezó a decir Ortigales, con el semblante demudado por la sospecha que acababa de pasar por su mente.

—«¡Alea jacta est!» O mejor dicho: «Veni, vidi, vici».

Ortigales acababa de incorporarse, y después de clavar en Reinaldo una mirada hecha de dolor y de odio, se alejó hasta el borde de la loma.

Reinaldo, que recogiera un periódico de la víspera, que se le había salido del bolsillo a Ortigales mientras estuvo acostado, fingió leer en tanto que pensaba:

—¡Diablos! Este muchacho está enamorado de América Peña. ¡Y yo que no me había dado cuenta! ¡Pobrecito! Lo quiere así la ley inexorable. En la lucha por la vida y por la especie, la hembra es del macho más fuerte.

Pero, de súbito, su atención se fijó en un retrato que publicaba el periódico, en medio de un artículo titulado: «Manuel Alcor y su libro».

—Si no me engaño, éste es el provinciano que encontré en el Instituto de Lenzi leyendo «Tierra». Sí; él es.

Comenzó a leer el artículo, que empezaba así:

«He aquí un joven que acaba de imponer su talento literario con la publicación de un libro de cuentos, titulado: «Mientras la nube pasa...»

—¡Bah! Uno de tantos advenedizos, seguramente. Veamos qué trae en el bagaje.

Y saltando los párrafos del juicio, muy ditirámbico, que el articulista hacía de la personalidad del cuentista y de la obra, Reinaldo se puso a leer uno de los cuentos que insertaba en seguida. En concluyendo, dijo:

—Es bueno. Indiscutiblemente, es bueno —y en seguida, tendiéndose sobre la hierba, de cara al sol—: ¿De modo, pues, que este joven, que apenas acaba de llegar de su provincia, con un nombre oscuro, ha sabido conquistar ya un comienzo de reputación literaria? ¡Y yo, que tengo más facilidades, permanezco todavía en la sombra! Estoy perdiendo el tiempo miserablemente. Todos se acercan ya a la realización de sus propósitos, todos han encontrado ya su camino; sólo yo ando buscando el mío todavía.

Entretanto, los peones habían llegado y, aligerados de sus cargas, descansaban mirando el paisaje con un aire estúpido, exento de emociones. Ortigales, volviéndose de pronto hacia Reinaldo, le dijo ásperamente:

—¿Hasta cuándo vamos a estar aquí?

—Cuando quieras seguimos.

—Por mí no esperes —y echó a andar con inusitados bríos, como si la violencia de sus sentimientos le galvanizase los miembros.

Reinaldo lo siguió, guardando un silencio prudente que, por otra parte, le permitía entregarse a las reflexiones que le sugiriera la lectura del periódico.

La ascensión fué penosa. El sendero se empinaba, intransitable, por un terreno resbaladizo que se desmoronaba bajo las plantas, cerro abajo; luego, por entre tupidos y pendientes arrezafes, cuyas ásperas ramas azotaban y rasgaban los rostros; por inverosímiles cuestas de rocas cubiertas de helechales rastreros, des-

amparadas de sombra, caldeadas por el quemante sol
de las alturas; por vericuetos inaccesibles, en los cuales
medraba una vegetación sequiza que sugería y acrecentaba la sensación de la sed.

Al mediodía, ya en la fila, hicieron alto para almorzar en un sitio apacible y fresco. Era un vallecito
rodeado por todas partes de topes roqueños y cubierto
por un césped de verde tierno, bajo el cual se escondían
pequeños cilancos de un agua pura y fría. A un lado
había un carrizal; en el centro, un arbusto solitario,
de tronco ennegrecido y hojas lucientes y quebradizas
que daban un suave olor de incienso. En aquel sitio,
parecían condensarse la soledad y el silencio de las
alturas en una paz honda, que llenaba el espíritu de
vagas melancolías.

—Aquí se siente miedo —dijo Ortigales, receloso
del silencio y arrebañando la soledad con medrosas miradas.

Y Reinaldo:

—Efectivamente. Hay aquí algo que desconcierta,
que llena el espíritu de vagas zozobras. Ya había hecho
la observación otras veces. No sucede así en las cumbres, donde hay la misma soledad y el mismo silencio;
allí el espíritu se expande; aquí se recoge, se agazapa.

—¿Verdad que parece que de un momento a otro
va a aparecer alguien por allí? —continuó Ortigales,
necesitado de locuacidad, señalando con el índice tembloroso una vuelta tras de la cual se prolongaba el
vallecito, bordeando la fila.

Reinaldo asintió con el gesto, sumergiéndose en la
voluptuosidad de tales pensamientos. Luego comenzó
a decir:

—Es un instinto que no se manifiesta en la vida
social. Estos sitios inducen a la penetración dentro de
la propia alma, y el hombre le tiene un horror instintivo a la presencia de su alma. Todavía la evolución
humana no se ha completado, subsiste la dualidad de
la bestia y el ángel, y por eso es que el hombre busca
la vida en común. Así no llega a ponerse en evidencia
el conflicto, la irreductible antinomia de nuestra naturaleza; pero en la soledad los dos polos se buscan,
y, como la bestia se siente menos fuerte, se asusta y
trata de evitar el encuentro. Por eso estamos hablando

y pensando. Los pensamientos son obra de la bestia; el ángel no piensa, y con pensamientos lo ahuyentamos. Pero la verdadera finalidad del hombre, la más remota, es la soledad. La vida social es un incidente, una etapa de la evolución humana. Cuando la bestia haya sido vencida definitivamente, o mejor dicho, absorbida por el ángel, y el hombre pueda soportar la presencia de su espíritu, abandonará la vida social, se hará solitario. Por eso los que se han adelantado en la evolución se hacen solitarios.

Ortigales lo oía embobado. Este sentimiento, mezclándose con las sensaciones corporales del cansancio, le producía el efecto de que lo llevasen a rastras cuesta arriba, en una carrera inverosímil.

—Cállate —le dijo de pronto, parándose, con una lividez mortal en el rostro—. He sentido vértigo oyéndote.

—Es la altura. Siéntate, descansa. Eso te pasará.

Y notando la cara de terror que ponía, Reinaldo experimentó, por primera vez, un sentimiento de generosa compasión hacia él. Luego, mientras Ortigales reposaba, tendido al lado suyo, como puesto bajo su amparo, sintió que del fondo de su ser estaba brotando una emoción nueva, de infinito amor hacia todas las formas de vida, tanto las pequeñas como las poderosas, las humildes como las altivas. Analizando esta emoción, se turbó profundamente: ¡había sentido su propia bondad! ¡Era bueno!

Repuesto de su desmayo, Ortigales volvió a hablarle, con acento de confidencias crueles:

—Reinaldo, tal vez juzgues una insigne tontería lo que voy a decirte; pero quiero que sepas que podré ser todo lo que tú quieras, mas no un hombre sin idealidad. Dispénsame este preámbulo y no hagas caso de las incoherencias que pueda tener, porque así se me van agolpando las ideas en el pensamiento y no puedo dejar de expresarlas. Yo he sufrido hoy horriblemente, como no te lo imaginas, como tal vez no habrá sufrido jamás hombre alguno en la vida. Y es, porque... Bien. Tengo que decirlo: es porque estoy enamorado de América Peña.

Reinaldo se sentía mal. La absurda situación creada por Ortigales le había despertado en el corazón desagradables impulsos de violencia. Ganas le daban de abandonarlo en aquel sitio y continuar solo la ascensión a las cumbres, o revolverse, desistir de todo, ¡de América Peña, de todo! ¡Miserable corazón humano, sin límites en la pequeñez, cuando dice a ser pequeño! ¡Qué vergüenza ser hombre también, como Ortigales!

Éste pudo decir, al fin:

—Bien. ¿Ahora qué me queda a mí?

—América — respondió Reinaldo desdeñosamente.

—¿Así, cuando tú la dejes, perdida la virginidad?

—¡Bah! ¡La virginidad! En cambio te quedaría el inmenso orgullo de haber vencido un prejuicio estúpido y la enorme satisfacción ¡del más grueso calibre moral! de redimirla de su caída, casándote con ella. Eso lo han hecho muy pocos hombres en el mundo, y Tolstoy lo recomienda muy formalmente.

Y Reinaldo se horrorizó de sus pérfidas palabras cuando advirtió que la idea diabólica parecía haber infundido a Ortigales una consoladora esperanza.

—En marcha. en marcha — y emprendió la subida de la cuesta que remataba en la fila.

Caminaron largo rato por ella, entre las brumas que se levantaban de la parte del mar, arropando los roquedales, deslizándose por las laderas, envolviendo toda la montaña en sus velos desvanecentes, a través de los cuales, en paradojas de perspectivas, las cosas cercanas parecían enormes y distantes. Iban por el filo de la serranía siguiendo un vago sendero que apenas se marcaba entre la vegetación rastrera de las alturas, compuesta de frailejones y matojos de hojas extrañas de vivos y variados colores, y que a cada paso desaparecía en las eminencias formadas por aglomeraciones de piedras sostenidas en absurdos equilibrios, o por rocas enterizas, de un vago color rosa o verdusco, limpias de aristas y dentellones, como si el perenne y suave rodar de las neblinas las hubiese aromado.

Al atardecer llegaron a una plataforma rodeada de grandes masas de rocas que la guarecían de los vientos cumbreños. El suelo estaba formado por una greda blanquecina, sembrada de numerosos hoyos de escaso diámetro que parecían huellas de animales que anduviesen en bandadas, y en el fondo de las cuales se empozara el agua de las nubes rastreras. Las piedras,

de un tono verdoso, manchadas de líquenes plateados,
tenían inscripciones que daban constancia de cuanta
gente anónima visitara el sitio, y en las espeluncas,
que formaban en su aglomeración ciclópea, veíanse restos del fuego encendido por los excursionistas que habían pernoctado en ellas.

—¡El Lagunazo! — gritó Reinaldo, que iba adelante —. Aquí acamparemos.

Aligeráronse de morrales y chamarras, y mientras
Ortigales pagaba la grata sorpresa del agua, bebién-
dola en todos los cilancos, Reinaldo recorrió el paraje
en busca del sitio más confortable para dormir, dando
órdenes a los peones que cortasen la leña para la ho-
guera nocturna.

Con la puesta del sol reposó el viento que ululaba
entre los filos de las peñas, arriando la neblina, y al
descorrerse el blanco cortinaje, surgió la montaña,
fantástica, imponente. Una luz dorada resplandeció un
momento sobre los Picos; luego se deshizo en suaves
tintas violadas; lució después el verde espectral de las
cumbres musgosas, el azul delicuescente del anochecer
de las alturas, la claridad fantasmal de la luna.

En torno a la fogata, cuya lumbre proyectaba en
derredor una medrosa danza de sombras descomunales,
Reinaldo y Ortigales, con fantásticos reflejos en los
rostros, comentaban los incidentes de la excursión y
cambiaban sus emociones. Entretanto, en otro grupo,
los peones hablaban de cosas de las tierras bajas; de
los vulgares y sencillos sucesos de sus vidas, llenas de
sordidez y de brutalidad, sombras espesas jamás tur-
badas por el inquietante relampagueo del espíritu: la
mujer con la cual vivían, el compadre que les dijo esto
o aquello, los centavos que ganaron y que luego per-
dieron al dado, el joropo, el pasmo que cogieron, el
daño que les echaron.

Hablaban lentamente, sin verse las caras, y el rumor
igual de sus voces, en el alto silencio del paraje, tenía
la indefinible melancolía de las razas fracasadas.

Reinaldo se puso a escucharlos, haciéndose reflexiones:

—Este pueblo no tiene vida interior. Ni una palabra
que revele una noble inquietud espiritual; ni un sentimiento que no sea puramente animal. Tiene el alma

sepultada, totalmente abolida. Por eso han fracasado
lastimosamente todos los que han tratado de hacer una
literatura nacional; falta la materia prima; el alma
de la raza. Para suplirla, nuestros literatos han tenido
que recurrir a la imitación; de aquí viene ese romántico
criollismo que pone exquisitas delicadezas en el corazón
de esta gente y que sólo tiene de verdadero los nombres, más o menos pintorescos, de unas cuantas plantas
tropicales, hábilmente barajados con la psicología nunca
hecha de los tipos característicos: cundeamores y bu-
cares suplen la falta del alma nacional. De resto, pinturas más o menos adulteradas de la parte externa de
la vida popular. De lo interior, de lo hondo, que es lo
único verdadero, ni una palabra, ni un vago indicio de
penetración en esa alma sepultada.

Así pasó toda la noche, arrullado por la monótona
conversación de los peones que velaban en torno a la
fogata. Cuando la luna llena rozaba el borde sombrío
de La Silla y empezaba a verse las últimas estrellas de
la noche, abandonó la gruta donde estaba guarecido,
gritando a Ortigales:

—¡Arriba! ¡Arriba! Que nos coge el día.

Ortigales surgió de su guarida, tiritando de frío
y se acercó a la lumbre donde ya los peones calentaban
el café.

Luego se pusieron en marcha, precedidos por Reinaldo, que tenía prisa de llegar al Pico antes que saliera
el sol, atravesando tupidos bosquecillos de carrizos em-
paramados, trepando por las escarpas de los peñascos
que formaban tortuosos laberintos.

Coronado el Pico, esperaron el amanecer en silencio,
de pie sobre la roca, sin atreverse a turbar la augusta
serenidad de las alturas. Abajo, en el mar, un místico
sendero de plata se extendía sobre las aguas dormidas
y obscuras, hacia el ocaso lunar; de arriba, del polvo
luminoso de las constelaciones, caía sobre la montaña
una turbia claridad; en los confines del mar comenzaron a encenderse vagos carmines; luego el alba empezó a mover, tras el horizonte, sus maravillosos es-
pejos: primero, un reborde de luz sobre una ceja de
monte lejano; en seguida, un jardín de arreboles cam-
biantes; de súbito, un chorro de oro, ¡y al fin, el sol!

Ortigales dió un grito: a lo lejos, en el mar, sobre el

cielo, la silueta del Pico proyectaba un triángulo de sombra.

Reinaldo exclamó, maquinalmente:

—¡Cállate! ¡No hables!

El compañero lo vió transfigurarse, como un iluminado. Sus ojos atónitos recogían la belleza esparcida por el mundo. De un lado, el mar era un inmenso esmalte azul, en cuyo desvanecente confín de suaves amaneceres reposaban vagas sombras violáceas de remotos islotes, como ballenas dormidas hasta el alba; del otro lado, las tierras: los riscachales de la ríspida cresta de Naiguatá, sembrada de rocas sueltas que hacían pensar en el fragor de gigantescos desmoronamientos; el dromedario colosal de La Silla, parado en su marcha hacia el valle de Caracas, con una resplandeciente gualdrapa sobre las gibas; la montaña toda desperezando en la luz su nervura formidable, cortada de abismos vertiginosos, áspera en los fragosos peñascales de los voladeros, suave en las laderas tendidas que bajaban cubiertas del raso joyante de los pajonales, arregazando la felpa azulosa de las hondonadas, dentro de las cuales la voz de los torrentes formaba ese fondo rumoroso de los grandes silencios de las montañas. Abajo, en las faldas, suaves lomas y quietas llanadas, surcadas de sendero, moteadas de cultivos; el valle, en el fondo, cubierto de grumos inmóviles que parecían rebaños dormidos; más allá, las cordilleras de colinas que se metían, tierra adentro, azules, con toques de sol, como un escarceo de otro fantástico mar; los grupos de pueblos y caseríos, pequeños y dispersos a grandes trechos, en los vallecitos por donde iba el alba saltando; la remota franja de dorados celajes de llanuras que cerraban el horizonte... ¡Todo el paisaje de la tierra natal, que es una embriaguez de luz y de color!

Reinaldo tendió los brazos en el aire y gritó:

—¡Allí está mi camino! ¡Mi tierra! ¡La incomparable belleza de mi tierra grita, llamándome en la luz y en el color de su paisaje, en la desolación de su pobreza, en la infinita melancolía de sus dolores bajo la infinita alegría del sol! ¡En la tristeza de sus ciudades muertas, sin pasado! En la fascinación de sus espejismos; en el silencio de sus desiertos. En el inquietante soplo trágico que flota sobre el abismo de sombras del alma

sepultada de mi raza. En el grito de horror del que cayó
en la emboscada; en el lamento del que se consume en
la lujuria infecunda; en el delirio del que se abrasa en
la llama invisible de la fiebre; en la voz perdida que
canta en la llanura nostalgias de las olvidadas patrias:
¡de los que vinieron en las carabelas y en el barco
negrero, y de los que vieron destruídas sus tribus y
reemplazados sus dioses!

Contagiado de la vehemencia de Reinaldo Solar, Ortigales sentía correr por su espinazo los escalofríos de
lo sublime. Pero no se abandonaba por completo a esta
emoción; un pensamiento se lo impedía: ¿seguiría
Reinaldo pensando llevarse a América Peña? Por fin,
se decidió a averiguarlo:

—¿Y América? ¿Desistes de ella?

—¡Bah! He desistido hace tiempo. El amor enerva,
y yo necesito todas las fuerzas de mi espíritu. Mi obra
las reclama.

Poco faltó para que Ortigales se le echara al cuello.
Profundamente emocionado, se quedó viéndolo, sin poder hablar. Al cabo de un rato, murmuró:

—¡Eres el Superhombre!

VI

Saboreando la quietud de los patios, de donde había
huído ya la bulliciosa bandada de estudiantes, Antonio
Menéndez se paseaba por los claustros de la Universidad cuando vió entrar a Reinaldo Solar.

—¡Tú por aquí! ¿Cuándo llegaste?

—Esta mañana.

—Te ha sentado bien la temporada en la hacienda;
tienes mejor aspecto.

Reinaldo encogió los hombros, como para demostrar
que no le daba importancia al hecho. Menéndez continuó:

—Casualmente esta mañana hablábamos de ti. Valerio Allende me estuvo contando que te ocupas en hacer
reformas en «Los Mijaos».

—Me ocupé. Ya he abandonado eso. Me he venido

definitivamente. Tengo otras cosas más interesantes que hacer.

Y cambiando de tema, porque advirtió la sonrisa de Menéndez y comprendió que estaba enterado de todas las extravagancias que había hecho en la hacienda, le preguntó, con un punto de insidia en la intención:

—Y tú, ¿qué has hecho? ¿Sigues dándole vuelta a la noria?

Aludía a los estudios de derecho que Menéndez hacía, sin el entusiasmo de una vocación verdadera, y hasta convencido de que una vez graduado no ejercería la profesión, incompatible con su temperamento y con sus principios, pero con la paciencia de quien se ha impuesto una tarea y ha de llevarla a cabo. Reinaldo, incapacitado para tal género de esfuerzos, desdeñaba por inútil la perseverancia del amigo, que ahora, más que nunca, se le hacía perfectamente intolerable.

Menéndez penetró la intención. Le respondió reticente:

—Y sacando agua, compañero. Un poquito; pero limpia, potable y absolutamente mía.

—Pues que te aproveche. — Concluyó Reinaldo, disimulando el disgusto que le causara la intencionada respuesta del amigo, que de manera indirecta le echaba en cara el poco fruto que él había sacado hasta allí de sus esfuerzos múltiples y discontinuos.

Y como Menéndez le ofreciera cigarrillos, le dijo:

—¡Cómo! ¿Has vuelto a fumar después de aquel firmísimo propósito que hiciste de abandonar el cigarro?

—La vieja costumbre se impone al fin y al cabo.

—¿Y la voluntad? Para qué sirve sino...

—Pasa con la voluntad como con el dinero: unos la derrochan en multitud de propósitos para demostrar que la poseen; otros saben que la tienen y la economizan.

Reinaldo sintió el castigo y se mordió los labios. Menéndez se arrepintió de sus palabras. Cambiando de tono, agregó:

—Me cansé de una privación que no valía la pena.

Pero Reinaldo parecía empeñado en darle gran importancia al hecho trivial de que Menéndez hubiera recaído en el vicio de fumar:

—Nadie debe decir que un acto suyo no vale la pena, porque no sabe qué valor representa para los demás.

·ce años. Pero luego, incapaz de soportar la soledad en
que lo dejara la pérdida de la compañera que fué su
apoyo moral, dióse a buscar otras, so protexto de que las
hijas eran ya unas mujercitas y necesitaban vigilancia
maternal. Halló a poco una mujer de su casa y por
·añadidura rica.

La futura madrastra, que era buena y amorosa, se
esforzó desde el principio en ganarse por adelantado el
corazón de los huérfanos, sobre todo el de Antonio, obe-
·deciendo además a las especiales exigencias que le hiciera Juan Menéndez, movido por un sentimiento muy
propio de su naturaleza sensible y paternal: que Antonio le perdonase su infidelidad para con la muerta,
pues él sabía que en el corazón del hijo el vacío dejado
por la madre era más hondo a medida que su espíritu
se desenvolvía echando de menos a la que había sido
«su mejor amigo».

Antonio correspondió a las cariñosas solicitudes de
la prometida de su padre con atenciones respetuosas y
corteses que eran la mortificación de don Juan Menéndez; pero cada día era más visible en él la tendencia a alejarse de aquel hogar que iba a dejar de ser
suyo. Juan Menéndez se sentía culpable y agotaba
todos los recursos del afecto; lo colmaba de atenciones,
le adulaba los gustos. Por último, para crearle desde
luego una situación independiente y una base para el
porvenir, le regaló la librería, de la cual ya no necesitaba y en la que había algo de la muerta, pues fué ella
quien lo indujo a establecerla.

Dándose cuenta de la situación del amigo, Reinaldo
pensaba aquella tarde:

—¡Cómo es posible que un hombre como Antonio
se preocupe con un problema tan insignificante como
ese, cuando la vida está llena de cuestiones trascendentales por resolver! No me lo explico. Este Antonio
se ha propuesto «simplificarse» y lleva su sistema hasta
el extremo de caer en la trivialidad. Valiente misión
para un hombre.

Estando en estas reflexiones, vió aparecer al extremo del sendero del jardín por donde iban una señora
acompañada de una niñita. La criatura, linda y rubia,
en un arranque de infantilidad corrió hacia ellos y
agarrándose a las piernas de Reinaldo, le dijo:

—Yo sé quién eres tú.

Reinaldo se inclinaba para acariciarla, cuando oyó la voz de la señora que llamaba a la hijita:

—¡Olguita, por Dios! ¿Qué haces? No molestes a los señores.

Aquella voz tenía un timbre singular que no era desconocido para Reinaldo. Alzó la cabeza y, al punto, una violenta turbación le empalideció el rostro. Era La Gioconda. Disimulando, volvió a encararse con la niña:

—¿A que no sabes?

—A que sí. A que sí.

—Di, pues. ¿Cómo me llamo?

—Reinaldo. Tú te llamas Reinaldo.

—¡Olguita! —volvió a decir la señora, que ya se había acercado, y cogiendo a la niña de la mano, pasó sonriendo:

—Buenas tardes.

Reinaldo y Menéndez se descubrieron.

Era una bella mujer que tenía ojos grandes y claros, ligeramente sesgados, que miraban de una manera extraña. Vestía con elegancia un traje costoso, pero sencillo y lucía en los dedos abundante pedrería. Había en toda su persona un turbador atractivo y tenía en el rostro la marca abismal de las almas ardientes y atormentadas. Pasó dejando en el aire un suave olor de perfumes finos.

Los jóvenes permanecieron un rato en el sitio, viéndola alejarse. Luego, Menéndez preguntó:

—¿Quién será?

Reinaldo explicó, esforzándose en dominar su emoción:

—Es una mujer interesante, a quien vi por primera vez hace poco tiempo en La Guaira. Nadie pudo decirme quién era, y a falta de su nombre verdadero la llamé La Gioconda, porque se me pareció a la de Leonardo.

—Pues no se le parece en nada.

—Así he visto hoy. De todos modos, es interesante, por lo menos desde el punto de vista literario: toca Chopin magistralmente, y lleva por dentro una tragedia.

Reinaldo procuraba dar a sus palabras una entonación de absoluta indiferencia por el asunto; pero no pudiendo evitar que Menéndez se diese cuenta de la

turbación en que lo había puesto la mujer, guardó silencio.

Discurrieron así un rato por la soledad de los jardines descuidados, que el sol de la tarde comenzaba a
dorar. Entretanto, Reinaldo meditaba sobre el hecho,
bastante significativo, de que aquella niñita, que nunca
lo había visto antes, supiese su nombre.

Se detuvieron a contemplar las garzas, hieráticas
en el agua escasa y verdusca de un estanque rodeado
de barandas herrumbrosas. Menéndez decía algo cuyo
sentido no penetraba Reinaldo, absorto en sus reflexiones. Cerca de ellos volvió a pasar la señora, llevando de
la mano a la hijita. Ésta sonrió a Reinaldo, cubriéndose
tímidamente los ojos con las manitas, cuyas uñas agu-
zadas y pulidas eran un gracioso reflejo de la coquetería materna; la mujer pasó sin mirar a los jóvenes,
con un aire de distinguida circunspección que la hacía
más interesante.

El corazón de Reinaldo volvió a latir apresuradamente. Al cabo de un rato hizo el ademán de alejar de
sí algo enojoso. Menéndez comprendió y dijo, soltando
una carcajada que alarmó a las garzas del estanque:

—Quien lleva por dentro la tragedia eres tú.

—Te equivocas. En punto a amor yo tengo resuelto
el problema. Creo que tenemos deberes más apremian-
tes que cumplir con nosotros mismos, y juzgo que los
problemas sentimentales no son buenos sino para las
mujeres y para los simples de corazón.

Y como recordase que Menéndez le había hecho confidencias del conflicto sentimental en que lo ponía la
necesidad de amor, agregó, con intención dañada:

—La necesidad de amor es la más estúpida de todas
las necesidades. No por lo que tiene de animal, sino,
precisamente, por lo que pretende tener de espiritual.
Sin duda alguna, el hombre es el animal más imper-
fecto, porque es el único que ha deformado sus instintos, construyendo sobre ellos teorías que no tienen fundamento natural. El amor es una teoría; la familia otra.

—Pues no hagas teorías; abandónate a tus instintos.

—Es que las teorías están hechas, y muchos incurren
en ellas sin darse cuenta de la simpleza.

Menéndez lo interrumpió:

—Quien las está haciendo eres tú. No amas, o mejor

dicho, no te decides a amar, porque tienes la cabeza
llena de mistificaciones literarias.

—Te equivocas. No amo porque he analizado el amor
y lo he encontrado tonto.

Menéndez iba a replicarle, pero comprendió que
Reinaldo estaba diciendo todo aquello sin razón ni sinceridad y sólo para que él no pensase que estaba enamorado de aquella mujer.

Era lo de siempre: la preocupación del ridículo, que
lo hacía ahogar sus sentimientos naturales bajo un
fárrago de metafísicas trascendentes.

Menéndez, fatigado por el estudio, no estaba para
tales sutilezas y cambió el tema, poniéndose a hablar
de cosas sencillas: el desaseo de los jardines, la mar-
chitez de las flores, la tristeza de los árboles tiñosos.

Esto acabó de poner a Reinaldo de mal humor. En
aquel momento la presencia de Menéndez le era insoportable. El espíritu mesurado y lúcido, la ecuanimidad,
la transparencia del carácter, sin complicaciones, va-
guedades ni contradicciones, el absoluto dominio de sí
mismo, todo cuanto constituía la personalidad del amigo,
se le hacía intolerable.

—Vámonos — le dijo, cortándole la palabra. Y mientras regresaban a la ciudad estuvo sumido en obstinado
silencio.

Comieron en una fonda de las menos malas. Durante
la comida, Menéndez se esforzó por restablecer la cor-
dialidad, manteniendo la charla sobre motivos joviales,
evitando los temas serios, para sortear los rozamientos
con Reinaldo, que estaba más vidrioso que nunca.

Ya concluían cuando entraron en el comedor tres
parroquianos, dos de los cuales estaban en perfecto estado de embriaguez. El tercero, sosegado y ceñudo,
saludó a Menéndez con una ligera inclinación.

—¿Ése es Manuel Alcor? — preguntó Reinaldo, que
había reconocido al autor del cuento que leyera en su
excursión a la montaña.

—Sí. Una persona interesante, bastante apreciable.
Ayer le ofrecí que le haríamos una visita. Le he hablado de ti y desea conocerte.

—Poco simpático, a primera vista.

Menéndez se quedó viéndolo y no le contestó.

Salieron. Reinaldo hablaba de Alcor:

—Mucho me temo que al fin pare en arribista, como todos los advenedizos.

—Mira, Reinaldo —atajó Menéndez—. Estás haciendo juicios temerarios. No eres sincero en lo que dices. Ese joven ha dado muestras de poseer un verdadero talento y, sobre todo, una verdadera honradez fundamental. No es digna de ti esa predisposición gratuita contra él.

—No he aventurado juicios. Por otra parte, hoy se me ha embotado el instinto de sociabilidad. Mis semejantes se me hacen perfectamente intolerables. Será efecto de la larga permanencia en contacto con la Naturaleza.

Por toda respuesta, Menéndez soltó una risotada que acabó de indisponer a Reinaldo.

—Bueno. Hasta mañana. Esta noche tengo algo urgente que hacer.

Y se separó violentamente del amigo. Menéndez se quedó pensando:

—Está más loco que nunca. Éste no tiene remedio. Es lástima; de él podría decirse como ya se dijo de Byron: a su nacimiento asistieron las hadas de todos los dones, pero faltó la del juicio.

Reinaldo ambuló largo rato por las calles, y luego, con el cerebro fatigado por la continua presión de sus disparatados pensamientos, todos dirigidos contra Menéndez, se recogió a su casa.

Pero al meterse en la cama tuvo un momento de lucidez y se sorprendió de su extraña conducta para con el amigo. Este sentimiento le devolvió la tranquilidad del espíritu, y entonces se repitió mentalmente las palabras de Antonio Menéndez, causa de todas sus insensateces: «Pasa con la voluntad como con el dinero: unos la derrochan para ostentar que la poseen; otros la economizan porque saben que la tienen».

Y se dijo:

—Ciertamente, yo no he hecho hasta ahora sino derrochar voluntad. Me he prodigado inútilmente en propósitos irrealizables. Quiero una obra grande, sobrehumana; pero lo esencial no es la calidad de la obra sino dejarla cumplida. Eso es lo que no he querido tolerarle a ese Manuel Alcor, que con menos elementos que yo ha comenzado a realizar sus propósitos.

Pensó que allí, en las gavetas de su escritorio, estaba quizá su obra personal, en las páginas de su novela «Punta de raza», que dejara inconclusa, y experimentando una súbita impaciencia de llevarla a cabo, saltó de la cama y se puso a escribir el último capítulo.

Las ideas se agolpaban en su cerebro; bajo su mano febril las cuartillas se llenaban rápidamente. El silencio de la alta noche aumentaba su excitación, y bajo su imperio, el final de «Punta de Raza» fué una extravagante fantasía, en la cual había momentos verdaderamente sublimes.

Era la hora del alba cuando se separó del escritorio. Había concluído. Su cabeza ardía, se le cerraban los párpados cansados; pero una alegría serena le inundaba el alma: ¡ya tenía una obra!

Se asomó al balcón que daba sobre el corral. Abajo, el jardín que allí plantara su hermana iba surgiendo de la noche y un aroma suave de flores todavía invisibles subía por el aire frío y tranquilo. De codos en la baranda, rendido por el trasnocho fecundo, cabeceó dos veces. Y le pareció que aquel sueño era algo más que necesidad fisiológica: que era el reposo que le otorgaba la Naturaleza complacida en su esfuerzo, como antaño lo otorgaban los dioses paganos a los héroes, después de las victorias.

VII

Manuel Alcor era un joven de propósitos firmes y tenaces. Sus simpatías y sus aversiones andaban siempre por los extremos de la vehemencia, pues no conocía las medias tintas del sentimiento; mostrábase remiso a la persuasión y era agresivo con la convicción propia. A estas asperezas del carácter se añadían la desmaña del provinciano y el fondo de recelo ingénito del indio que hubo entre sus antepasados.

Nació en una vieja ciudad del oriente de Venezuela que esconde entre cardonales ruinas de un pasado mejor, a orillas de un río que fuera navegable y cerca de unas llanuras de terreno salitroso.

Su padre, don Pedro Alcor, era uno de esos personajes, sin mayor importancia efectiva, que caracterizan tan bien la vida de nuestros pueblos. Pertenecía al partido político del inevitable caudillo regional, y cuando éste, en épocas pasadas que la ciudad recordaba como una edad de oro, subió a la Presidencia del Estado, a raíz de una revolución triunfante, don Pedro desempeñó cargos prominentes en el gobierno local, en pago del dinero que puso en la aventura. Años más tarde comprometió el resto de su fortuna en otra revuelta desgraciada, que estuvo a punto de aventar el nombre del ídolo regional al pináculo de la fama y del poder en toda la República, y fracasó lamentablemente, demostrando al país, de una manera evidente, que eran simples mayorales cuantos pasaban por caudillos, y mentidas gloriolas de parroquia cuantos fueron prestigios sonados. Con la derrota y la fuga del ídolo llovieron infortunios sobre el partido. El gobierno triunfante desmembró el Estado y puso en la ciudad, relegada a la categoría inferior de cabeza de sección, gobernadores extraños y enemigos del partido, que oprimieron y persiguieron los restos que de él quedaban, y con esto y con la escisión consecuencial al fracaso, acabó de desaparecer como cuerpo político. Sólo se mantuvieron fieles algunos fanáticos de los más testarudos, y entre ellos, más que todos juntos, don Pedro Alcor, cuyo humor atrabiliario se exasperó entonces hasta los extremos de la insensatez.

Esta lealtad indomable, erizada de refunfuñona rebeldía, lo convirtió en centro de un cenáculo de viejos correligionarios, que iban todas las tardes a oírlo vociferar improperios contra los enemigos y a beberle un amargo de cortezas de naranja que fabricaba y al cual llamaba «torco».

Tenía don Pedro una farmacia de pocas ventas, resto de la tiroteada fortuna, y en la rebotica, entre tarros vacíos que conservaban el antiguo olor medicinal, un frasco bocudo siempre lleno de aquel «torco» que enfervorizaba al añoso cenáculo.

La madre de Manuel, bastante menor que el marido, era una mujer silenciosa, dulce y mansísima. Rendíase al peso de una maternidad que la había aniquilado en plena juventud y sobrellevaba con paciencia al áspero don Pedro, quien sólo ante ella se ablandaba, pero no antes de ver lágrimas en sus ojos.

Lidiaba todo el día con la chusma de sus hijos; pero entre ratos ayudaba al marido en la botica, y todavía le quedaban fuerzas — sacadas de flaquezas — para cuidar a un tío que había sido su amparo cuando quedó huérfana y que vivía con ella.

Y era el tío, don Emiliano, un viejo alto y gravedoso que nunca había sonreído y poseía un carácter hecho de una sola pieza, puntilloso, rectísimo. Fué maestro de todos los hijos de su sobrina Amelia, y tuvo predilección por Manuel, único punto en que estuvieron de acuerdo él y su yerno, porque ambos veían en el carácter del niño los rasgos del propio: don Emiliano, la taciturnidad; don Pedro, la testarudez.

Tenía el viejo, en la casa de la sobrina, una pieza aislada con una ventana para la calle, frente a una plaza sin árboles en la cual se elevaban los escombros de una ruina histórica, que era orgullo, pero no cuidado de la ciudad. En aquella habitación, dormitorio y biblioteca a la vez, había objetos que impresionaban la mente caviladora de Manuel; daguerrotipos borrosos de antepasados maternos; gruesos tomos de amarillenta pasta de pergamino que contenían manuscritos ininteligibles; un sillón de suela estampada con las águilas de Carlos V en el respaldar; un medallón cubierto con un vidrio convexo, en el cual se representaba una tumba, bajo un ciprés, hechos con cabellos de mujer, de una mujer que don Emiliano no había querido decirle nunca quién fué y que a Manuel se le antojaba que debió ser alguna novia cuya muerte fuera causa de la melancólica soltería de aquel — cosas todas que hablaban de un pasado que en la imaginación del muchacho se presentaba revestido de misterio y de dolor —.

En aquella pieza, mientras sus hermanos correteaban afuera, pasaba Manuel la mayor parte del día, ya recibiendo las lecciones que el tío le enseñaba, o conversando con él, cuando el estudio concluía, o asomado a la ventana, cuando el viejo, más sombrío que de costumbre, se recogía al sillón de las águilas imperiales y, reclinando la cabeza, dejaba vagar por las cosas que lo rodeaban una melancólica mirada de despedida.

Fueron aquellas horas muertas las que más influ-

yeron en la vida de Manuel. A través de los gruesos
barrotes de la ventana poníase a contemplar el paisaje,
largamente. La plaza sin árboles, de tierra dura y sequiza, donde reverberaba un sol tórrido, la ruina histórica del antiguo convento convertido en fortaleza
en un trance de la guerra de la independencia, y, por
detrás de los muros derruídos, a través de los bosques
abiertos en ellos, las varas desnudas y ríspidas del
cardonal, alzándose sobre la tierra brava y yerma como
brazos de enloquecida multitud que imploraran el agua
del cielo. ¡Aquel cielo impasible, azul!, ¡azul!

Entonces la imaginación de Manuel se abandonaba
invariablemente al mismo fantaseo: era una llanura
larga, blanca, de salitre, donde centelleaba el sol, como
sobre un vidrio; él corría por ella, desesperadamente,
volando casi para no sentir el fuego de la tierra que
abrasaba sus plantas; a veces pasaba una nube y él se
guarecía en su sombra movible, corriendo dentro de
ella, hasta que la nube se deshacía, carmenada por el
viento de las alturas y la sombra se desvanecía bajo
sus pies.

Don Emiliano, que en sus mocedades fuera poeta,
interpretaba este pertinaz fantaseo del muchacho:

—Esa sombra de nube es tu imaginación, que te
llevará, tarde o temprano, lejos de nosotros. Tú eres
también del número de esos que necesitan irse.

Y fué así como prendió en el cerebro de Manuel,
desde muy temprano, la idea de abandonar la ciudad
natal.

Por las tardes, a la hora del «torco», los amigos de
don Pedro formaban tertulia frente a la botica. Sen-
tábanse en sillas de cuero en el medio de la calle, porque
allí no había tráfico que pudieran interrumpir, y hablaban generalmente del pasado, puesto que el presente
de aquella ciudad, sobre la cual decían que había caído
la maldición de Dios, no daba asunto para media hora
de conversación, como no fuese sobre motivo triste o
desagradable:

—Ya se está muriendo Juan Alcober. La hematuria está jugando garrote con nosotros. Van siete en este mes.

—Acabo de recibir carta de los muchachos, donde
me dicen que en esta semana han muerto treinta reses.
El gusano está destruyendo la cría.

—Se declaró en quiebra Cosmito Ruiz.

—Hoy se fué el hijo de Jerónimo Hortal; mañana se van los de Tomás Fuentes. ¡Los pobres viejos! Los muchachos nos están dejando solos.

—¿Y qué hacen? Si aquí el trabajador está condenado a morirse de hambre.

Manuel, como oyera estos lamentos, sentía que el pecho se le oprimía, y se alejaba de allí, echando a andar, invariablemente, por un sendero que se perdía entre los cardonales, en donde la brisa del mar cercano parecía cantar motivos de sirenas.

Y don Pedro Alcor, viéndolo alejarse, ahogando en su ira su dolor:

—Éste también me dejará. ¡Maldita tierra!

En este ambiente formóse el carácter de Manuel, alimentándose de amarguras, y así llegó a la adolescencia con un inmoderado hábito de soledad y un propósito único, absorbente: escapar de aquella ciudad mortal, de donde emigraban todos los hombres fuertes.

Era una desbandada trágica que iba dejando sin cerebros y sin brazos a la provincia, en la cual, a la postre, sólo quedaría el rezago de los incapaces y de los mediocres. Marchábanse a Caracas los que se encontraban fuertes por la inteligencia y aspiraban a imponerla y triunfar en las ciencias, en el arte o en la política; a las selvas caucheras del interior, los que se sentían aptos para arrostrar peligros y fatigas físicas e iban a exponer en la aventura el riesgo de la vida contra las fiebres, las fieras y los bandoleros de la región malsana y salvaje.

Manuel los veía escapar y esperaba su turno, encerrándose en sí mismo, refugiándose en la esperanza de su liberación para que aquel ambiente letal no alcanzara a su espíritu. Por las tardes se reunía con unos amigos y sentados en el malecón de un antiguo puerto, a orillas del río, hablaban de aquel tema único: la fuga, la imperiosa necesidad de la fuga, mientras el agua dorada de crepúsculo resbalaba suavemente ante sus ojos como una lenta sangría que vaciase el herido corazón de la tierra nativa.

Eran sus amigos: un poeta y juez de distrito, casado y con hijos, que en las horas que la profesión le dejaba libres rimaba versos que nadie conocía, de un poema maeterlinckiano, dedicado a una mujer irreal, a la cual llamaba «La Esperada»; un político de la oposición vernácula, y un hombre de acción, que en la ciudad pasaba por chiflado.

El poeta y juez era un producto esporádico de soledad y silencio, que había levantado y nutrido su inteligencia sobre el ras de la incultura ambiente, a costa de un silencioso y heroico tesón, y hablaba dolorosamente de su vida fracasada, de la atrofia de su voluntad depauperada por la falta de estímulos, de la tristeza de su torre de marfil en la cual estaba condenado a vivir, consumiéndose en el místico amor de «La Esperada»; el político era un haz de nervios siempre vibrantes y la persona más cerril del mundo; el hombre de acción, finalmente, era un mecánico, marino en sus mocedades, que merecía las rechiflas de sus conterráneos por haberle dado por construir un barco de vapor en un astillero improvisado por él mismo, a orillas del río. El yate, en el cual trabajaba hacía varios años, estaba casi concluído, y, sin embargo, nadie creía en él.

La diversidad de propósitos no impedía la buena inteligencia entre ellos cuatro, pues los mancomunaba el ansia de más amplios horizontes para sus actividades. Cada cual esperaba su hora; uno, la de la revuelta inminente que había de aventarlo a las alturas del poder regional; otro, la botadura de su yate; Manuel Alcor, la de la muerte del tío Emiliano, que le había suplicado que no lo abandonara mientras él concluyese su vida. Sólo el juez poeta, sin esperanzas en la imposible liberación: ¡tenía cinco hijos! ¡Su suerte estaba echada!

Así transcurrió el tiempo. El tío Emiliano llegó a su término, con el corazón dilatado por la hipertrofia, y murió agradeciendo a Manuel el sacrificio que había hecho, pues bien sabía cómo era de incontenible su deseo de partir. Días después, éste comunicó a sus padres su determinación de marcharse a Caracas, en busca de más amplio campo para sus aspiraciones. Don Pedro Alcor le contestó poniendo en sus manos un poco de dinero que sacara de uno de los tarros vacíos de la botica:

—Yo lo esperaba. Toma, hijo. Esto lo he ahorrado para tu viaje. Que Dios te ayude.

Y luego, a su mujer, que se enjugaba las lágrimas:

—Es natural, Amelia. Los muchachos no se pueden inutilizar aquí. Dejémoslo que se vaya a probar fortuna. ¡Yo me alegro más bien!

Pero en la tarde, a la hora del «torco», dijo a sus amigos, restregándose los ojos, que le hacían traición:

—¡Se va Manuel, el mío!

Para entonces, el yate del mecánico acababa de ser echado al agua, y su dueño se proponía hacer un viaje de prueba hasta La Guaira. Manuel aceptó la invitación que le hiciera, pues esto le ahorraba un gasto gravoso para su escaso peculio. Una tarde levantaron anclas, ante una multitud de curiosos que todavía no querían convencerse de que la obra del conterráneo fuese una embarcación hábil, y habían acudido a presenciar la tentativa, apercibidos para reírse a sus anchas del fracaso, que daban por seguro.

Entre ellos, sólo uno tenía fe: el poeta de «La Esperada», a quien impidiera emprender aquel viaje, ni siquiera por ida y vuelta, la circunstancia de hallarse su mujer en trance de alumbramiento. Y cuando el barco desapareció, tras una vuelta del río, dejando sobre el agua oscura la humareda que brotaba triunfal por su chimenea, entre los espectadores, burlados y atónitos, se oyó la voz descorazonada del juez, que decía:

—¡Los últimos fuertes! ¡Ya se han ido todos!

Una vez en Caracas, Manuel Alcor empezó a probar su buena estrella. Un paisano suyo, estudiante de medicina, lo puso en conocimiento con aquel sediente agrónomo Lenzi, y como éste andaba reclutando alumnos para hacerle propaganda a su instituto y obtener una subvención que solicitaba del Gobierno, le ofreció comida y casa, gratuitamente, si se allanaba a inscribirse como interno. Manuel aceptó sin hacérselo repetir. En cuanto al aprendizaje de la agronomía, ni le pasaba por la mente, y como tampoco a Lenzi le cruzaba por la suya la idea de enseñársela, Manuel tuvo sobrado tiempo para dedicarse a corregir y pulir los cuentos que trajera del terruño y que pensaba publicar en cuanto se lo deparase la primera ocasión. Atravesóse luego Reinaldo Solar, llevándose a Lenzi a su hacienda, y la clausura del instituto dejó a Alcor sin beca, de la noche a la mañana. Se vió entonces en el forzoso caso de gastar el dinero que hasta allí ahorrara, llevando una vida de privaciones absolutas, y buscó una pensión barata.

Temeroso de que el dinero se le acabase antes de que pudiera realizar sus propósitos, que eran, sin ambajes de modestias ni dubitaciones de pusilanimidad, hacerse una reputación literaria en los círculos de la capital, porque tenía fe inquebrantable en que las letras le darían para vivir, dedicóse en seguida a buscar la manera de publicar su libro de cuentos, «Mientras la nube pasa». Oyó decir que el director del único periódico que se editaba en Caracas, árbitro del pensamiento de toda la nación, era una generosa persona que tenía siempre la mano abierta y colmada de dádivas para los jóvenes escritores que acudiesen a él, como a un Mecenas, y aunque en seguida le explicaron que lo hacía para ganarse a partido las plumas y ponerlas al indigno servicio de la megalomanía del presidente danzarín, Manuel Alcor, que en un vuelo echara sus planes, como hombre de resoluciones enérgicas, que sabía ir derecho y pronto a su objeto, resolvió acudir al irrisorio e irritante Mecenas, a pedirle el dinero que necesitaba para la edición del libro.

Fuese por natural impulso de verdadera liberalidad, o porque la extremada audacia de aquel joven que llegó y le dijo, sin preámbulos: «Necesito mil bolívares para publicar un libro y quiero que usted me los dé» era tan categórica como una orden, el Mecenas abrió la cartera y le entregó la cantidad exigida. Días después apareció «Mientras la nube pasa», solo y señero, sin lazarillo de prologuista, ni dedicatoria infamante ni agradecida. Llamó el Mecenas al autor, diz que para felicitarlo, aunque en realidad para manifestarle su extrañeza por la insólita sequedad con que se presentara al público, sin una palabra de reconocimiento para él. Pero Alcor le respondió:

—Yo no me comprometí a nada.

Al día siguiente aparecía su retrato en el periódico y uno de los cuentos del libro, precedido de aquel artículo que leyera Reinaldo Solar, en la excursión a la montaña. Alcor comprendió el ardid del periodista; pero no cayó en la añagaza. En sus planes no entraba la prostitución literaria.

En la tarde, atravesando la plaza Bolívar, lo detuvo
con un gesto tribunicio un sujeto a quien no conocía:

—Es usted Manuel Alcor, ¿verdad?

—Sí, señor. Yo soy.

—¡Venga ese pecho! Yo soy un viejo amigo de su
padre: Ulpiano Macías. Conterráneo suyo.

Y antes de que Alcor pudiera decir palabra, continuó:

—¡Ha puesto usted la garra! ¡Ha dado el zarpazo!
Así es el talento auténtico. ¡Zas! ¡Y la presa es suya!
Su triunfo me ha complacido infinitamente, porque usted es uno de los nuestros, uno de los bravos paladines
de esta conquista intelectual del centro, que venimos
haciendo nosotros, los de la provincia. Porque, convénzase, en Caracas sólo vale la pena lo que la provincia
aporta.

Y Ulpiano Macías, con los dedos de la diestra encor-
vados como garras filosas, hacía un movimiento rápido
y aprehensorio, para decir en seguida:

—Yo llegué a Caracas, como usted, sin centavo.
Aquello fué una odisea que alguien escribirá algún día.
A usted, que le gustan estas cosas, se las contaré deta-
lladamente en otra oportunidad; ahí tiene un buen
asunto para una novela. Pues a los siete años de haber
llegado, como le digo, y al año apenas de graduado
de doctor en leyes, era yo ministro del Ejecutivo. ¡Así
se triunfa, compañero! ¡Yo conquisté a Caracas en
siete años!

Alcor conocía la historia. Hasta la provincia llegó
la fama de aquel conterráneo prevaricador que inició
su carrera política, a raíz del fracaso de la revolución
del partido al cual pertenecía, dirigiendo al presidente
triunfador una ignominiosa carta pública, en la cual
exhibía a su partido como una agrupación de hombres
mediocres, alucinados por la fama adventicia de un
mercader fracasado, que había resultado ser tan intonso
militar, como mal comerciante fué antes de improvi-
sarse caudillo; y aunque Manuel Alcor nada entendía
ni quería entender de política, no pudo menos de experimentar violenta repugnancia ante aquel arribista
procaz. Éste proseguía:

—Tal vez se preguntará usted por qué habiendo
llegado yo a ministro necesito trabajar hoy para comer.

Pero yo se lo explicaré en pocas palabras: porque no quise prevaricar. Sí, señor. Me pidieron la renuncia; me expatriaron. Pero todavía me tienen en cuenta. ¡No faltaba más! Ulpiano Macías no es hombre a quien se anula de una sola plumada.

Manuel Alcor le tendió la mano, despidiéndose. La avilantez de Macías había rebasado la medida de su tolerancia. Bien sabía él que aquel hombre que se exhibía como una víctima de su probidad y de su integridad, había sido lanzado del ministerio por un chanchullo en el cual estaban en juego unos centenares de bolívares.

Pero Macías le retuvo la mano:

—En mi bufete... No sé si debo atreverme a ofrecérselo, tengo una plaza vacante que, si usted quiere, podría desempeñar. Mi tienda de campaña está abierta para todos mis conterráneos que profesan mi lema: «¡Dulce et decorum est pro patria mori!»

Alcor parecía reflexionar, y era que no alcanzaba a entender a qué cosa llamaría decoro Ulpiano Macías. Pero éste, creyendo que deliberaba antes de aceptar su ofrecimiento, explicó:

—Es un cargo de escribiente, que le daría lo necesario para vivir con alguna comodidad y libertad suficiente para dedicarse a las letras, que con tanto brillo cultiva usted.

—Acepto —respondió Alcor súbitamente.

—Pues me felicito. Haremos muy buenas migas. Y hasta puede que colaboremos en algo que tengo en mientes: una novela sociológica. Ya conversaremos.

Alcor estuvo a punto de rechazar la oferta aceptada, pero su sentido práctico se sobrepuso a sus escrúpulos. Por el momento, el ofrecimiento de Macías solucionaba su problema económico. Además, codeándose con él iba a adquirir el justo concepto del pillo, lo cual no deja de ser una experiencia útil para un escritor criollista.

La pensión donde se alojara Manuel Alcor era una antigua casa de dos pisos, en estado semirruinoso. El interior, vetusto y sombrío a causa del verde oscuro de las paredes. Un corredor a la entrada, con pilares chatos y ventrudos, un patio de rotas baldosas, con una gran pila en el centro, y en el contorno, al nivel del

segundo piso, las barandas del pasillo, al cual daban
las puertas de las habitaciones, componían el cuerpo
delantero de la vivienda; daba acceso al posterior un
pasadizo angosto que salía a un patinejo empedrado
con guijarros y huesecillos bruñidos, y allí acabábase
toda traza de orden en la construcción y toda apariencia
de limpieza: viviendas lóbregas como sótanos, escaleras
desvencijadas, la cocina cerca de los retretes, las paredes descalabradas, por los suelos los residuos del fre-
gado y las resultas del barrido, en el sol la trapería
de las camas sórdidas y de las andrajosas indumenta-
rias de los inquilinos.

Más que pensión, albergue de nochariegos y refugio
de desamparados y hambrientos, aquella casa alojaba
la más heterogénea población. Manuel Alcor había sido
instalado en una pieza del alto que tenía balcones para
la calle. Era de las más espaciosas y se la habían cedido
a precio de las más pequeñas, por tener unas cuantas
tablas podridas en el piso, arrancado el techo raso
y vuelto trizas el descolorido papel de las paredes; pero
Alcor halló compensada esta sordidez por el aislamiento
y por el fresco, la luz y las perspectivas de los balcones,
desde los cuales se dominaba un irregular y pintoresco
panorama de tejados, manchado a trechos por el verdor
de fronda de patios y corrales.

En los primeros días, Alcor estuvo siempre solo.
Las horas que le dejaba libre su cargo en el bufete de
Macías, las empleaba en escribir, y cuando el cerebro
se le fatigaba, tendíase en el duro camastro y distraíase
con el promiscuo bullicio que producía el heterogéneo
montón de vidas albergadas en la pensión, pensando
en los auténticos dramas que llevarían por dentro aquellos convecinos suyos.

Pero poco después, la habitación del cuentista se convirtió en cenáculo de regocijadas tertulias. Vivía en
la pensión un joven pintor, a quien el gobierno de la
provincia de su nacimiento había pensionado para que
estudiara en la Academia de Bellas Artes, y como le
habían destinado la pieza más oscura de la casa, quejábase a menudo de aquellas tinieblas que no le dejaban
trabajar. Alcor le ofreció un rincón de la suya, que
era sobrado capaz para su reducido menaje de cama,
baúl, perchero y una mesa, que lo mismo servía para

escritorio como para el planchado de la ropa, que él
mismo se hacía.

Era el pintor un muchacho de buen humor, sumamente inquieto y bullicioso. Tenía un nombre desgraciado para la celebridad: Carlos Cipriano Benítez;
pero sus compañeros llamábanlo El Rebullicio, y él
había adoptado el apodo y así firmaba las telas que
embadurnaba. Aceptando el ofrecimiento de Alcor, in-
timó pronto con él, e instalando en la sala su caballete
y esparciendo por toda ella sus pinceles y sus botes de
pinturas, la animó con su charla perenne. En pago de
la hospitalidad adornó las paredes, poniendo sobre cada
desgarradura del papel manchas y cartones suyos, y
finalmente llevó a sus compañeros de la Academia, con
lo cual la habitación de Alcor quedó convertida en centro de artistas.

Había, entre éstos, un muchacho, de apellido Rivero,
tímido en exceso. A fuerza de sentirse cohibido entre
los compañeros, de callar y ocultarse cuando se encontraba en reunión, de empequeñecerse y desear anularse
para pasar inadvertido, había concluído por juzgarse
insignificante, absolutamente nulo. Aplanado por esta
deprimente idea de sí mismo, renunció a trabajar.
Poseía gran disposición para la pintura. Al año de su
entrada en la Academia obtuvo una mención por una
mancha, cuyo colorido poético fué objeto de comentarios
entusiastas, y en la segunda exposición ganó un premio,
con un cuadro que revelaba al artista de alientos; pero
luego, una mezquindad del maestro, la envidia de los
compañeros y un desengaño íntimo, que nadie supo
nunca cuál fué, le causaron tal descorazonamiento, que
abandonó la pintura y renunció para siempre a todo lo
que fuese aspiración de gloria o de renombre.

Frecuentaba el círculo por hábito adquirido, pero
en las sesiones de dibujo nunca se le vió tentación de
ponerse a trabajar. Pasaba la hora de caballete en
caballete, apuntando una tímida y siempre justa observación al compañero que le consultaba, y cuando
alguno, plantándolo a viva fuerza ante la tela o el papel,
lo compelía al estudio, él quedábase viéndole la cara,
sin decir una palabra ni hacer un movimiento, y en
seguida volvía a su rincón.

Manuel Alcor trinaba contra él:

—Es una idiosincrasia mía. Este Riverito, que lo oye a uno bebiéndoselo con los ojos, pero no dice nunca lo que piensa, me pone fuera de mí.

Sin embargo, en el círculo todos querían a Riverito y se empeñaban en sacudir su abulia.

Una tarde, presentado por Antonio Menéndez, Reinaldo Solar visitó a Manuel Alcor. Había sesión plena, y cuando El Rebullicio, al asomarse al balcón, lo vió y lo anunció, Rivero dijo, en un inusitado arranque de humorismo:

—El que ha de venir.

Manuel Alcor —cuyos nervios estaban excitados por la expectativa de la presentación de Reinaldo, ante quien no sabía qué actitud adoptar, pues en su interior sólo tenía para recibirlo un sentimiento de viva y violenta antipatía—, al oír las palabras de Rivero, que parecían sacadas de los Evangelios, soltó una carcajada que se contagió a los demás, y Rivero fué a refugiarse en la penumbra del trozo de pared que separaba dos de los balcones, para que no le viesen el rostro, cárdeno de rubor.

Después del enojoso picoteo de una conversación que se inicia entre recién conocidos, Reinaldo encontró tema propicio, y durante largo rato hizo sobrehumanos esfuerzos de locuacidad para romper el mutismo de Alcor. Verboso aquél, monosilábico éste, mudos y cohibidos los demás, de intérprete Menéndez, hablando por los que no lo hacían, y a ratos El Rebullicio rompiendo con sus desplantes la seriedad que helaba las palabras, poco a poco la charla fué haciéndose cordial, y al cabo, la camaradería quedó establecida.

Capaz, como era, de la generosa justicia al mérito ajeno, Reinaldo apreció en Alcor aquellos valores no comunes de que Menéndez le hablara. Por su parte, Alcor experimentó una inesperada transición de ánimo: depuesto el sentimiento de recelo que lo hiciera ponerse en guardia contra la momentánea sugestión que la exaltada personalidad de Solar pudiera ejercer sobre él, lo acogió como al amigo esperado que ya se sabe quién es y qué trae.

La uberante imaginación del nuevo compañero y aquella tensión heroica en que mantenía su voluntad, siempre con una gran empresa entre manos y recomendando a toda hora la virtud del esfuerzo, produjeron en el grupo enardecimiento unánime. Las tertulias se animaron con embriaguez de esperanzas, forjáronse proyectos estupendos, confiábase en el éxito de todos y cada cual trabajaba animosamente en su obra.

Sólo Riverito mostrábase remiso. No obstante, desde un principio fué completamente adicto a Reinaldo. Gustábale pasear en su compañía, oyéndolo hablar, honda o superficialmente, pero siempre con una facundia pasmosa, sobre todos los motivos que le salieran al paso; sumergiéndose en aquella atmósfera de idealidad en la cual el espíritu de Reinaldo se cernía habitualmente; saboreando el íntimo y escondido placer de ver reflejado en el carácter del nuevo amigo algo de lo que en el suyo había. Pero era confusa masa de anhelos tímidos, de vagas aspiraciones, mientras que en el ánimo fuerte del otro cobraba el contorno preciso y vigoroso de una voluntad segura de sí misma y consciente de su empresa.

A veces, después de un largo callar, Rivero parecía querer vaciar, en el íntimo trasiego de una confidencia, algún poco de aquello que le llenaba el pozo escondido del corazón; pero la tentativa fracasaba, se volvía sonrojo el esfuerzo, y Reinaldo nunca lograba saber cuál era la vida interior de aquel pusilánime muchacho que fijaba en él, con una insistencia desconcertante, la mirada azorada de sus ojos grandones, atónitos.

Bohemia sin incuria ni alcohol, fraternizaba en un idéntico y puro sentimiento de la belleza. Buscábanla en jubilosas incursiones por los andurriales pintorescos del arrabal, donde los incomparables crepúsculos de Caracas tenían mayor encanto o por los campesinos aledaños tendidos a las faldas del Ávila.

Los pintores abrían sus cajas y poníanse a cazar la mancha fugaz donde el sol presuroso deteníase un momento. Los demás ambulaban entretanto, aquí, por las pardas sabanas del Lazareto, donde el lánguido canto del sauce diluíase en el vesperal silencio; allí, por el cauce enjuto de las ramblas avileñas, entre taludes fantásticos, donde la deleznable arenisca fingía góticas cúpulas, minaretes, criptas y ruinas; otras veces por las colinas tiñosas de Catia, desde donde se divisaba un desolado paisaje, en cuyo alto silencio flotaban lejanos

balidos; o dentro del apacible y umbroso boscaje de Los
Mecedores, o en torno al cerrado recinto del viejo ce-
menterio de «Los Hijos de Dios», en cuyas bóvedas
murales, la cripta destapada y vacía de alguna, llená-
base de poesía si un rayo de sol crepuscular metíase
por ella... Todos los rincones pintorescos registrá-
ronlos, y exprimiéronles la belleza.

Pero, sobre todo, complacíanse en hallarla en los
sitios y cosas que evocaban la vieja Caracas colonial:
las casonas antiguas, las ruinas escasas. Un trozo de
pared ennegrecida y herbosa, el patio empedrado y los
clásicos ganados y cipreses de las vetustas mansiones
donde vivían viejecitas supervivientes de las familias
de antaño, embriagábanlos con ese sabor de la evocación, hermano de la fortaleza de los vinos añejos. Con-
gregábanse a menudo junto a las ruinas del Polvorín
o de la Capitanía, y allí, mientras los ojos erraban por
la eglógica dulzura del paisaje sobredorado de crepúsculo, las imaginaciones íbanse a los viejos tiempos.
Soñaban en voz alta y casi siempre era Reinaldo el
adelantado en aquellas incursiones a través del país
familiar del fantaseo.

—Imagínense —decía una tarde—. Que en estos
mismos sitios estuvieron quizá los pintores y literatos
del siglo pasado. Sentirían ante el mismo paisaje las
mismas emociones que ahora estamos experimentando,
y probablemente pensarían en los que habrían de venir
después de ellos, en nosotros. ¿Por qué no conocemos
sus nombres? Vinieron, soñaron, pasaron sin dejar una
huella. ¿Nos pasará así, también, a nosotros? ¿Seremos
un pueblo que marcha por un arenal seguido de un
viento de fatalidad que va borrando sus pasos? Los
que vinieron después de ellos, los de las generaciones
anteriores a la nuestra, buscaron, sin duda, y tan inútilmente como la buscamos nosotros ahora, esa huella;
pero tampoco supieron dejar la suya en la tradición
del arte nacional. Y así, uno tras otro, cada cual ha
tenido que comenzar, siendo a la vez principio y fin
de sí mismo.

—No es tanto así —comenzó a objetar Menéndez—.
En literatura, por lo menos, sí hay una tradición. Pobre, un poco desajustada...

—Yo no la veo por ninguna parte. Detrás de nosotros

no hay nada. Nada que constituya tradición de arte;
todas son orientaciones personales, bajo la influencia
de modelos extranjeros.

—Ésa es la infancia de toda tradición.

—Me parece más exacto calificarla de vida embrio-
naria.

—Cuestión de palabras.

—No, cuestión de hechos. ¿Dónde está el arte nacional? ¿Cuál es la obra que ha señalado un rumbo, que
ha abierto un camino?

—Efectivamente, no la ha habido. Pero eso no es
muy frecuente en la historia de las literaturas. Las
obras creadoras de tradición son dos o tres en el mundo.
Yo creo que todos no están obligados a producir obras
maestras.

—Nosotros lo estamos.

—A mí no me metas en tus cosas —atajó violentamente Alcor, rompiendo su mutismo—. Yo no tengo
pretensiones al genio; nunca he creído que voy a poner
el mundo de cabeza con mis obras. Me contento con
que me lean.

—Eso es hacer del arte un instrumento de vanidad.

—Llámalo como quieras.

Y así empezó a manifestarse la antinomia irreductible de aquellos dos espíritus. Aspereza contra aspereza, aquellos dos caracteres opuestos chocaban sin
limarse. pero sin que se resintiera tampoco la cordial
camaradería. Imbuído y enamorado del realismo, Alcor
objetaba en la producción literaria de Reinaldo, co-
piosísima y humeante de sentimiento, el exceso de
imaginación y la ausencia del «documento»; Reinaldo
afirmaba que todo cuanto escribía era el resultado de
una documentación, no apuntada en la cartera de notas,
como lo hacía Alcor, pero sí vivida por él hondamente,
intensamente, y estas discusiones se escrespaban hasta
convertirse en verdaderos conflictos de personalidades.
Y todo porque Alcor pedía siempre hechos; mientras
que Reinaldo, considerándolos como hechos, andaba
siempre entre sueños.

Menéndez terciaba, contemporizador, templando con
la frialdad de su criterio claro y certero las vehemencias de uno y de otro, y procurando, a la vez, desbaratar
el naturalismo de Alcor y poner un lastre de cordura

en la aventación alucinante del idealismo de Reinaldo, a quien no veía todavía poner un pie seguro y reposado en un camino definitivo.

Esto, sobre todo, le causaba sincera contrariedad. Tenía absoluta confianza en la inteligencia del amigo, y cifraba en ella un orgullo fraternal. Lo veía dotado de todos los dones, predestinado al éxito, y esa certidumbre era para él una suerte de apoyo espiritual que enfervorizaba su corazón, exento de grandes ambiciones. Decíase a sí mismo que si no hubiera sido por Reinaldo, por el contagio de aquella animosa alma siempre en tensión de ideales, por la sugestión de aquel alucinado que iba por el mundo con la lámpara del encendido corazón, buscando su camino, tal vez su voluntad se hubiera cansado ya de aquel majar en hierro frío, que era su perseverancia en los estudios de una ciencia árida que no lo atraía, o no los hubiera emprendido jamás.

Y en realidad, Antonio Menéndez había escogido aquel camino, el de la jurisprudencia, como hubiese escogido otro cualquiera, sólo porque se propuso fijar a su vida un objetivo cuando conoció a aquel muchacho que, en una de aquellas inolvidables tardes en que leían «La Vida de Jesús» le había jurado solemnemente entregar todo su corazón a una obra sobrehumana.

Pero no era Menéndez solamente quien tenía puesta toda su fe en Reinaldo. El dulce Riverito se afianzaba cada vez más en su adhesión a él.

Una mañana, paseando en compañía de Reinaldo por los campos de Gamboa, volvióse inusitadamente locuaz.

Reinaldo lo interrumpió para preguntarle, por centésima vez:

—¿Tú, por qué no pintas?

Rivero enrojeció y miró a Reinaldo con aquella expresión de sus ojazos azorados que hacía pensar en la mirada de los niños cuando van a echarse a llorar. Reinaldo tornó a decir:

—Comprendo tu caso. Has leído mucho y la demasiada erudición te está haciendo daño. La crítica, como todo vicio solitario, atrofia la función activa: juzgando ejercitas la inteligencia, pero de una manera simplemente pasiva, y nada es más pernicioso, para el que está obligado a crear, que esa apariencia de actividad.

Los conocimientos: para aplicarlos a la obra personal;
por sí misma, la erudición es placer de castrados y
vanidad de impotentes.

De pronto se interrumpió. Una escena imprevista se
había adueñado de su atención. Cuatro mendigos de
los de un asilo que por allí había, de ellos ciegos, de
ellos mancos, trabajaban un pedazo de tierra. Reinaldo
experimentó una viva emoción. Aquellos raros sembradores adquirían para él un significado trascendente.

—Mira. Están pidiendo su limosna a la tierra. He
ahí un gran asunto para un cuadro original y sugestivo.
¡Lo que significan esos lisiados sembrando! Yo veo
en ellos un símbolo del arte nacional: no poseemos recursos, nos falta cultura, tradición, estímulos, somos
lisiados; necesitamos pedir todo eso a los demás, co-
piarlo de los libros, trasplantar el arte ajeno, tirando
a ciegas la semilla como aquel sembrador que va por
el surco con un lazarillo. Pero esta siembra irrisoria
no arraiga en las entrañas del alma nacional, no pe-
netra en el subsuelo inviolado, y por eso es precaria,
adventicia. Es un símbolo triste, pero no debe desalen-
tarnos. Ya es hora de que pensemos seriamente en explorar esa alma ignorada y hermética de nuestra raza
para exprimirle la belleza auténtica: la de su absoluta
desolación. Explotemos nuestro yermo espiritual, mostrando, desnuda y verdadera, el alma abolida de nuestra
raza; sembremos nuestro dolor, la incurable melancolía
de nuestra incapacidad, para cosechar nuestro arte.

Rivero lo oyó, transportado, y en un arranque de
entusiasmo que arrojó sobre su semblante una lum-
brada de alegría y de resolución, le dijo:

—Pintaré ese cuadro.

Y en los días siguientes, con una decisión y una
tenacidad que a todos sorprendió, puso manos a la obra.

—¿Ves lo que te he dicho? Eso es Reinaldo Solar.
Quizás no llegue jamás a realizar una obra completamente suya; pero haber producido ese entusiasmo,
haber devuelto la confianza en sí mismo a quien la
había perdido, es también hacer obra.

VIII

Un día, al entrar en su casa, Reinaldo sorprendió un cuadro que lo llenó de indignación. En el recibimiento del corredor estaba el padre Moreno, de pie y con los brazos extendidos, en medio de Ana Josefa y de Carmen Rosa, que le prendían en las bocamangas de la sotana las insignias de la dignidad de canónigo, a la cual había sido elevado días antes.

Al ver a su madre y a su hermana en aquella ocupación, Reinaldo sintió dentro del pecho la maretada del odio que desde niño profesara al clérigo.

Éste le dijo, con la faz llena de satisfacción:

—¿Qué te parece? Me están crucificando.

—Me parece que, en realidad, están ustedes parodiando la escena del Calvario; pero con los términos invertidos.

—Es decir: ¿un ladrón entre dos Cristos?

—Usted lo ha dicho.

Súbitamente la sonrisa desapareció del rostro del eclesiástico, al mismo tiempo que, desemblantadas y atónitas, las mujeres interrumpían su piadosa labor. Pero el clérigo pudo reprimir el impulso de cólera que lo asaltara, y replicó con postiza mansedumbre evangélica:

—¡Hombre! Vienes muy amable.

A tiempo que Reinaldo, volviéndole la espalda, se dirigía a sus habitaciones.

Ana Josefa y Carmen Rosa, llenas de consternación, no hallaban qué hacer ni qué decir. El padre Moreno las sacó de sus apuros:

—Muchachadas. Pero, después de todo, él es quien tiene razón, puesto que está en su casa.

Y cogiendo su manteo y su teja, concluyó:

—Por mí no se preocupen ustedes. Yo sé cómo es Reinaldo. Y la cosa no vale la pena; por otras peores estamos acostumbrados a pasar. Vaya, pues. Queden ustedes con Dios.

Y salió, con su paso mesurado y soberbioso, llevándose en el rostro una sonrisa imperceptible, pero inequívoca, que decía: ya me la pagarás, malcriadito.

Ana Josefa y Carmen Rosa permanecieron en el corredor, viéndose las caras. Pronto la maternal blandura de la primera halló una justificación para el hijo mimado:

—Nosotras tenemos la culpa. Si sabemos que a él no le gustan esas cosas, ¿por qué las hacemos?

—¡Jesús, mamá! Tú te ciegas —exclamó Carmen Rosa. Y separándose de la madre se fué al corral, a regar las matas de su jardín, que era su refugio cada vez que experimentaba alguna contrariedad.

Ana Josefa se quedó refunfuñando.

—Ya lo creo. Si a ti no te importa. ¡Con tal de que te des tus gustos, que los demás suframos! Yo no entiendo así la religión. Nuestro Señor no nos obliga al sacrificio. ¿Qué necesidad habrá de estar sosteniendo esta batalla perenne? Primero que todo, la tranquilidad de espíritu. Demasiado bueno es Reinaldo.

Era el miedo a la tormenta que ya veía desencadenarse y cuyos presagios eran aquellos violentos portazos que Reinaldo estaba dando allá en el alto. Arrepentida de haber provocado los furores del hijo mimado, buscaba justificaciones absurdas, y en su inconsciencia echaba a la hija toda la culpa.

Entretanto, Reinaldo se decía:

—Yo tengo la culpa. Hace tiempo que he debido poner el remedio. Esta casa se ha venido convirtiendo en una especie de sucursal de la sacristía de la parroquia y yo he venido tolerándolo y soportándolo. Basta ya de contemplaciones; de ahora en adelante va a saber Carmen Rosa que en esta casa mando yo y no el cura.

Era la explosión aparatosa de una voluntad que desconfiaba de sí misma. Arrebatos análogos había tenido muchas veces por causa de aquel voraz misticismo de la hermana, cuyas creencias religiosas había atacado siempre de manera brutal, con argumentos que tundían y lastimaban, pero que, por razón de su misma violencia, jamás hacían vacilar la fe sólida ni la piedad honda de la muchacha.

Entretanto, las influencias contrarias hacían su labor sabiamente, con suaves insinuaciones, con discretos apremios, y de este modo subrepticio iban envolviendo

a Carmen Rosa en una atmósfera que ella no intentaba
romper, porque no llegaba a sentir su presión.

En la casa todo estaba en olor de santidad. Vieja
casa de una familia cuya piedad fué tradicional; allí,
con la vetustez no remozada y la huella de almas de los
parientes muertos, compadecíase muy bien esa atmósfera de sacristía que trasciende a incienso, a pezgua y
a olor de vinajeras y de óleos. En las habitaciones que
antes ocupara Daniel Solar campaban ahora una porción de cachivaches sagrados: doseles raídos, candela-
bros inútiles, tabernáculos desvencijados que mostra-
ban la vil madera a través de la carroña del sobredorado antiguo, una infinidad de bártulos de sacristía
dados de baja en el templo parroquial. En el extremo
de uno de los corredores que rodeaban el patio había
un oratorio donde se guardaba, desde tiempo inmemorial, uno de los «Pasos de la Semana Santa», y constantemente entraban en aquella casa sacristanes y mo-
nagos de la iglesia próxima, que iban por brasas para
el incensario o por las albas y sobrepellices que allí
eran lavadas en una especie de santificado lavandero
y que luego se oreaban en una cuerda que tenía este
privilegio exclusivo.

Carmen Rosa hacía este oficio con una pulcritud
devota. En el resto del día refugiábase en su dormitorio,
austero como una celda monjil, limpio, claro y lleno de
silencio de aquella casa donde sólo era mundana la voz
de Reinaldo, cuando allá, en el alto, se ponía a cantar
arias y romanzas de ópera. Y allí, junto al lecho vir-
ginal y cerca de la repisa de los santos, entregábase
a recamar interminables vestiduras para las imágenes
de la parroquia y casullas y dalmáticas para uso del
padre Moreno.

Todo esto enfurecía a Reinaldo. A veces prorrumpía
en espantosas amenazas: que iba a romper violentamente con toda consideración, a limpiar su casa de
aquella sagrada inmundicia, a pasear su caballo sobre
las albas del embostadero.

Carmen Rosa se estremecía al oírle tales atrocidades,
no porque temiese que las realizase, sino por lo que
tenían de blasfemias, porque bien sabía ella que todo
aquello no era sino vanas palabras, turbonadas del
momento.

Pero la madre, que por complacer a su hijo hasta de la salvación de su alma hubiera desistido, si en trance de ello la pusieran, amedrentada con aquellas bravatas, temerosa de que la ira le hiciese daño, comenzaba a suplicarle:

—¡Hijo, por Dios! No te molestes así. Se hará lo que tú quieras.

Y luego, a Carmen Rosa:

—Ya lo estás viendo, niña. Y todo porque te encuentra bordando esa casulla. No te dejes ver; ya sabes que no le gusta.

Carmen Rosa, invariablemente, abandonaba la labor sin responder una palabra; pero íbase al corral a saborear, en la soledad del jardín, el acerbo deleite de su voluntad de sufrir.

Era Reinaldo el mayor afecto de su corazón. Desde pequeñita había tenido para él ternuras exquisitas, y viendo cómo en la familia todos lo preferían y lo mimaban, acostumbróse a renunciar en su obsequio cuantos fueran derechos suyos. Luego, cuando en el alma del hermano empezó a abrirse la rosa mística de la precoz y vehemente religiosidad y le oyó decir a la tía monja que él iba a ser fraile, y a la madre, después, que iba a ser santo, su infantil predilección se trocó en un inefable sentimiento de admiración y respeto que había de dejar en su espíritu una huella imborrable. Era la época de las voraces lecturas de vidas de santos que Reinaldo hacía en alta voz para que ella oyese, intercalando comentarios que la dejaban admirada y suspensa, sembrándole en el corazón la imperecedera semilla de la piedad.

Después Reinaldo abandonó el sendero místico; ella lo vió, con dolor, alejarse y perderse en la herejía y en la negación, y entonces hizo el voto: le ofreció a Dios su alma entera, en compensación de la que había perdido y para que se cumpliese la parábola del hijo pródigo. En la expectativa del milagro esperó y desesperó, pero se mantuvo fiel al voto: oraciones y quehaceres piadosos eran su única ocupación. Y llegó la edad florida de los quince años; pero en el rosal de su corazón sólo floreció la rosa mística.

Un día, como idea cogida al vuelo y sin intención remota, el padre Moreno había dicho:

—No me sorprendería que a Carmen Rosa la diera,
el día menos pensado, por meterse a fundadora de una
orden religiosa. Seguramente escogería un nombre
poético: María de la Luz, por ejemplo.

—Pero ¿de dónde saca usted eso? — replicó ella,
ruborizándose —. Sería una extravagancia.

—A los grandes imaginativos no los seduce sino lo
que se sale de lo ordinario. Mientras más fantástico,
mejor. Imagínense —continuó el clérigo dirigiéndose
a Ana Josefa y a Graciela Aranda, que guardaba silencio, con visible disgusto —: fundadora de una orden
nueva. Ya me parece estar viéndolo. Cuando Sor María
de la Luz...

Y soltó una risotada, para demostrar que aquella
ocurrencia no había sido emitida en serio.

Pero ya la idea insidiosa había encontrado asidero
propicio en el espíritu de la muchacha. Sin forma de-
finida, como un producto de esos estados de abandono
espiritual en los cuales la fantasía enreda los más
caprichosos motivos, aquella idea volvió una y otra
vez a su mente.

Muy lejos estaba todavía de ser un propósito defi-
nido; pero allí estaba la ideíta pertinaz, como levadura
en masa fácil de fermentar, turbándole el sueño,
empujándola a todo rincón de sombra y de silencio...
¡Teresa de Jesús! Nunca se le había ocurrido que ella
pudiese servir para aquello, ni tuvo jamás propósitos
de abrazar la vida religiosa... Pero... Puesto que el
padre lo decía... ¿Quién sabe?... Cuando Sor María
de la Luz...

Y era tan pertinaz la dulce violencia de esta obsesión, que a vuelta de poco Carmen Rosa no tuvo vida
sino para consumirla en la lumbre voraz de su deseo.
La madre y la amiga diéronse cuenta de la situación
y le declararon una guerra abierta y sin tregua; pero
ni lloriqueos de la una, ni persuasiones de la otra,
lograron más sino afirmarla en su terco y escondido
empeño, de cuya realización sólo la alejaba el extremoso
amor al hermano.

Entretanto, era el jardín del corral, en la dulzura
de las tardes, el sueño que suplía la imposible realidad
del huerto conventual.

Allí estaba ahora, rumiando el sinsabor de la escena

que acababa de suceder entre su hermano y el padre
Moreno, cuando la sorprendió la intempestiva llegada
de Clarita Reinoso.

Era ésta una mujeruca insignificante, de piel ro-
saducha y fina como la de un recién nacido, cabellos
descoloridos como hoja de planta que no recibe sol,
ojos bailoteantes, agudo mentón, dientes cariados y
espalda jibosa. Estaba plantada en la linde de la juventud, más hacia el lado de la vejez, y gastaba la vida
terrenal en amontonar merecimientos para la de ultra-
tumba, en abono de la cual ya tenía prendas dadas,
pues era proveedora del aceite de las lámparas eucarís-
ticas de la parroquia, hija de María, sierva de San José
y hermana de leche de un diácono que estaba para
ordenarse. Representaba un papel ambiguo cerca de
Carmen Rosa, quien la llamaba su amiga de prueba,
queriendo así significar que no le profesaba amistad,
pero soportaba la suya como una de esas tantas cosas
desagradables con que acostumbra el buen Dios probar
a sus criaturas elegidas.

Pero ahora Carmen Rosa no estaba para merecimientos y la recibió de mal humor. Clarita comenzó a
farfullar su habitual andanada de palabras:

—Chica. Vengo a buscarte para que «váyamos» a
la iglesia y regañes al sacristán. Acabo de descubrir
que roba el aceite de la Majestad.

Carmen Rosa no pudo contenerse:

—Pues no vengas a buscarme nunca para esas cosas.

—¿Y dejamos entonces que se robe el aceite impú-
dicamente?

—Impunemente, querrás decir. Que se lo robe, que
se lo coja, como te lo coges tú para iluminar los santos
de tu casa.

—¡Chica! ¿Yo? ¿Cómo me dices eso?

Y la beatuca, sorprendida más que ofendida, pues
nunca había visto enojada a Carmen Rosa, comenzó
a hacer horribles visajes.

—Ya te digo: que no vuelva a ocurrírsete venir a
contarmes chismes de sacristía. Ya me tienes hasta la
coronilla. Hágame el favor de dejarme tranquila.

Clarita detuvo un momento sobre la amiga el absurdo
baileteo de sus ojos y salió ahogándose de ira.

Cuando Carmen Rosa se halló otra vez sola, se sor-

prendió de lo que había hecho. Sin duda, aquel estallido
de cólera se venía preparando en su ánimo desde hacía
mucho tiempo, y era la reacción violenta e inopinada
de una voluntad que ha sufrido largas presiones sin
protestar, pero cargándose de rebeldía para dejarla
escapar toda de un golpe; pero lo extraño, lo inexplicable, era el pensamiento que había atravesado como un
relámpago por su cerebro, cuando dijo, fuera de sí y
golpeando el suelo, que la dejasen tranquila: el tirano
contra quien se rebelara entonces era el padre Moreno.

Súbitamente rompió a llorar. Un llanto entrecortado
de singultos angustiosos, gritado, inquietante, como
un preludio de ataque epiléptico, que le estremecía
todo el cuerpo. Luego fué un abundoso y sereno correr
de lágrimas; finalmente una dulce melancolía, un sabroso desmadejamiento del cuerpo, una ataraxia del
espíritu.

Así era la vida en aquella casa cuando una mañana,
de improviso, entró un torrente de alegría. Pablo Leganez, un pariente lejano a quien los Solar no conocían
y que había llegado a Caracas por aquellos días, fué
presentado por Valerio Allende, y desde el primer momento se captó las simpatías de todos. Era un joven
moreno, vigoroso y dotado de un carácter franco, expansivo y bullicioso. Se había educado en el Norte, y
de allí venía, ingeniero de minas, en busca de trabajo.

Reinaldo encontró en él preciosas virtudes: era un
armonioso, verdadero producto de una civilización superior, activo, audaz, inteligente, tan bien conformado
de cuerpo como de espíritu.

En suma: un alma de griego antiguo en un cuerpo
de yanqui moderno.

Por su parte, Carmen Rosa le encontró otras excelencias: Pablo Leganez tenía un corazón sensible y
puro, jugoso en ternuras.

Una mañana llegó, clamoroso, con una niñita en los
brazos, rubia y linda como una muñeca, a la cual encontrara jugando en la plaza vecina:

—¡Prima! ¡Prima! Mira lo que te traigo. ¡Qué pre-
ciosidad! Es necesario, prima, que en esta casa haya
pronto una criaturita tan mona como ésta. Conque, ya
lo sabes, manos a la obra.

El intruso alegró la vida de Carmen Rosa. Una ale-

gría fugaz, pero dulcísima. Metiósele alma adentro,
como lumbrarada de sol en rincón obscuro y frío, des-
entumeciendo alborozos y ansias juveniles que se pre-
cipitaron ávidamente en aquel rayo cálido, que fué veloz
y certero hasta lo hondo del corazón aterido por los
grandes hielos del divino amor.

Asimismo, el sol verdadero atezó el blancucho color
de su faz en los paseos que Pablo Leganez inventó
para ella en los claros días de abril. Ora en las mañanas
por los campos cercanos; ora en las tardes por las ba-
rriadas capitalinas; o entre días por los pueblachos
próximos, aquellas jubilosas excursiones donde su hermano hacía de «cicerone» y que para ella eran tan
inusitadas como para Pablo Leganez, fueron un brusco
paréntesis de su vida casera, semimonástica, una vacación espiritual deliciosa. Corrientes y frescas aguas,
cálidos aires y tibias sombras, el caliente color del
paisaje y la lumbrarada azul de los cielos, el olor agreste
y los campesinos rumores, todo aquello era para ella
nuevo y sabroso.

Adobábalo Pablo Leganez con su charla amable y
zumbona y saboreábalo ella con fruición golosa, un
tanto turbada por el violento cambio de vida, por la
repentina sumersión en el mundo, precisamente cuando
acariciaba la idea de renunciar a él para siempre. A
veces su hermano y Pablo se engolfaban en serias conversaciones sobre motivos de orden práctico o trascendental, y a ella entonces le tocaba callar. Ella en medio
de los dos, silenciosa y sin pensamientos suyos, sólo
cruzando por su mente las ideas que ellos expresaban,
experimentaba bienestar inefable, hondo y calmoso.

Pero los más dulces y turbadores momentos eran
aquellos de la retornada. En el vagón del tren o en el
tranvía donde regresaban de la matinal excursión, fa-
tigados ellos del mucho hablar, cansada ella de la larga
caminata, quedábanse a menudo en silencio, y entonces Pablo Leganez la miraba largamente, con una
sonrisa tan afable, con una mirada tan honda y luminosa, y preguntábale: ¿estás cansada?, con un tono de
protección, tan insinuante, de ternura varonil, ¡tan
subyugador!, que ella se sentía conmovida hasta lo más
profundo de su ser y experimentaba un mimoso deseo
de perpetuar aquellas puras caricias con que así, tan

deliciosamente, un alma fuerte y alegre iba sorbiéndose la suya, tan necesitada del rescoldo de amor.

A veces Pablo le preguntaba, en un arranque de su humor expansivo:

—Prima, ¿no tienes novio?

Turbábase ella y respondía:

—¿Quién va a enamorarse de mí?

—¡Dianche! ¿Que quién va a enamorarse de ti? Pues cualquiera que tenga ojos y corazón. Hay que buscar uno. A ti te está haciendo falta un novio.

Y soltaba una risotada clamorosa al verla sonrojarse.

Un día, recorriendo el jardín del corral, le preguntó:

—¿No tienes orquídeas? Pues voy a buscártelas. Son preciosas. Llenaremos el corral. Verás qué bosque fantástico voy a formarte.

Y como lo prometió lo cumplió. Compró muchas y encargó a los vendedores que le llevasen cuantas tuvieran. Pocos días después el corral de Carmen Rosa estaba poblado de cepas de orquídeas que florecían profusamente, adheridas a los troncos de los árboles o dentro de rústicas cestas de bejucos, que el mismo Pablo construyó en sabrosa y fraternal colaboración con la muchacha.

—¡Ah, prima! Ya tenemos de qué vivir —decíale elogiando la obra—. Ponemos una fábrica de cestos para matas y te aseguro que no nos moriremos de hambre.

Esta chancera previsión de un porvenir común, de una vida compartida entre los dos, encendía fugaces sonrojos en las mejillas de Carmen Rosa y le llenaba el corazón de una dulce zozobra.

Pero Pablo Leganez debía desaparecer como había aparecido, de pronto, intempestivamente. Un día llegó diciendo:

—Parientas, vengo a despedirme de ustedes. Salgo para el Yuruary, como ingeniero de una compañía que se ha formado para la explotación de unas minas de riqueza fabulosa.

Era el primer dinero que le iba a producir su profesión, y esto lo llenaba de una desbordante alegría infantil. Habló de su porvenir con optimismo.

—Ganaré mucho dinero. Mucho, prima. Ya verás, ya verás.

Y salió tan clamorosamente como había llegado la primera vez, gritando ya en la puerta:

—Hacia el porvenir. ¡Hacia la vida!

Carmen Rosa y la madre volvieron, maquinalmente, a sentarse en el recibimiento del corredor. Las últimas palabras del ingeniero habían dejado en sus oídos esa intranquilizadora sensación que produce el súbito silencio.

Meses después Reinaldo recibía una carta de Pablo, en la cual le comunicaba el fracaso de su expedición y su internación en el Brasil. Al final de la carta le dedicaba un largo párrafo a Carmen Rosa, recomendándole el cuidado de las orquídeas y repitiéndole lo que tanto le había dicho a propósito del novio que debía procurarse.

En concluyendo de leer la carta, que fué la triste sobremesa de aquel día, Reinaldo subió a su escritorio. Ana Josefa y Carmen Rosa permanecieron un rato sin hablar. Carmen Rosa, con los ojos bajos, plegando y desplegando alforzas en el mantel, como un símbolo de aquel juego del destino con sus esperanzas; la madre con el mentón en el hueco de la mano, pestañeando repetidas veces.

Luego la hija se levantó de la mesa y se fué a su rincón del jardín. La madre la siguió con las miradas y murmuró, moviendo la cabeza:

—No estaba de Dios...

Entretanto, allá en el jardín lleno de sol y de silencio meridianos, la voz interior tornaba a decir:

—Cuando Sor María de la Luz...

IX

Es necsario emigrar.

Era la consigna que pasaba de boca en boca y que había venido pasando de generación en generación, como en la inminencia de un peligro. Lo decía el bracero sin oficio, el industrial y el comerciante que se afanaban en un trabajo ímprobo, el capitalista que veía en peligro su hacienda, el intelectual que atesoraba

los más puros valores espirituales y vivía temeroso de
encontrar un día violentada y prostituída su riqueza.

—Es necesario escapar.

Era el estribillo de todo un pueblo que quería disgre-
garse, algo así como el ruido desacorde que advierte en
el funcionamiento de una maquinaria la inminencia
de la rotura o de la desintegración.

En el círculo de Reinaldo y sus amigos, aquella frase
era el corolario inevitable de todas las reflexiones.
Venía a la boca, espontáneamente, a cada esperanza
frustrada, a cada ensueño desvanecido. Confinados, por
voluntario retraimiento, a las paredes del cuarto donde
escribían para echar luego sus producciones, que eran
pedazos de sus almas, al rincón de la gaveta; devorando
la propia energía, que se consumía en quimeras, como
una rama tierna, para dar una pobre llama; abomi-
nando de la tierra nativa donde no había savia para
una buena y pura flor espiritual, aquellos jóvenes vivían proclamando la necesidad de la fuga, el deber de
la expatriación.

Acabáronse así las risueñas tertulias de antes, des-
membróse el grupo, rezagáronse y dispersáronse los que
no tenían voluntad entera y constante para sostener
aquella lucha sorda y sin compensación, contra un
medio que oprimía con la indiferencia y desalentaba
con el escepticismo; y los fuertes, los de energía pro-
bada, diéronse por exclusivo ideal artístico exprimir la
íntima amargura, hasta la gota más acerba que pudiera
dar la herida fibra del alma nacional.

Así Manuel Alcor hubo de experimentar los mismos
sentimientos que ya había experimentado en su pueblo,
cuando por las tardes, a orillas del río, hablaba con el
poeta de «La Esperada» sobre cómo escaparían de
aquella ciudad que iba dejando sola la desbandada de
sus hijos, y a través de sus producciones literarias, sa-
turadas de un pesimismo rudo y fuerte, sentíase la
angustia del nuevo desarraigamiento. Su nombre, echado a los vientos de la fama por aquella hiperbólica
alabanza que hiciera de su libro el periódico oficial,
había vuelto a la primitiva obscuridad a causa de una
implacable guerra de vacío y de silencio que le había
jurado el desairado Mecenas, cuyo nombre no figuró en
la portada de «Mientras la nube pasa» y a cuyos ale-

vosos reclamos de colaboración nunca había querido acceder el huraño cuentista. Y como aquel hombre, monopolizando el periodismo, se había erigido en árbitro único del pensamiento de la nación, Manuel Alcor quedó irremediablemente postergado.

Pero era Reinaldo Solar quien con más vehemencia proclamaba la necesidad de la fuga:

—¡Es el único camino que nos queda! Es necesario que nos convenzamos de que en este país no hay sitio para nosotros.

—Sí, Reinaldo, sí —observaba Manuel Alcor, mientras repiqueteaba con los dedos de una mano sobre los nudillos de la otra, su ademán habitual de impaciencia—. Pero eso no es tan fácil hacerlo como decirlo.

—No es asunto de facilidad sino de decisión.

—Pues decídete tú. Tienes dinero para poderlo hacer; pero lo que estamos atados por la absoluta falta de recursos, tenemos que resignarnos a vivir de nuestros hígados.

—¡Mejor sería vivir de los propios nervios, del esfuerzo de voluntad!

—Eso no. No me vengas a dar en cara con tus «esfuerzos» de voluntad. Yo sé lo que es eso, por práctica, y te podría dar lecciones; tú no conoces sino la teoría.

—Pues si lo sabes, ¡contigo hablo! Tú no tienes más que hacer sino meter tus papeles en el baúl. ¡Y a España!

—¡Eso es! España entera estará esperando que yo llegue con mis papeles para pagármelos a peso de oro.

—Quien tiene inteligencia, y sobre todo, quien tiene voluntad, lucha hasta imponerse.

—¡Qué sabes tú lo que se necesita para luchar! Para ti la lucha no es más que una idea que te seduce; necesitas aprender, que es una cosa muy dura. Para ti todo ha sido facilidades.

—¿Porque tengo un pedazo de pan?

—Porque lo posees todo: nombre, dinero, ¡hasta talento!

—Ojalá me faltara todo eso para demostrarte que lo único que hace falta en la vida es voluntad.

Menéndez, que asistía a esta escena sin intervenir, oyéndolos con pesar, dijo por fin:

—Sé sensato, Reinaldo. Haz lo que te parezca que

debes hacer; pero no prediques tu ley. No prediques
tanto.

—Eso exigen los que quieren que los dejen tranquilos.

—Todo el mundo tiene derecho a exigir que lo dejen
tranquilo, sobre todo cuando se oyen decir cosas que
desagradan y molestan — replicó Menéndez, compren-
diendo que el ataque se volteaba contra él —. A ti te
parece que el deber de nosotros es la expatriación,
y yo opino lo contrario. Creo que nuestro deber está
en quedarnos aquí, para sufrir con todo el corazón la
parte que nos corresponde en el dolor de la Patria,
para desaparecer con ella, si ella perece, para tener la
satisfacción de decir más tarde, si ella se salva y pros-
pera: yo tengo derecho a este bienestar porque lo compré con mi dolor.

—¿Crees cumplir tu deber tolerando, encerrado en
una olímpica indiferencia, que la Patria esté en manos
de los peores?

—Éste es un error de perspectiva circunstancial. La
Patria no está en manos de los malos, sino en el corazón de los buenos.

—¡Bonita frase! Pero temo que no pase de ser una
bonita frase.

—Se te permite todo. Hasta que te defiendas con
salidas falsas y argumentos de mala ley.

—No. Puntualicemos. Tu teoría...

—Yo no hago teorías, Reinaldo. Y sobre todo, no
trato de imponérselas a nadie.

—Sí las haces. Permíteme que te lo diga. Y lo que
es peor: las vives. Tu optimismo o tu pesimismo, porque ésta es la hora en que todavía no he logrado ponerlo
en claro, te hacen profesar un principio que me parece
el más pernicioso para nosotros: el del «laisser faire».

—Sí, es cierto. Dejar hacer; pero hacer. ¿Comprendes? Hacer.

—¡Eso! — interrumpió Alcor, que devoraba a grandes trancos los espacios de su habitación, mientras
Menéndez hablaba —. ¡Hacer! No prometer.

Menéndez, concluyendo su pensamiento:

—Yo quiero que cada uno haga lo que debe, que es
lo que puede. Tú, por ejemplo, puedes hacer muchas

cosas. Para que tu nombre alcance una buena reputación literaria no tienes más que echarlo a la calle, al
pie de una cualquiera de tus obras, porque el apellido
Solar ha sonado ya en el país con brillo y fama.

—Por eso, precisamente, me he abstenido de hacerlo.
Ese triunfo fácil en el cual, para muy poco, entrarían
mis méritos verdaderos, ese éxito sin lucha, es lo que
no quiero obtener. Lejos de valerme de las facilidades
que me dan mi nombre y mi posición, envidio la obscuridad, la pobreza y la humildad de quien necesita
trabajar para ganarse el sustento y luchar mucho y
duramente para imponer su nombre desconocido. Envidio a este Manuel Alcor, de quien todavía la gente se
pregunta: ¿quién es? Envidio a ese Riverito que se ha
superado a sí mismo, sacando de su natural abulia una
voluntad perseverante, que se mantiene y crece de una
manera heroica en la absoluta ausencia de estímulos.
¡Ellos sí, cuando triunfen, podrán jactarse de que todo
se lo deben a sí mismos! Por eso me desterraré volunta-
riamente; voy a buscar en un medio extraño la indiferencia que aquí no encontraría.

Y Reinaldo, que hasta aquel momento no se había
hecho tales reflexiones, salió de allí plenamente convencido de que aquéllas habían sido los verdaderos
motivos de su anonimia literaria.

Cuando llegó a su casa encontró al tío Agustín que
lo estaba esperando. Temió una entrevista sobre administración de bienes, y le preguntó, sin disimular su
disgusto:

—¿De qué se trata?

—Pues se tratará de Lenzi, tu pseudo-agrónomo,
que ha resultado un insigne charlatán.

—De acuerdo.

Pero Agustín Allende no había agotado sus epítetos:

—Un caballero de industria.

—Perfectamente. Ya estoy al cabo de la calle.

—Pues, ya que lo estás, te vengo a decir que se va
haciendo cada día más intolerable, insoportable, la es-
tada de ese sujeto en «Los Mijaos».

—Despídelo. Haz lo que te parezca.

Agustín se sintió halagado por este reconocimiento
de su autoridad de administrador, menoscabada por

las intromisiones de Reinaldo en el manejo de la hacienda. Pero no perdonó:

—¡Ah! ¿Desistes por fin de esa peregrina idea del trigo?

—Desisto de todo; renuncio a todo. No quiero ni oír decir que poseo un palmo de tierra. ¡Que se lo lleve el diablo todo!

Y subió a su escritorio, cortando la entrevista con Agustín, quien pocas veces habría sido tan inoportuno.

Una vez solo, como el adolescente que se encierra a llorar el primer desengaño amoroso, se abandonó a los extremos del resentimiento que le causaran las palabras de los amigos. Acababa de sufrir la mayor decepción de su vida, sentía como si un mundo se hubiera desmoronado sobre su alma, como si hubiese perdido la razón de existir, y repetía una y otra vez las palabras de Alcor y de Menéndez: «Qué sabes tú lo que se necesita para luchar. Si para ti todo ha sido facilidades».

—¿De modo, pues, que yo soy un mimado de la suerte, que no tiene de qué quejarse sino de su propia holgazanería? Un hombre que ha encontrado todo hecho ya y esperándolo. ¡Un dilapidador de dones! Afortunadamente lo he descubierto a buena hora.

En tanto que así hablaba a solas, buscaba nerviosamente entre la barahunda de sus papeles una libreta de notas que le interesaba sobremanera en aquellos momentos. Por fin la encontró. Contenía los documentos recogidos hacía meses para una tragedia que pensaba escribir. Ahora el propósito olvidado ya volvía a su mente, fortalecido por aquella resolución de marcharse a España, sin más armas que sus papeles, a emprender en un medio indiferente la brava pelea que en el suyo holgaba.

Y en seguida púsose a planear las escenas de la tragedia. Era un asunto que lo sedujera desde los comienzos de su afición literaria: la tragedia de la raza, donde celebraría el heroísmo del aborigen americano y el triunfo de la civilización bajo el estandarte de los conquistadores castellanos, y que sería a la vez, en bizarro despique, el punto inicial de una nueva e incruenta conquista: la conquista del Viejo Mundo, emprendida por el arte americano y para el arte americano.

A él tocaba acometerla con aquella obra suya. Luego iríase en pos la legión, a paso triunfal, por camino trillado.

—Y no me digan que es una de mis utopías. Tengo un plan bien maduro. En España, se lo aseguro, nos espera el éxito.

Concluída la tragedia, Reinaldo se la leyó una noche. Estaba escrita en endecasílabo heroico y constaba de cuatro jornadas, resplandeciente de oro nativo, rumorosa de armas, llena de bravos gestos e hidalgas jactancias, lujuriante como el paisaje de la tierra virgen donde se desarrollaba, audaz como su propio empeño de conquistar con ella la patria de los conquistadores.

Luego Reinaldo expuso su plan. Puesto que era el único que podía disponer de dinero para acometer la empresa, se iría primero a España, a explorar el campo y a poner en escena su tragedia. Después, cuando él diera seguridades, iríanse los demás. El éxito que alcanzara él era, desde luego, para todos.

Al día siguiente participó a su madre y a su hermana que partiría en el próximo vapor español. Ana Josefa no se hubiera asustado tanto si le hubieran dicho que iba a acabarse el mundo: lloró, suplicó en vano. Carmen Rosa insinuó tímidas objeciones; pero Reinaldo se mostró inexorable, y ella entonces murmuró:

—Hágase la voluntad de Dios.

La noticia de aquella separación era para ella como una catástrofe que hubiera estado esperando mucho tiempo y que por fin veía llegar. No era sólo la ausencia del mayor afecto de la vida; era también su suerte que se decidía de pronto.

Ido el hermano, quedaba ella a la merced de aquella suave insinuación del padre Moreno, que a la postre la llevaría al término querido y rechazado al mismo tiempo. Eran, sin duda, los designios de Dios, que se cumplen por encima de la voluntad de los hombres.

Entretanto, Reinaldo, esperando el día de la partida definitiva, pues no pensaba volver a la Patria, experimentaba emociones desconocidas. Echaba las últimas miradas al paisaje, la única cosa bella y amable de la Patria.

Un sentimiento de ternura le embargaba el espíritu;

hubiera llorado de buena gana si el llanto no fuese una puerilidad, una peligrosa blandura de ánimo que podía quebrantar su firme decisión de escapar. Recogiendo sus papeles lo invadía el mismo enternecimiento. Cuentos, novelas, dramas, versos sueltos, todo aquello, inconcluso casi, era el fruto de años de una labor amable y tenaz.

En aquel cuarto de escribir, en aquel rincón del mundo que tenía una ventana abierta sobre el panorama de la ciudad, había pasado él una hermosa parte de la vida, alimentando un sueño de juventud. Era la «torre de marfil», el antes abominado retiro de abstracciones y quimeras, que ahora se le representaba como un dulce refugio.

En el recinto de sus paredes habíase conservado puro, mientras otros iban, placeramente, poniendo sus inteligencias y sus plumas al servicio de torpes ambiciones en un tráfago de lucha por el pan o la gloria. ¡Amable rincón, desde donde había contemplado con dolor de alma las angustias de la Patria, ahora lo dejaba para siempre, para salvar aquella promesa de juventud que estaba en él ocasionada a perderse sin fruto! Y se decía mentalmente: ¡Y va uno!... Después, como él, los otros iguales a él emprenderían, a su turno, el éxodo doloroso.

¡Cuántos habría, asimismo, esparcidos e ignorados por todo el país! ¡Todos se irían, uno a uno, o perecerían en silencio y olvido, sin que nadie supiera nunca quiénes fueron, qué padecieron y qué amaron! Feliz quien podía escapar a tiempo. Ya era hora. No más sueños inútiles.

Hasta allí aquel enfermizo divagar entre quimeras, gastando la energía en esfuerzos baldíos; de allí en adelante: la lucha. ¡La hermosa lucha por la vida, a brazo partido, y luego por la gloria, tan legítima y urgente como el pan!

Ella, además, le devolvería la razón de existir. Libre, por fin, de la tutela de su casa, donde hallaba todo sin haberlo ganado, probaría el temple de su voluntad. Renunciaba a todo lo que poseía en la Patria: al prestigio del nombre y a la facilidad de la fortuna. Iba a luchar entre extraños, donde sería uno de tantos, un aventurero sin nombre y sin fortuna, sin otro apoyo que su voluntad, sin más ventaja que su inteligencia y su deseo de combatir. ¡Quería debérselo todo a sí mismo!

Y para comenzar cuanto antes aquella seductora vida de asperezas y heroísmos, resolvió hacer el viaje como emigrante, en la cubierta, con una manta para las intemperies y un poco de dinero en el bolsillo, el indispensable para no morirse de hambre nada más. ¡Menos tenían los conquistadores y de ellos fué la mitad del mundo!

Pero llegado el momento, en la taquilla de la agencia de vapores, se olvidó de aquel pequeño heroísmo y pidió pasaje de primera.

La víspera de la partida, comían en casa de Reinaldo los tíos Allende, el primo Lorenzo, Graciela Aranda y el padre Moreno, quien había vuelto a visitar a la familia, a pesar de lo que había sucedido entre él y Reinaldo cuando la escena de las bocamangas canonjiles.

Lorenzo Allende, abogado novel en camino de lumbrera y de calvo, estaba recién llegado de Europa y como tal exponía las excelencias de una larga sumersión en aquellos medios cultos.

Su voz suave y parsimoniosa de hombre satisfecho de sí mismo tenía acentos doctorales al decir:

—El bárbaro, porque nosotros somos bárbaros, y perdónenme los presentes, se pule y refina en aquel ambiente de civilización. Las asperezas del carácter, las violencias tropicales, se liman allí con el roce.

Agustín Allende campó por el lugar común:

—Sí. Los viajes ilustran.

—Mucho — apoyó con sorna el padre Moreno, frotándose los labios con la servilleta, suavemente.

Y Ana Josefa, que no probaba bocado:

—Pues yo prefiero que Reinaldo se quede sin ilustración.

—No se aflija inútilmente — díjole el cura —. Reinaldo no va a dar sino un paseíto. Ya me parece verlo regresar, vestido a la moda de París, con monóculo y flor en el ojal.

Reinaldo no pudo contenerse:

—No me sorprende que usted lo piense. Pero le tengo reservada una sorpresa.

Graciela acudió:

—A ver, ¿cuál es la sorpresa, Reinaldo?

—No sea impaciente — díjole Lorenzo Allende —. Las que se anuncian dejan de serlo.

En este punto, Reinaldo intervino para cortar la conversación con el clérigo, cuya presencia allí era una demostración évidente de su debilidad de carácter.

—Dejaría de ser mujer si no fuera curiosa.

—Gracias. ¿Han reparado ustedes que la galantería de Reinaldo tiene más espinas que flores?

—Será porque las flores se guardan — empezó a decir Carmen Rosa.

Pero Lorenzo Allende le quitó la palabra:

—Eso es. Porque las flores se guardan para cuando se está a solas.

Una pregunta del cura a Lorenzo interrumpió el tema frívolo, y entonces, serios y silenciosos, Reinaldo y Graciela cruzaron una mirada que los turbó mutuamente. Pero no tuvieron tiempo de pensar en lo que acababa de pasar por la mente de ambos, porque en el corredor resonó un grito:

—¡Mi café!

Era Pepito Aranda, el padre de Graciela, que desde tiempo inmemorial acostumbraba tomar el café en casa de sus vecinos. Al llegar al comedor se sorprendió de encontrar a su hija.

—¡Muchacha! ¿Tú estabas aquí?

—¿Quiere decir que no notaste mi falta en la mesa de casa?

—Es que tengo la cabeza tan mala. ¡Acaso es poco lo que cavilo!

Era un viejecito menudo, inquietísimo. Hablaba a grito vivo, moviendo los brazos y gesticulando con toda la cara roja y albeada de pelos muy blancos. Los anteojos le cabalgaban en la mitad de la nariz.

—¡Reinaldo! ¡Conque te vas para Europa!

—Sí, Pepito, me voy. Para lo que gustes mandar.

—Gracias. Haces bien. Haces muy bien. En este país no se puede vivir. No se gana ya un centavo.

—Reinaldo no necesita de eso, papá — acudió Graciela.

—Sí, sí. Pero debe irse. Aquí no se pasan sino malos ratos. Europa es otra cosa. Aquello sí es vida. Yo no la conozco; pero me la imagino. ¡París! ¡Berlín!

¡Londres! Dígame. ¡Ese Londres! ¡Y Roma! ¡Ah, Roma! Me moriré sin verla.

—Se enfría el café, Pepito.

Deleitóse, bebiéndolo a sorbos menudos y bien paladeados, y luego se fué al corredor, con los hombres, a echar el cigarro.

Ana Josefa pasó al cuarto de Reinaldo a terminar de disponer el equipaje. Carmen Rosa y Graciela permanecieron en el comedor.

Guardaban silencio, sin verse las caras, en ese estado de recíproca certidumbre de unos mismos pensamientos que hace inútiles las palabras. Al cabo, dijo Graciela:

—Conque se va Reinaldo.

—Se nos va.

Y las lágrimas acudieron a los ojos de Carmen Rosa. Graciela hacía esfuerzos por contener las suyas para que no la traicionasen. Pero el colmo doloroso de su corazón volcóse en una frase impensada:

—Indudablemente, no somos afortunadas.

A su vez, Reinaldo pensaba:

—Sólo me faltaba este sacrificio. Ya lo tengo hecho: también he sacrificado el amor.

Y se sintió orgulloso de renunciar a los halagos de un sentimiento que nunca se había atrevido a confesarse. Horas más tarde, a solas con Carmen Rosa, que daba los últimos toques al arreglo de aquel equipaje, donde con cada pieza o utensilio parecía que iba poniendo pedazos de su alma afligida, sintió él un súbito descorazonamiento y estuvo a punto de renunciar al viaje. Procurando reponerse, se dijo:

—Las raíces que se desprenden.

Y le preguntó a la hermana, cuando ésta cerraba ya la maleta de mano:

—¿No has olvidado nada que vaya a hacerme falta?

—Todo va.

Cerró la maleta, y tomándole las manos, le dijo tiernamente, dolorosamente:

—¿Por qué te vas, Reinaldo? ¿Por qué nos dejas?

—Chica, se trata de mi porvenir. Aquí lo estoy perdiendo lastimosamente.

—Pero ¿no volverás?

—¡Quién puede decirlo! Ahora no pienso sino en la ida. Después, ¿quién sabe?, pensaré en el regreso.

La muchacha bajó los ojos. El labio superior le temblaba como el ala de un pájaro herido.

—¡Vamos! No quiero escenas ahora. Sé fuerte. Ya esto es un hecho. Después de todo, lo que sucede es siempre lo mejor. Yo era un estorbo para ustedes y ustedes lo eran para mí.

Pero arrepentido de la dureza de sus palabras, agregó:

—Es necesario que nos separemos, chica. Ahora no podría explicarte por qué lo digo. Te lo escribiré y entonces tú comprenderás mejor.

—Escríbele siempre a mamá y a los tíos. Tú sabes que todos te queremos. Esta casa va a quedar muy triste.

Estas palabras sugirieron a Reinaldo la emoción de la casa abandonada. Imaginóse ausente ya, separado de su hogar por millares de leguas, y presintió las nostalgias.

Cada uno de los detalles de aquella casa iban a ser entonces evocadores de un mundo de recuerdos: la fachada antigua, lisa y austera, el ancho alero festoneado de hierbas que el viento sembraba entre las tejas, las seis ventanas siempre cerradas, el espacioso portón... y el interior silencioso, las viviendas vastas, los muebles viejos que tenían historias, los cipreses centenarios del patio de entrada, las araucarias del corral, ¡aquel corral que era un huerto donde por mayo florecían las orquídeas de Pablo Leganez! Preimaginaba la vida que de allí en adelante iba a discurrir en aquel caserón: la madre, gimiente, enjugándose una lágrima perenne, por él, por la ausencia de él; la hermana, apegada a sus santos y a sus recuerdos fraternales, como las cepas de flor de mayo a los naranjos del corral. ¡Qué inútil derramarse el del sol sobre aquellos patios! ¡Tan sólo para secar las albas y sobrepellices del padre Moreno! ¡Ya no habría en aquella casa ojos para la belleza de los rincones sugestivos, ni para la gloria del color en el jardín, ni para el oro de los atardeceres sobre los cipreses y las araucarias!

Pero aquellos pensamientos le hacían daño, y los rechazó enérgicamente.

Carmen Rosa comenzó a hacerle la cama. Lloraba mientras extendía las sábanas o mullía las almohadas. Luego, despidiéndose, presentó su frente al beso fraterno.

—¿El último, Reinaldo?

Profundamente emocionado, con lágrimas en los ojos, él la oprimió sobre su corazón largo espacio.

Media hora después, lleno el espíritu de los más contrarios sentimientos, se metió en la cama. Dejó la luz encendida mientras fumaba el cigarro, y, como de costumbre, púsose a pensar en lo que haría al día siguiente, olvidado de su viaje. Al cabo de un rato oyó el paso sigiloso de la madre, y, para evitar una escena dolorosa e inútil, fingió dormir.

Ana Josefa se acercó:

—Ya está dormido.

Un momento se quedó viéndolo. Apagó la luz y salió del cuarto en puntillas.

Partía. En el muelle estaban Menéndez y Alcor, que habían ido a despedirlo hasta el puerto. La sirena del vapor anunciaba que ya había tomado el cargamento. Chirriaban las gruesas cadenas arrollándose lentamente en las cabrias, como largas serpientes fatigadas; por la cubierta corrían los marineros atareados en las maniobras; el piloto daba órdenes apresuradas, como en la inminencia de un peligro; se soltaban las amarras, el ancla subía destilando agua, festoneada de algas; lento y majestuoso el navío se separaba del muelle y comenzaba a virar entre un hervor de espumas; a ratos borbotaba la hélice. Puesta la proa al horizonte, el barco comenzó a andar.

Caía la tarde. Detrás del cabo había un resplandor de oro; largos rayos de oro resbalaban sobre el mar; una chispa de oro brillaba como un yelmo sobre el Picacho.

Con el corazón oprimido, el viajero paseaba la vista por aquella tierra querida, en un extremo de la cual quedábanse sus amigos, sin duda con lágrimas en los ojos. Y él pensaba: «¡Qué bella eres, Patria, y cómo nos haces sufrir.»

Todos alimentamos el mismo pensamiento: abandonarte. Te quedarás sola, al fin, como una madre a quien

sus extravíos y desventuras quítanle los hijos. Llegará
un día en que por tus playas desiertas correrá desolado
el grito del mar, preguntándote: ¿Qué hiciste de los
hijos que te amaban? ¿Por qué los dejaste partir?
Y el oro de tus entrañas clamará contra ti: ¿Dónde
están tus hijos? ¿Dónde está Reinaldo? ¡Reinaldo!
¡Reinaldo!

Era Carmen Rosa que lo llamaba. Se incorporó en
la cama. Algo pesaba sobre su corazón y tenía los ojos
llenos de lágrimas: ¡había llorado en sueños!

Pocos momentos después arrancaba el tren, llevándoselo. En el andén se quedaron los tíos Allende, tristones, mustios. Menéndez y Alcor, emocionados y silenciosos, lo miraban alejarse. Cuando ya no los vió
más, volvió a su asiento, murmurando:

—Y va uno.

Menéndez y Alcor abandonaron la estación. El primero comenzó a decir, cuando repuesto de su emoción
pudo hablar:

—Esa teoría de la fuga no es nuestra ni de ahora.
Es una aspiración nacional y tan vieja como la nación.
Los venezolanos nunca nos hemos encontrado a gusto
en la Patria, y ya la literatura nacional ha explotado
bastante este tema. En realidad, la vida que aquí se
nos ofrece es poco halagüeña; pero la Patria no va
ganando nada con esta teoría de la fuga tan manoseada.
Acaso en todas partes haya descontentos, sin duda los
hay, pero en ninguna parte habrá más desertores. No
es el caso del que busca un medio más propicio para
sus actividades; no me refiero a eso, sino al aspecto de
patriotismo que reviste la fuga entre nosotros. Nuestro
patriotismo es negativo. Sólo se manifiesta en renuncia o en despedida. En nuestra literatura, los que se
encierran en sí mismos y los que se van son siempre
los que más aman a la Patria.

Hizo una pausa y luego continuó:

—¿Y por qué se van? ¿Por qué preferimos la lucha
y la obscuridad en el país extranjero y no las podemos
resistir en el propio? Sencillamente, porque aquello es
lo fantástico y esto es lo real. Al cabo de cuatrocientos
años hacemos lo que hacían los conquistadores, que
desdeñaban poblar y colonizar, preocupados solamente

de la eterna expedición El Dorado. El Dorado fué la ficción inventada por el indio para internar y perder al español, y la gota de sangre del indio que tenemos en las venas es lo que nos hace pensar hoy en la fuga a Europa, que es otro El Dorado.

Nuevo silencio y finalmente:

—Es amor a la aventura, al gran esfuerzo de un momento, por incapacidad para el pequeño de todos los días. Reinaldo Solar caracteriza perfectamente este caso nacional.

SEGUNDA JORNADA

I

Hacía un par de días que Antonio Menéndez trabajaba en su tesis de doctorado. Calmoso y tenaz, laboraba aquel pedazo del yermo de la jurisprudencia, enderezado el rejón de su estilo por la línea severa del concepto justo y conciso, desdeñando galanuras de lenguaje que a ratos tentáronlo, como a un anacoreta, pensamientos de liviandad, complaciéndose en aquella aridez que su pluma roturaba y volcaba en párrafos pesados, que eran como un coronamiento cónsono con la labor entera de sus años de estudio.

Concluyó, por fin, y sin releer el trabajo, guardó las cuartillas y púsose a valorar en seguida una factura de libros que acababa de recibir, sin transición de ánimo, sin detenerse un momento para echar una ojeada por el áspero camino recorrido.

Faltábanle solamente el examen final y la colación de grado; pero bien pudieran faltarle todavía más años de estudio: llegaba al término de la jornada universitaria sin emociones, como sin emociones la había emprendido y sin impaciencias había perseverado en ella.

Al cabo de un rato, concluído el trabajo de cálculo de precios y descuentos, apagó la luz que sobre el escritorio enrojecía la diurna obscuridad de la trastienda, y reclinándose en el respaldo de la silla, con la nuca apoyada sobre las manos entrelazadas, abandonóse a un reposo mental.

Por sobre los armarios de la librería penetraba un poco de la claridad de afuera, y como si flotase sobre

la penumbra del recinto de la trastienda, quedábase
en la blancura del techo raso y ponía una franja le-
chosa en lo alto de las paredes.

A ratos, por aquella claridad se deslizaban las sombras
desvanecentes de los transeúntes que pasaban frente
a las puertas de la librería. Menéndez se entretuvo
en contemplarlas, pensando que detrás de aquellos armarios atestados de libros que le impedían ver la realidad de afuéra, estaba él como el prisionero de la caverna
del Filósofo, ante un mundo de apariencias fugaces que,
no obstante, le bastaban plenamente para sus exigencias mentales.

El silencioso deslizamiento de aquella teoría de sombras por el techo-raso había sido para él, desde muy
niño, un espectáculo curioso primero y luego un entre-
tenimiento agradable.

Las más extravagantes fantasías infantiles ocurrié-
ronsele ante aquel paradójico trajín que animaba la
quietud de la trastienda; los más sabrosos sueños de
adolescente tuvieron allí su teatro apacible; las más
fecundas de sus reflexiones de hombre produjéronse
en las horas muertas que consagra a aquel pasatiempo
habitual. Toda su vida interior, la modalidad de su
inteligencia y de su carácter, tenían por base aquella
costumbre, en apariencia insignificante y pueril. Así
aprendió a recogerse en sí mismo y a bastarse a sí mismo, encontrando en el ejercicio del pensamiento la razón
de ser y la suprema finalidad de la vida, y pensando, solamente por pensar, se contentó en poseer las ideas, sin
experimentar nunca la necesidad de exteriorizarlas en
un libro, ni la tentación de ponerlas al servicio de un
fin práctico.

De aquí que se negara obstinadamente a escribir,
como se lo aconsejaran sus amigos, y de aquí también
que hubiera estudiado seis años de derecho sin propósito de ejercer la profesión.

No ejercería, porque para vivir le bastaba con lo
que le producía la librería, y no escribiría jamás, porque para ejercitar sus facultades pensantes allí estaba
la trastienda penumbrosa, con su techo-raso poblado
de sombras fugaces.

Aquella tarde, después de concluída su tesis doctoral,
la sabrosa costumbre ofrecíale un encanto especial. El

cerebro cansado pedíale sosegada divagación; la tarde
nubosa, esfumando e inmaterializando aun más las
sombras, era propicia a los pensamientos que, libres
ya de los duros moldes de los conceptos jurídicos, querían diluirse, eternizarse, deslizarse sobre motivos sencillos y banales, así como la esfumada claridad de
aquella tarde acariciaba mansamente los objetos familiares de la trastienda.

Entretúvose en estas reflexiones:

—Ahí va un niño. Apenas deja una sombra de sombras... Ahora una mujer; el color de su traje ha llenado de pasajera alegría el gris de la caverna... Un
hombre ahora... Esta sombra no ha pasado al azar; se
conoce que venía siguiendo a la otra y que irá definitivamente detrás de ella.

Esta idea lo distrajo de su sosegado pasatiempo.
Ya no pudo seguir atento al desfile de sombras por el
techo-raso, sino que, ensimismándose, púsose a buscar
en aquella otra caverna de apariencias de su corazón
un sentimiento que creía tener, pero que todavía no
estaba seguro de poseer en realidad.

Y al sumirse en esta exploración de la propia alma,
como quien adelanta una lámpara en la sombra para
alumbrarse los pasos, pronunció mentalmente un nombre
de mujer:

—Graciela.

La súbita llegada de Manuel Alcor interrumpió sus
pensamientos.

Plantándosele enfrente, sumamente alterado, Alcor
le dijo:

—¿Qué te parece? Acabo de saber que Reinaldo ha
regresado.

—¿Cuándo?

—Ayer.

—¡Cómo es eso! Si apenas hace dos meses que se
fué. ¿Viene enfermo?

—De salud, mejor que tú y yo juntos. El motivo de
su repentino regreso es seguramente alguna teoría
nueva. ¡Ah! ¡Como si lo estuviera viendo! Ya nos la
disparará. Y lo que es todavía peor: tratará de impo-
nérnosla.

Entretanto, devoraba a grandes trancos el reducido
espacio de la trastienda, derribando una pirámide de

clásicos que acababan de ser desembalados y estaban
sobre una silla.

Menéndez sonreía viéndolo:

—¡Quién sabe, Manuel, cuál habrá sido la causa de
este intempestivo regreso de Reinaldo!

—Pero ¿es que tú no conoces a Reinaldo? ¡La causa!
La misma que tiene la veleta para voltearse para donde
sople el viento. Y perdona la novedad de la metáfora.

—Tienes razón.

Hubo una pausa. Luego, Alcor, deteniéndose de
pronto, dijo:

—Lo que me sulfura no es que Reinaldo haya desistido de sus propósitos, porque cada uno hace de su
saco un sayo, y por otra parte, ya estamos acostumbrados a eso, sino que yo haya incurrido en la imperdonable candidez de creer en la conquista del Viejo
Mundo.

—Verdaderamente, es extraño.

—Inconcebible. Yo no quería dejarme arrastrar; a
ti te consta. Pero me arrastró, me sedujo.

—Oíste cantar la sirena.

Y mientras Alcor volvía a sus desaforados paseos,
continuó:

—Después de todo, la cosa no es tan grave como te
parece. ¡Quién no se ha parado un momento a oír cantar la sirena! Reinaldo no ha hecho otra cosa hasta
ahora, y eso sí es malo. Yo también había puesto una
esperanza en ese viaje a Europa: creí que allá, una vida
distinta, la necesidad de trabajar formalmente, de
hacer y completar la obra, y sobre todo, el roce con las
realidades que aquí soñamos como cosas imposibles,
contrapesarían el desbordamiento de la imaginación de
Reinaldo. Pero tal vez fué eso, precisamente, lo que no
pudo resistir; le hace falta esta carencia nuestra de
ideales realizados para abandonarse a sus anchas a lo
fantástico.

Se interrumpió a una exclamación de Alcor:

—¡Eureka! ¡Canta la sirena! ¡Magnífico!

—¿Qué te pasa?

—Que se me acaba de ocurrir un drama, con título
y todo. «Canta la Sirena».

Y siguió paseándose, presa ahora de un frenesí jubiloso. Brillábanle los ojos, y entre ratos, con desgar-

bados movimientos que hacían sonreír a Menéndez, lanzaba los brazos en el aire y se daba violentas palmadas en la frente. Su enojo se había disipado totalmente.

Menéndez pensaba, mirándolo poseído de la febril excitación literaria:

—Este Alcor siente solamente para escribir. Sus sentimientos se están transformando en palabras, y cuando ya estén todas hechas y escritas, el corazón se le quedará desocupado y frío, como si nunca hubiera experimentado las emociones que ahora lo ponen vibrante. Tal vez eso sea lo que constituye el verdadero temperamento del simple literato y lo que lo distingue del artista. El artista verdadero exterioriza sus sentimientos, pero se queda con ellos, que son su propia substancia; el literato los posee sólo como impulso inicial, como materia prima para elaborar artículos y libros. Ésa es la falla de Alcor; su obra será por eso impersonal. En cambio, la de Reinaldo será propia, inconfundible.

—¡He aquí el hombre! —dijo Alcor, anunciando a Reinaldo.

Menéndez se paró a saludarlo. Alcor lo saludó bromista.

A Reinaldo le pareció poco cordial la acogida. La intranquilidad de su ánimo le hizo sentir esto de manera excesiva.

—Veo que no los ha sorprendido agradablemente mi llegada. Se siente en el aire la tirantez de la situación enojosa. Y eso que pretendí darles una gratísima sorpresa, por lo cual no quise participarles mi regreso.

—No nos ha sorprendido —explicó Menéndez—, porque ya sabíamos que habías llegado. De eso hablábamos, precisamente.

—Y no nos ha sorprendido agradablemente —agregó Alcor, recalcando las palabras—, porque tememos que no hayas podido realizar en tan poco tiempo tantas cosas como te proponías.

—Espero que me harán justicia cuando les haya explicado los motivos de mi regreso.

En apariencia era un fracasado. Regresaba de Europa, en donde apenas estuvo unos días y a donde fué lleno de ilusiones estupendas y de grandes esperanzas, y de esa breve estancia sólo traía, como impresión de viajero, el resabio de unos días invernales y de un tumulto de vida extraña en la cual se sintió descentrado y desorientado.

Alcor lo interrumpió para preguntarle:

—¿Y la tragedia?

—Ahí vino en mi maleta, como mercancía maula en el fondo del cajón de un buhonero.

—Pero apenas tuviste tiempo para leérsela a uno.

—Ni siquiera eso hice. Desistí del propósito en cuanto me convencí de que hay cosas que valen mucho más que el renombre literario. Bien vale esta experiencia el dinero y el tiempo que me ha costado.

Y como viese que Alcor sonreía, agregó:

—¿Fracaso? Bien. No negaré que lo hubo. Pero en cambio, ¿cuánto no vale este hallazgo de mí mismo, que me ha hecho regresar de prisa? He comprendido que no soy literato. Mis ideas y mis anhelos van mucho más allá del libro. Mucho más allá.

—¡Canta la Sirena! —murmuró Alcor, aparentemente absorto en la contemplación de las desvanecentes coronas que en el aire formaba el humo de su cigarro.

Al mismo tiempo, Menéndez preguntó:

—¿Quiere decir que renuncias a la literatura?

—Sí. Es fraude gastar en letras la energía que se debe emplear en la acción. Después de todo, una vida activa y fecunda es también bella como una obra de arte.

Alcor estalló:

—¡Frases! ¡Frases efectistas! Aunque no quieras, seguirás siendo literato.

—Es una opinión tuya, muy personal. Pero los resultados dirán lo que verdaderamente soy. El hecho es que me he convencido a buena hora de que no vamos a componer este país con versos y novelas.

—¿De modo que tú has venido a componer el país?

—Te advierto que creo que tengo derecho de hacer lo que juzgue mi deber. En Europa sentí la Patria como nunca la he sentido antes. No la nostalgia trivial y cursi, sino la emoción verdadera de eso que se llama el suelo nativo y que me había parecido hasta entonces frase hecha y lugar común. Sentí que allá no era yo sino unidad de montón anónimo, desligado de todo vínculo con los demás, impasible hasta para la emoción, el paisaje. Eché de menos mi tierra. Sí, mi suelo, del

cual soy un producto genuino y con el cual tengo con-
traída una obligación histórica. El miedo al ridículo
y la manía de análisis nos hacen despreciar cosas que
de por sí son respetables, hermosas y verdaderas; pero
a pesar del ridículo, lo diré como lo siento: en este
suelo ha corrido sangre de la mía; por este país han
sufrido y combatido mis antepasados, y si ellos supieron cumplir su deber, yo también quiero cumplir el mío.

Apenas lo hubo dicho cuando Alcor, parándose de
un salto, cogió su sombrero y salió de estampía, sin
despedirse.

Hubo silencio. Reinaldo, iracundo, no encontraba
las palabras y se paseaba de un extremo a otro de la
trastienda, pálido, tembloroso. Menéndez sufría viéndolo. Lo observó detenidamente, con una mirada paternal.

Reinaldo había adelgazado notablemente; en torno
a los ojos se le marcaban profundas ojeras lívidas; el
rostro tenía un tinte amarillento. Receló la enfermedad
minando aquella naturaleza donde cada deseo era un
incendio y sintió un impulso protector hacia aquella
vida preciosa y amada que veía en peligro.

Apaciguado un poco el violento enojo que la conducta
de Alcor le había causado, Reinaldo se encaró con Menéndez:

—Y a ti, ¿qué te parece? ¿Qué opinión te merezco?

—Hablemos de otra cosa. De tu viaje, de tus impresiones. Es más natural y más agradable.

—No. Es hora de poner esto en evidencia. Yo necesito saberlo de una vez. Me es imprescindible conocer
el concepto en que me tienes. Debo decírtelo con absoluta sinceridad: tú me has hecho mucho daño en la
vida. Yo siempre he tenido miedo de acercarme a ti
a comunicarte mis ideas, mis proyectos. Miedo a tu
manía de análisis, a tu sistema de crítica a todo trance.
Mis mejores entusiasmos se han desvanecido siempre
apenas te los he comunicado; tienes la propiedad de
desalentarme, de descorazonarme totalmente. ¿Es que
seré verdaderamente un mentecato, un quijote ridículo?
¿Es que no vale la pena, efectivamente, preocuparse
por los ideales? ¿Serás tú quien tiene razón? Tú, que
no crees en nada, que menosprecias las cosas más graves y trascendentales de la vida?

Sorprendido, más que ofendido, Menéndez se quedó viéndolo hasta que concluyó de hablar. Luego, parándose de su asiento y procurando no perder su serenidad, le dijo:

—Me haces cargos injustos. Repara en lo que dices. Y cambiemos de tema; te lo suplico.

—Es que...

—Es que estás hablando como un insensato.

Mantuviéronse buen espacio sin verse y sin hablarse. Reinaldo paseándose agitadamente; Menéndez revolviendo la papelada de su escritorio, por hacer algo. Entretanto, pensaba:

—Esto no acaba de ocurrírsele; yo ya había adivinado hace tiempo que lo pensaba y necesitaba decírmelo. ¿Tendrá razón? ¿Será cierto que yo soy quien le hace desistir de sus propósitos, quien destruye sus entusiasmos?

Mientras tanto, Reinaldo se había sentado, quedando en una actitud de abatimiento, como si la violencia de sus emociones lo hubiese rendido. Al cabo de un rato hizo el ademán de alejar de sí una idea mortificante, y dijo, levantándose:

—Bien. Ahora no es oportunidad para desagraviarte, si te he ofendido. Entre nosotros media algo que no se puede destruir con unas palabras dichas en un momento de ofuscación. En realidad, desde hace algunos días, todos mis pensamientos parecen gobernados por una fuerza ciega y loca. No sé a dónde me llevará; pero tampoco quiero resistir a su influjo. Muchas veces te he hablado de un sueño habitual que tuve por primera vez a los diez años y que desde entonces se ha venido repitiendo con frecuencia cada vez mayor. En estos últimos tiempos no he dejado de soñarlo una sola noche.

Menéndez, que lo miraba de reojo mientras tanto, se le encaró interrumpiéndolo:

—¿Sabes lo que me parece? Que estás representando un papel.

—Y, sin embargo, te aseguro que soy absolutamente sincero en este momento. Sincero conmigo mismo. Tengo un miedo atroz a sobrevivirme; siento que me sobreviré, que me quedaré sin una ilusión, sin un ideal, como el árbol de mi sueño se queda sin hojas. Pero así como éste hace esfuerzos desesperados para alimentar **y** afirmar la única hoja que le queda, así yo me aferro a este ideal, a este propósito de ahora, que tal vez sea el último.

Había tanta sinceridad en la inflexión de su voz y tanta amargura en sus palabras, que Menéndez se conmovió profundamente.

—Efectivamente, Reinaldo; te has prodigado inútilmente soñando empresas colosales. Pero eso es buen síntoma, porque quien a los veinte años no ha pretendido ser héroe o santo no pasará jamás de ser hombre mediocre. Sólo tengo que advertirte que el heroísmo está en el extremo de muchos caminos y que creo que cada uno debe seguir el de su vocación. No hay vida insignificante si ha sido fecunda y útil. Esa máxima es tuya y me parece justa. Pero te equivocas al creer, como acabas de decirnos ahora poco, que es fraude gastar en letras la energía que se debe emplear en acción. Hombre de acción es todo aquel que trabaja en su obra y la lleva a cabo.

—De acuerdo. Pero mi vocación no es la literatura. Mi temperamento y mis principios me inclinan por otro camino. Creo que en todo literato hay un creador fracasado, porque escribir es una manera fácil de realizar lo que se ha podido o sabido ejecutar. Ése es el peligro de la literatura: engaña con apariencias de acción. Y en este país, sobre todo, ha sido eminentemente nociva: los hombres capaces de ejecutar se han contentado con escribir.

—Acaso no haya habido otra cosa que hacer por el momento.

—Realizar los sueños. Hacer patria.

—Recuerda lo que respondió Goethe a quienes le recriminaban no haber amado a su patria.

—Sofismas, para justificar el egoísmo. El patriotismo es un sentimiento concreto que debe manifestarse en hechos concretos, en acción real.

—Las palabras también son acción, Reinaldo.

—Con palabras no haremos sino marearnos mutuamente.

Menéndez quedóse mirándolo un buen espacio, y luego le preguntó:

—Y tú, ¿tienes otra cosa que no sean palabras?

—¡Hechos! Voluntad de hacer. Propósitos de acción.

Y Menéndez pensó:

—Incorregible, idealista; llamas hechos a tus sueños.

—En concreto — dijo Reinaldo poniéndose de pie —. Tengo un plan que te haré conocer otro día, con más calma; pero necesito saber ahora si puedo contar con tu colaboración.

—Veremos. Veremos. Tú me has hecho pensar hoy cosas que no se me habían ocurrido. Tal vez yo no pueda colaborar en esa empresa tuya.

Reinaldo creyó penetrar la intención de estas palabras y dijo:

—Lamentaría que un resentimiento injustificable entre nosotros te haya hecho hablar así.

—Te aseguro que no hay tal resentimiento. Es cuestión de estado de ánimo, nada más. Yo también he tenido mis crisis espirituales. Confieso que en estos últimos días he atravesado períodos de sentimentalismo agudo, de misticismo casi. Más que nunca he anhelado la escondida senda. Hasta he sentido la necesidad de creer en Dios, de rezar, de entrar a menudo en las iglesias. Será la desconfianza en el hombre; yo creo que el hombre ha dado ya todo lo que tenía que dar en el orden espiritual.

—¡No! ¡Mil veces no! La fuente humana no se agotará jamás. Cuando el hombre entrega su corazón, sobrepasa la medida de todos los dones y realiza los milagros imposibles. Lo que sucede es que el hombre entrega su corazón muy pocas veces.

—Yo también quiero consagrar el mío; pero ya te digo: silenciosamente, sin aparatos, y a una devoción sencilla: al amor de una mujer.

Reinaldo se quedó mirándolo, y luego, saliendo, dijo:

—Ahora hago yo como Alcor. Indudablemente, el mundo se está volviendo loco.

Menéndez volvió a su rincón de la trastienda. La conversación con Reinaldo le había dejado el espíritu lleno de desapacibles sentimientos. Sin tomar cuerpo, sin adquirir una forma expresable en una idea determinada, las impresiones de aquella escena llena de momentos absurdos, le habían dejado en el ánimo el vago malestar que experimentaba cada vez que se encontraba en presencia de algo ilógico o incongruente que alterara las normas de la naturaleza o rompiera la armonía de lo razonable. El espectáculo de la violencia, en cualquier orden que se manifestase, le producía desasosiego y tristeza, y este sentimiento era ahora tanto mayor, cuanto era profundo y tierno el afecto que profesaba al amigo; nada lo afligía tanto como ver a Reinaldo batallando dentro del torbellino angustioso de sus exaltaciones, de sus deseos inconstantes y siempre desordenados, que le producían a él la impresión de un cataclismo espiritual.

Pero ahora una secreta voz de su corazón en crisis sentimental le pedía justificaciones para Reinaldo. En aquellos momentos finales de su carrera de estudiante, cuando el grado de doctor iba ya a coronar una labor ardua, hecha sin cariño, en la cual el hierro de su voluntad, trabajado en frío, había adquirido la forma dura y rígida de la perseverancia sin finalidad, otro que no fuese él se habría envanecido en su constancia y cantado la propia epopeya. Pero no; por el contrario, él echaba de menos esos cambios de dirección, atajos y encrucijadas del destino, que dan variedad y encanto al camino de la vida. Vía férrea y recta había sido hasta allí el suyo, sin una vuelta de sorpresas, sin una derivación pintoresca, sin un salto sobre abismos de imposibles, sin una sumersión en la obscuridad que desorienta y hace sentir la voluptuosa angustia del extravío; no el camino bordeado de setos vivos por donde va quedando la carrilada del alma, aquí segura y profunda, allí leve, perdida más allá en la charca llena del azul de los altos cielos, que es remanso de sueños, derecha y firme ahora por la recta de un propósito, desigual y perezosa luego por el sendero abandonado, que es camino muerto de místicos arrobamientos. Tal había sido el de Reinaldo, andando a ratos con prisa de locas carreras, y a ratos desandando en tornadas imprevistas; pero Menéndez, al compararlo con el suyo, pensaba que si el amigo, en su perenne búsqueda de la obra trascendental, había derrochado en vano su voluntad, tampoco él había hecho otra cosa en su larga jornada universitaria, puesto que la carencia de finalidad generosa quitaba a su constancia todo valor.

Por otra parte, esta reivindicación del amigo pedíasela el corazón, como para abroquelarse contra un

mezquino sentimiento que las circunstancias podían fa-
vorecer. Antonio Menéndez se había enamorado de
Graciela Aranda.

A menudo encontrábanse en la calle, cuando ella
salía a dar sus clases y él a recibir las suyas en la
Universidad. La frecuencia de estos encuentros fué
estableciendo una deliciosa costumbre, que a vuelta de
poco le fué imprescindible. Saludábanse de una acera
a otra; al principio con una mirada corta que apenas
duraba lo que el ademán del saludo; luego con una mirada larga, pero serena y discreta, y finalmente con
una inequívoca turbación mutua. De resto, nada que
pudiera dar a entender que aquellos encuentros no
eran tan casuales como parecían, pues ella los procuraba haciendo todos los días el mismo trayecto, y él,
esperando la hora acostumbrada para hacer el suyo
hasta la Universidad. Así pasaron días, meses. Antonio
Menéndez, receloso de que Reinaldo hubiese estado
alguna vez, como él lo sospechó, enamorado de Graciela,
no quiso nunca pasar de allí; pero convencido después
de que el amigo no pensaba en la muchacha, decidió
abandonarse a la voluntad del destino que regulaba
tales encuentros.

Ahora, el regreso intempestivo de Reinaldo volvía
a ponerlo en vacilación; pero ya el amor se había formado y crecido, y el natural egoísmo no le permitió,
como un momento lo pensara, renunciar a aquello que
ya era su vida, en obsequio del amigo.

Con este sentimiento se echó a la calle, poco después
que Reinaldo hubo salido de la librería. De camino
iba pensando, con las reminiscencias de sus lecturas
de Emerson, que en cada vida hay una hora central,
la hora pensada por Dios, la única viva y verdaderamente nuestra, en la cual se decide la suerte y se define
el rumbo final. Y como el vago sabor místico de esos
pensamientos armonizaba perfectamente con su estado
de ánimo, se entregó a ellos sin reservas mentales.
¿Acaso aquella dulce hora de una tarde sin crepúsculo
no sería su hora pensada por Dios? Si lo era, su destino
no tenía, en verdad, nada de extraordinario; aquellos
pasos no le conducían ni al heroísmo ni a la santidad,
pero la misma trivialidad de su acto era lo que más
grato podía serle entonces. Una vida sin complicacio-

nes, un destino sin trascendencia, serían, en cambio, verdaderamente suyos, los gozaría en más íntima y segura posesión.

II

Como en los generosos días de la adolescencia, Reinaldo saltó del lecho con las primeras luces del alba. Sentía retozar en sus nervios y en sus músculos el ansia de jubilosos esfuerzos, y para tal ansia deseaba, más que la labor tranquila y pensativa del escritorio, el convite de aquella cresta del Ávila que desde su ventana veía, bañada de sol; o de un trozo de mar con vastos horizontes hacia los cuales romper, con la quilla del pecho ufano, la blanda y fresca resistencia del agua; o de una altura erizada de riesgos mortales sobre la cual estuviese la bandera de la Patria, invitándolo al asalto, como una promesa de amor en los ojos de una mujer; o la aventura galante, discreta y escabrosa, en cuyo término él había visto resplandecer una promesa de amor en los ojos de una mujer, como una bandera sobre una cumbre.

Pero había que terminar aquel Manifiesto, darle forma definitiva a la obra que se propusiera al regresar a la Patria.

Su triunfo de la víspera —porque su conferencia había sido un triunfo cabal— y la promesa que hiciera en la última frase le imponía la obligación de presentar cuanto antes, en una forma concreta y precisa, aquel plan de la vasta obra que había de realizar en el país su proyectada «Asociación Civilista»: «...y yo prometo grandes cosas». De este modo había rematado su conferencia, entre los aplausos del auditorio que llenaba la sala de la Academia de Bellas Artes y que desde las primeras palabras habíase mostrado subyugado por aquel joven que se erguía, arrogante y tribunicio, sobre el fondo de epopeya de la «Penthesilea», de Arturo Michelena, diciendo cosas hermosas y audaces.

No estaba Reinaldo bien seguro de lo que prometía cuando pronunció aquellas palabras, y ahora, pasada la fiebre de la elocuencia, parecíanle bizarra jactancia, un poco pueril; pero no podía este resquemor tanto como para que le turbase el íntimo saboreo de un sentimiento que estaba llenándole el corazón, bullente como el agua en el cuenco sonoro del cántaro.

Reteníale este sentimiento la pluma en las manos ociosas y parábale el pensamiento en un ápice de orgullo, como un pájaro cumbreño en la cresta del Picacho, en cuya dureza roquiza finca y prueba el temple de la garra. Complacencia de sí mismo, certidumbre del propio valer, sustentábanle el ala de ambición presta a tenderse por el aire ardiente de la lucha, y dilatábanle la fantasía en perspectivas de fama y de dominio. Ya había dado el zarpazo que le aseguraba la posesión de la presa: su triunfo fué el de un hombre prestigioso en el país y el de una inteligencia cuya revelación causó sorpresa y cuyo señorío afirmóse desde el primer momento en la opinión del auditorio.

Pero no era el halago de la vanidad, sino el orgullo de estar por fin en su camino. Para esto fué necesario —pensaba— el viaje a Europa, con aquella ambiciosa empresa entre manos, cuyo fracaso habría sido definitivo en su vida, si a trueque no hallara, como halló, la obra grande y generosa tras de la cual había corrido siempre, engañado por los espejsimos de su fantasía.

Reconstruía mentalmente los acontecimientos que lo desviaron de aquel propósito jactancioso.

Fué en Madrid, en casa del cónsul de Venezuela. Era ése un escritor venezolano, apartado hacía tiempo del ejercicio activo de la literatura, en la cual, decía humorísticamente, había pasado a la clase de reservista después de haber hecho el servicio obligatorio de las letras patrias entre los veinte y treinta años. Reinaldo le había leído su tragedia y le acababa de comunicar su propósito:

Él le dijo:

—Querido amigo: yo no quisiera desanimarlo. Su tragedia es muy hermosa y su propósito bastante bizarro. Pero no se haga ilusiones: no logrará usted que se la pongan en escena. Aquí, como en todas partes, hay círculos cerrados en los cuales no entra fácilmente el extranjero. Para nosotros, los venezolanos, esos círculos se convierten en fortaleza inexpugnable. Aquí nadie cree que podemos ser artistas o escritores dignos de atención; el pedestal sobre el cual nos levantamos, nuestra pobre Patria, es demasiado pequeño, demasiado chato. Por otra parte, yo creo que la conquista que debemos emprender nosotros no es la de Europa, donde nunca pasaremos de ser «indiecitos», sino la de nuestro suelo, la de nuestro propio país, donde espiritualmente somos algo menos que extranjeros.

Estas palabras fueron para Reinaldo abrumadoras, decisivas. Todo su entusiasmo se disipó súbitamente y entonces comprendió que su proyecto había sido una jactancia pueril.

Se sintió anonadado, avergonzado de sí mismo. El cónsul advirtió el deplorable efecto que sus palabras habían causado y trató de atenuarlas:

—Esto se lo digo para que se prepare para una lucha brava y tenaz. Yo creo en el éxito de su obra; pero debo advertirle que le costará trabajo llevarla a la escena.

Él le respondió:

—Acabo de desistir de ese propósito.

El cónsul trató de persuadirlo; pero lo interrumpió la llegada de una visita, los esposos Mendeville, que iban a despedirse de él, próximos a regresar a Venezuela.

El corazón de Reinaldo dió un vuelco violento cuando apareció en el saloncito la señora de Mendeville; su mano temblaba cuando, presentado a ella por el cónsul, estrechó la de la hermosa mujer.

Luciano Mendeville se lo quedó viendo, con una turbia mirada de tardía comprensión, y le preguntó:

—¿Venezolano?

—Sí, señor.

—¡Ah! Pues somos compatriotas. ¡Y a mucha honra!

Y en seguida, dirigiéndose al cónsul, acometió una tesis a la cual llamaba su «ideíta» y que consistía en asegurar que, a pesar de todo cuanto se calumniaba y se despreciaba en Europa a los venezolanos, éstos valían más que cualquier europeo.

Entretanto, Rosaura Mendeville decía a Reinaldo:

—Ya nos hemos visto otra vez. ¿Recuerda usted a Olguita, mi muchacha? Aquella tarde en el Calvario, hace un año más o menos.

—¡Cómo no he de recordarla!

—Pobrecita mi muchacha. ¿Me creerá usted si le digo que la hemos dejado allá?

—¿De veras?

—Quedó con mi hermana, en Caracas. Ya me parece que no llego para abrazarla, para comérmela a besos. Es tan simpática mi muchachita, ¿verdad?

—Y tiene el don de la adivinación. Al ver a alguien, descubre cómo se llama — dijo Reinaldo con intención remota.

Ella se turbó y rió con una risa fresca y musical. Luego dijo:

—¿Está usted recién llegado a España?

—Llegué hace cinco días.

—¿En viaje de estudios?

—En viaje de salud.

—¿Está usted enfermo? Nadie se lo creería.

—Es un mal espiritual; la enfermedad del sol tropical: espejismos.

Y como advirtiera que ella no le entendía:

—Fantasías. Pero ya estoy curado.

—¿Tan pronto? Feliz usted que pudo encontrar la salud con tanta facilidad.

Y la mirada de los ojos ligeramente sesgados se veló de tristeza.

Reinaldo la contempló en silencio. A su mente acudió el recuerdo de aquella noche, en La Guaira, cuando se detuvo ante la casa de ella a oír el nocturno de Chopin, y terminada la música, oyó aquella frase que le reveló la tragedia oculta en el corazón de aquella mujer que sonreía como «La Gioconda» de Leonardo. Bajo el imperio de esta evocación dijo, indiscretamente, con el nudo de la emoción en la garganta:

—Ciertamente, hay males recónditos y tenaces que no se curan viajando. ¿Verdad?

Ella lo miró a los ojos. Reinaldo se turbó hasta el fondo del alma: aquella mirada había de ser decisiva en su vida; sintió que lo había atado para siempre a la fatalidad del amor.

Y lo invadió una profunda tristeza. Su vida no tendría de allí en adelante más objeto que el amor de aquella mujer; ¡su vida, que él quiso siempre consagrar a una obra trascendente, digna de dioses!

Era la crisis melancólica de aquel súbito aplana-

miento en que lo arrojaron las palabras que antes había
dicho el cónsul.

La conversación se generalizó. Luciano Mendeville
seguía dándole vueltas a su «ideíta», con la tenacidad
del idiota. La señora hacía esfuerzos desesperados por
librar a sus interlocutores de aquel círculo cerrado de
sandez que la apenaba. Luego, el cónsul le rogó que los
obsequiase, por última vez, con un poco de buena música.

Reinaldo la acompañó al piano. Ella le preguntó:

—¿No toca usted?

—No, señora. Y me avergüenza decirlo.

—Es raro, verdaderamente, habiendo sido su padre
un gran pianista. Recuerdo que cuando yo estaba pequeña oía hablar mucho de él y no tenía otra ilusión
sino oírlo tocar. Usted no sabe cuánto le recriminaba
que hubiera abandonado la música. Para mí, estaba
cometiendo un pecado, un robo, porque el artista no se
pertenece a sí mismo, sino a su arte.

—Papá fué un equivocado — respondió Reinaldo.

Y ella dijo, suspirando:

—Así somos muchos. ¡Y qué cosa tan horrible, amigo
mío, es ser un equivocado!

Sus dedos corrieron sobre el teclado ensayando escalas rápidas y juguetonas. Luego adoptó una actitud
extática y comenzó a tocar, después de dirigir una
breve mirada al joven. Era un nocturno de Chopín, el
mismo de aquella noche inolvidable para Reinaldo.

Oyéndolo, éste experimentaba contrarias emociones.
Súbita, irrefrenable, había saltado en su pecho la pasión
amorosa.

Comprendía que de allí para adelante su vida estaría
encerrada en el círculo de la sensualidad. Asustado
ante la brusca presencia del amor, de aquel amor ti-
ránico que amenazaba absorber y consumir todas las
fuerzas de su espíritu, sentía al mismo tiempo la voluptuosidad del dolor, el ansia mística del sufrimiento, la
sed romántica que nunca había podido aplacar. Eran
sentimientos pueriles, crepúsculos del ánimo, que iban
envolviéndolo al ritmo de aquella música dolorosa y
femenina, en la cual se movía angustiosamente el soplo
de la trivial tragedia de amor, de la fatalidad vulgar
que ata al espíritu libre en la rueda implacable de la

vida. Comprendía que en lo sucesivo el amor de aquella
mujer, el ansia de poseerla, iba a ser su único objetivo,
a costa del sacrificio de sus ideales, y que esto era
sobrevivirse; pero no podía o no quería pensar que
estaba en sus manos librarse de esta fatalidad que lo
condenaba a hacer de él uno de tantos enamorados vulgares. Y era tan lúcida y vehemente esta visión de su
porvenir, que llegó a sentir compasión de sí mismo.

Concluído el nocturno, Rosaura Mendeville dijo:

—¡Ah, Chopín! ¿Qué tendría Chopín cuando com-
puso este nocturno?

—Estaba enamorado — dijo el cónsul.

Y Reinaldo agregó:

—Y ya que no podía dejar de estarlo, lloraba y se
desesperaba. La historia de todos los días, la tragedia
cotidiana.

Rosaura se quedó viéndolo largo rato, como si le
reprochara sus palabras, y luego comenzó a tocar un
vals del mismo Chopín.

Era una música apasionada y voluble, a través de
la cual corría una frase que parecía expresar un ansia
desesperada de amor, que se repetía en todos los tonos,
a veces melodiosa y dulce como una súplica, a veces
aguda y ardiente como un grito, a veces grave y dolorosa como un sollozo; todas las modulaciones de la
pasión las recorría a lo largo del piano aquella frase
inquietante sobre la cual la pianista parecía poner ín-
tegra la desesperación de su alma atormentada.

Enardecida, con los ojos llenos de lumbre, fué a
sentarse luego al lado de Reinaldo. Se habló un rato
de Chopín y de su música, que Rosaura Mendeville
calificaba de enloquecedora. Luciano Mendeville dijo
que él la aborrecía, porque su mujer no tenía más ocupación que tocar aquellos nocturnos que la enfermaban,
agregando que para quitarle aquella manía había gas-
tado un dineral en viajes y temperamentos.

—Pero todo ha resultado inútil. Ya estoy cansado de
andar de la Ceca a la Meca. Rosaura no abandonará
al tal Chopín por nada de este mundo. Además, mis negocios reclaman mi presencia. Hace un año que los tengo
abandonados, y ya saben ustedes que el ojo del amo
es el que engorda al caballo.

Rosaura, con visible mal humor, se dirigió a Reinaldo:

—¿Y usted piensa pasar mucho tiempo en Europa?

Él la miró a los ojos y respondió, bajando la voz, como para que ella sola oyese:

—No. Regreso a Venezuela en la primera oportunidad. Ya no podré quedarme aquí.

Ella se turbó bajo su mirada y dijo, sin darse cuenta:

—No sea loco.

En seguida trató de reparar su imprudencia, pero comprendió que sería inútil y guardó silencio, pensando:

—Lo que tiene que suceder, sucederá siempre.

Días después, Reinaldo regresaba a Venezuela. Un escrúpulo de primerizo le hizo tomar otro vapor que el que habían escogido los esposos Mendeville. La soledad y la impaciencia le hicieron eterna la travesía. Durante ella tuvo momentos de vacilación. Arrepintióse de haber desistido de sus propósitos por seguir a una mujer y esto empeoró su deplorable estado de ánimo. Una noche, contemplando el mar, tuvo pensamientos suicidas.

Pero al acercarse a las playas de la Patria experimentó una saludable reacción. Pensó en la desairada actitud en que lo pondría entre sus amigos aquel absurdo regreso, con el rollo de su tragedia en el fondo de su maleta, como una mercancía maula en el cajón de un buhonero; recordó las palabras del cónsul, y un propósito nuevo se adueñó de su voluntad: conquistar el propio suelo, donde, efectivamente, era él poco menos que un extranjero.

Pero para esta flamante conquista no era la literatura la vía de hecho más eficaz; menester era encontrar una forma de acción personal, concreta, positiva, que correspondiese adecuadamente a las necesidades de su país, abriendo nuevos rumbos, estableciendo nuevas normas.

Apresuradamente dióse a la tarea de concretar en un plan de acción este flamante propósito, temeroso de que el barco arribase a las playas nativas sin que él hubiese encontrado aquellos «nuevos rumbos» y aquellas «nuevas normas» que, por más que quisiese sugestionarse, bien comprendía que no eran aún sino frases hechas, sonoras a fuerza de ser vacías. Ya desesperaba de encontrarlos, cuando una conversación oída a un compatriota que regresaba también a Venezuela después de una larga ausencia, le dió la clave anhelada.

Era el compañero de viaje un celebrado hombre de ciencia que había ganado lauros en las Universidades y Academias de la civilizada Europa, adquiriendo una envidiable reputación que era motivo de orgullo nacional. No obstante, quejábase de haber perdido veinte años de su vida, pues aseguraba que si se hubiera quedado en Venezuela, ya sería, por lo menos, ministro del Ejecutivo.

Lo dijo entre chanzas y veras; pero Reinaldo lo interpretó como un síntoma de venezolanismo agudo. Sólo a un venezolano podía ocurrírsele la satisfacción más levantada y perdurable de poseer una reputación intelectual cimentada en los nobles títulos del saber.

Y de esta reflexión surgió, rápido, el plan de acción concreta y positiva que estaba buscando. Era necesario desviar las energías nacionales de ese cauce único: el logro del Poder público, cerrando las avenidas a los arribistas, emancipando las fuerzas vivas de la nación de la voracidad del insaciable Moloch de la política, cuya ración de inteligencia y caracteres sólo deja a las otras formas de la actividad del país un rezago de medianías improductivas.

La idea no era nueva; pero sí constituía un verdadero hallazgo el modo cómo se le ocurrió llevarla a la práctica.

Fundaría una asociación «sui géneris», especie de hermandad neo-mística, cuyo lema sería «Hacer Patria», formada por hombres de buena voluntad de todos los oficios, profesiones, rangos y aptitudes, que estuviesen dispuestos a cumplir este sencillo deber fundamental: trabajar honrada y tesoneramente, cada cual dentro del radio de su acción privada, sin miras políticas, ni bastardas codicias, a fin de que todas las formas de la vitalidad nacional fuesen fecundas, útiles, sanas y fuertes.

El programa de la hermosa utopía acababa de ser lanzado al público; su conferencia había sido la piedra angular del audaz edificio. Razón tenía para estar satisfecho de sí mismo, como en los generosos días de la adolescencia.

III

Puesto a la tarea de buscar los hombres de buena voluntad para formar el núcleo primordial de la asociación civilista, Reinaldo se echó a la calle provisto del Manifiesto que escribiera y que contenía las bases esbozadas en su conferencia.

Apenas hubo caminado unas cuadras, cuando alguien que venía en su seguimiento, acortando el paso al ponerse a su lado, le dijo, con aire misterioso:

—Solar. Yo sé donde están los hombres que usted busca.

Era un joven de contextura atlética, estudiante de derecho, del cual conocía Reinaldo graciosísimos desplantes que le refiriera Antonio Menéndez.

—Permítame que me presente yo mismo: soy Francisco López.

Reinaldo le estrechó la mano, soportando estoicamente el efusivo apretón de López. Éste volvió a decir, con aire misterioso:

—Yo puedo decirle dónde están los hombres que usted busca. Desde que oí su conferencia he estado pensando en hablar con usted. Los hombres de su proyecto somos nosotros, los jóvenes, los estudiantes. Nosotros le esperábamos a usted. Es decir: esperábamos al hombre de la buena nueva. Yo he visto en usted a ese Mesías. Por el momento no le digo más. Se me espía. Pero si usted quiere conocernos, lo espero esta noche.

Y sin esperar la respuesta de Reinaldo, se alejó de prisa.

La extraña aventura dejó perplejo a Reinaldo. Aquel Francisco López tenía todo el aspecto de un chusco que había querido divertirse a sus expensas. Ésta era, por lo menos, la explicación más sensata, por ser la más venezolana.

Con estas reflexiones tuvo Reinaldo sobrada amargura para todo aquel primer día de apostolado. Seguramente estaba corriendo por Caracas un burdo chiste a propósito de su proyectada «Asociación Civilista».

Pero la noche le reservaba una sorpresa. Al salir de su casa se encontró con Francisco López, que estaba esperándolo dentro de un coche parado cerca de allí.

—Le ofrecí esperarlo. Si usted quiere conocernos, tenga la bondad de acompañarme.

Y como para tranquilizarlo, agregó:

—Está usted con un caballero.

—No lo he dudado un momento, López.

Y conteniendo la hilaridad que le provocaban las misteriosas actitudes y ocurrencias de López, Reinaldo entró en el coche, que partió al galope. En el trayecto, López dijo:

—No tema por el cochero. Es uno de los nuestros, disfrazado. Hacemos esto para que nadie se imponga de nuestras reuniones.

—Me hace usted confidencias...

—Sé muy bien a quién se las estoy haciendo.

—Gracias.

Y Reinaldo pensó:

—¡Qué tipo éste! A leguas se advierte que frecuenta el cinematógrafo. Le ha cogido todos los trucos a los conspiradores de películas. En fin. Veamos qué sale de todo esto.

Después de un breve silencio, Francisco López, que era en extremo locuaz, díjole:

—Le debo a usted una explicación.

—¿Sobre qué?

—De mi conducta de esta mañana. Tal vez le haya parecido a usted extraña. Al citarlo para el encuentro de esta noche, he debido indicarle el sitio. No se imagine que no lo hice por desconfianza.

—No se me ocurrió tal cosa. Puede usted creerlo.

López aguardó un momento la confesión que debería hacerle Reinaldo de la extrañeza que todo aquello le causaba; pero como éste no la hacía espontáneamente, quiso provocarla.

—Seguramente mi conducta «misteriosa» le ha llamado la atención. Un desconocido que sale debajo de la tierra a hablarle de un proyecto que usted no le ha comunicado.

—Ya yo lo había visto a usted otras veces.

Pero a López le cayó como un baño frío esta imprudencia de Reinaldo. Él estaba muy orgulloso de haber sido un «desconocido que sale debajo de la tierra». Empezó a desconfiar de Reinaldo, sin otro motivo que aquel despecho pueril, y dijo con el propósito de molestarlo:

—Usted se equivoca de medio á medio si cree que los hombres capaces de realizar ese proyecto suyo son esos que llaman de representación social o política. Esos hombres no representan nada; mejor dicho, sí: representan un papel en la comedia.

Y en seguida agregó:

—Sé que no debo hablarle a usted con esta franqueza; pero es mi lema.

—Me parece muy acertada su observación. Ésos no son los hombres de buena fe que yo necesito, y sé que sólo hay que buscarlos entre nosotros, los jóvenes.

López, excesivamente sensible al elogio, se reconcilió con él y retribuyó:

—Su proyecto es grandioso. Por eso me decidí a invitarlo a nuestro club. Formamos un círculo que llamamos «Los Subterráneos», porque formamos parte de esa evolución sorda y latente que se agita en el subsuelo de toda sociedad caduca. Nos reunimos en la casa de Tócame Roque. Es una casa misteriosa, donde es fama que salen espantos. Los espantos somos nosotros. Todo es muy interesante; ya verá. Seguramente usted no se había imaginado que aquí, en Caracas, hubiera una asociación como la nuestra.

—Efectivamente. No tenía noticias.

—¡Ah! Es que guardamos muy bien nuestro secreto. Somos carbonarios.

Reinaldo comprendió que lo que seducía a López era el aspecto fantástico de la sociedad secreta y temió que como López fueran todos los «subterráneos». Sin embargo, se propuso sacarles partido; de aquel juego de muchachos podía salir algo serio y útil.

El coche se detuvo y López saltó afuera rápidamente. Reinaldo bajó sin prisa. Estaban en una calle de aceras altas con barandales de hierro y pendientes en graderías, en la cual desembocaba otro lóbrego callejón que conducía a un antiguo camposanto de eclesiásticos. En la esquina, a la lumbre ambigua de un farol de petróleo, estaban parados dos arcángeles de cemento, a guisa de centinelas, junto a una hornacina donde se veía una cruz entre guirnaldas de papel.

Francisco López, que llevaba la mente llena de ideas de asechanzas y celadas, dió un respingo al toparse con aquellos espantajos. Reinaldo explicó:

—Son dos ángeles que están de aventura.

López soltó una carcajada que alborotó a los perros del vecindario. El chiste no merecía tanto; pero así se descargaban sus nervios tensos. Y luego, explorando recelosamente la obscuridad de la calleja, dijo con aparente tranquilidad:

—Por aquí podríamos entrar. Nuestra guarida tiene entrada por los cuatro costados de la manzana. Pero a mí me toca entrar hoy por el portón.

—Entonces —observó Reinaldo proponiéndose seguirle el humor a aquel diletante de conspirador—, de ustedes puede decirse que vienen de todos los puntos del horizonte.

—Exactamente —afirmó López—. ¡Maravilloso! ¡Estupendo! ¡De todos los puntos del horizonte!

Y en su ánimo vehemente se afirmó de una vez por todas la convicción de que Reinaldo Solar poseía una gran inteligencia.

Detuviéronse en mitad de la cuadra ante un ancho portalón que daba acceso a una pasarela tendida sobre el cruce de una quebrada que por allí pasaba. Era aquel pasaje que iba a salir a un boquete abierto en la calle opuesta y formábalo angosto callejón entre dos hileras de sórdidas viviendas. López fingió curiosidad de conocer aquello e invitó a Reinaldo a caminar por allí. Atravesaron la pasarela, que crujía con todas sus maderas y trepidaba bajo los pies como si fuera a derrumbarse. La obscuridad que los rodeaba estaba impregnada de la pestilencia del agua que pasaba sin ruido bajo el puente, y en aquella negrura del ámbito que hacía resaltar la estrellada limpidez de los cielos, producía fantásticos efectos la lumbre rojiza de los interiores abiertos hacia la quebrada.

Garitos y mancebías, albergues nocturnos de vicio y mendicidad, humildes viviendas, sórdidas barracas; aquí la lámpara familiar alumbrando sencillas escenas de labor mujeril; allí el humoso candil, el bullaje de la promiscua convivencia en el corralón de vecindad, o el

fanal eléctrico, la mesa del garito rodeada de tahures;
allá la vela ardiendo en el rincón del tabuco ante los
santos milagrosos, o errante en las manos de alguien
de cuyo cuerpo invisible emergía el rostro en el halo de
lumbre con aspecto macábrico; todas aquellas luces vol-
caban sobre la negrura de la noche pedazos de vidas
laceradas, así como los albañales vomitaban sus inmun-
dicias sobre el cauce de la quebrada.

Detuviéronse en un espacio cubierto de hierba donde
había una antigua fuente pública; subsistía el tazón
de hierro del surtidor cegado; pero de la pila rectangu-
lar sólo quedaban trozos descalabrados. En torno a ella
estaban tres jóvenes, a quienes López hizo la presentación de Reinaldo Solar. Éste observó que alguien que
estaba con ellos había desaparecido en la obscuridad
al llegar él.

Después de un momento de vacilación, uno de ellos
dijo:

—Bueno. Entremos.

Reinaldo los siguió. Junto a él iba uno conduciéndolo.
Díjole:

—Estamos muy apenados con usted. Este sitio no
es a propósito para recibirlo, pero...

—Comprendo. Francisco López me ha explicado el
caso.

—No. No es aquí donde acostumbramos a reunirnos;
pero Pancho...

Sonrió antes de decir:

—¡Pancho tiene unas ocurrencias! Seguramente le
habrá contado extravagancias. Es un entusiasta, pero
tiene la cabeza llena de fantasías. Se ha empeñado en
que somos conspiradores y que, por lo tanto, debemos
observar el ritual de los conspiradores de novela: capa
con embozo, señales extravagantes con linternas que se
apagan y se encienden misteriosamente, silbidos que
imiten al buho... ¡Qué sé yo!

Rieron un rato a expensas de López. Luego el desconocido agregó:

—Le hablo así, porque seguramente usted se habrá
formado de nosotros un concepto erróneo. Eso mismo
de recibirlo en este lugar es una inconveniencia en la
que no hemos tomado parte. López nos había hablado

de usted, pero no nos dijo que lo traería esta noche. Nos encuentra aquí casualmente.

—Ya había supuesto —dijo Reinaldo— que había entre ustedes personas formales.

Y, para ver la cara de su acompañante, encendió un cigarro.

Reinaldo vió un rostro conocido que expresaba jovialidad y franqueza. Era un estudiante de derecho, con quien se encontrara a menudo en la librería de Menéndez, y por éste supo que se llamaba Eduardo Morales y que poseía un humor alegre y chancero.

Por delante de ellos oíase la voz de Francisco López, que discutía acaloradamente. Morales le gritó:

—¡Pancho, cállate! ¡Tú estás loco!

Y dirigiéndose a Reinaldo:

—Es un tipo excelente. ¡Un pedazo de carne!

Rodearon una casa de dos pisos que parecía deshabitada, y por un boquete abierto en un cañizo que había en la parte posterior de ella penetraron uno a uno.

Morales dijo:

—Amigo Solar. Siguen los misterios. Prepárese usted a ver cosas sorprendentes. Estamos en la célebre casa de Tócame Roque. Ya oirá usted una enigmática gota que cae perennemente sobre una plancha de cinc. A Pancho, el gran Pancho López, se le paran los pelos de punta cuando la oye. Y eso que ya sabe que no es sino la inocente gotera de una filtración del depósito del baño.

—Pues ya está explicado el carácter de López.

—Exacto.

Y cambiando de tono:

—Aquí vive, o mejor dicho: aquí está escondido un revolucionario, mitad poeta y mitad guerrillero. Si usted le inspira confianza, se dejará ver. Hágase el que no sabe nada. Por eso nos encuentra en estos andurriales; habíamos venido a charlar un rato con él. Se llama Vicente Altivas.

Por una escalera gimiente, que López alumbró con su linterna de conspirador, subieron a un mirador abierto hacia el cauce de la quebrada. López desapareció por una puerta y a poco se oyó un rumor de diálogo. Morales y sus dos compañeros introdujeron a Reinaldo en una habitación obscura, y después de cerrar la

puerta, hicieron luz para encender la lámpara que había
sobre una mesa.

Morales dijo, ahuecando la voz:

—He aquí el tugurio. El antro misterioso de donde
saldrá la luz de los venideros tiempos.

Y el que parecía más grave y formal de los «subterráneos»:

—Por ahora trabajamos en el subsuelo; pero estamos
pensando a salir a la luz con un periódico.

Entretanto, oyóse la voz de Francisco López que
discutía en la habitación vecina:

—¡Cómo no! Sí jurará.

Acudió el estudiante que acababa de hablar, y a poco
se le oyó decir:

—Pancho. Convéncete de que esto es una tontería.
Vas a ponernos en ridículo.

Morales preguntó al compañero que se había quedado con él y Solar:

—¿Qué pasa?

—Que seguramente Pancho viene ya con su crucifijo
y su revólver.

Morales soltó una carcajada. El otro explicó:

—López se empeña en que todo nuevo compañero
se juramente según la fórmula sacramental del beso
en el crucifijo ante el cañón de un revólver. Es una
majadería que no hay como sacársela de la cabeza.

Morales gritó:

—Pancho, chico. ¡Válganos Dios! Vente para acá.
El señor Solar es una persona seria. ¡Qué juramento
ni qué calabazas!

Volvió el estudiante que tratara de disuadir a López,
pero éste quedóse en la habitación vecina refunfuñando.

Reinaldo entró en materia:

—Bien. Ya sabrán ustedes lo que me trae.

—Enterados —dijo Morales—. Pancho nos contó
que tiene usted un proyecto estupendo.

—No es sino el prospecto de una asociación, que en
el fondo, coincidirá seguramente con los propósitos de
la de ustedes.

López, que acababa de agregarse al grupo, irrumpió:

—La nuestra no tiene propósitos, ni ideales, ni nada;
porque entre nosotros no hay quien quiera tomar las
cosas en serio.

—No tanto, Pancho — replicó Zozalla.

—Sí. El club tiene tres meses de formado, y ¿qué hemos hecho? Discutir. Nada más que discutir. Yo no veo que hayamos hecho nada.

—Pero, chico. Sé sensato. ¿A qué viene eso ahora? — observó Dávila, apenado.

Y Morales, siempre en broma:

—¡Unión, unión! ¡O la anarquía os devorará!...

Alguien, que no era de los presentes, recomendó silencio con un siseo. Los estudiantes callaron, viéndose las caras. Francisco López dijo, con aire receloso:

—¿Oyeron?

Morales ahogó la risa:

—Los misteriosos ruidos de la casa de Tócame Roque, Pancho. Oye la gota implacable: ¡tac!, ¡tac!, ¡tac!... ¡Diuturna! ¡Abracadabrante!

López, amoscado, puso fin a la charla exigiendo a Reinaldo que leyera su Manifiesto.

Reinaldo comenzó a leer.

En la habitación paredaña, cerca de la puerta, atendía a la lectura Vicente Altivas, el guerrillero-poeta de quien Morales hablara a Reinaldo. En su actitud y en sus expresiones se revelaban el interés y el entusiasmo que le despertaba el Manifiesto, escrito como una proclama de guerra, en estilo bélico.

Aplaudieron los circunstantes, y Altivas, saliendo de su escondite, se adelantó, diciendo:

—¡Bravo, joven, bravo! ¡Eso es lo que se necesita decir en este país de pusilánimes!

Y como Morales intentara hacer la presentación, agregó:

—No. Entre nosotros huelgan las fórmulas. Aquí tiene usted mi mano. Hoy aquí y mañana donde mi suerte lo tenga dispuesto. Vicente Altivas estará siempre a su orden.

Era un hombre como de cuarenta años, alto, enjuto de carnes, puro haz de nervio y músculo, modales enérgicos y expresión de varonía simpática. Sus ojos fosforecían de una manera singular; tenía el ademán caballeresco, la voz recia y clara. En el enardecimiento de la pelea, aquella voz debía vibrar como un clarín de batalla. Descendía de próceres, y su perfil severo y

correcto y sus cabellos y barba castaños denunciaban
la sangre fina y pura.

Reinaldo le estrechó la mano con efusión. Altivas
dijo:

—Ahora prosiga usted su lectura. Ardo en deseos
de conocer su valiente y patriótico proyecto. Hace mucho tiempo que no oigo expresar ideas de ese temple.

Reinaldo volvió a sus cuartillas, explicando:

—Lo leído es, como si dijéramos, la arenga; ahora
viene la exposición del plan.

—Es decir el grano. Vamos con él —terció uno de
los estudiantes, el llamado Dávila, sujeto de temperamento excesivamente nervioso, según lo dejaba entender el frecuente pestañeo y el ademán vibrátil.

Y el otro, Agustín Zozalla y antítesis de Dávila por
el continente reposado y por la extremada macilencia,
creyó necesaria una rectificación cortés:

—Lo cual no quiere decir que lo leído sea paja.

—¡«Omne vivum ex ovo!» —exclamó Morales—.
¿Verdad, Pancho? Yo no soy fuerte en clásicos latinos,
pero eso quiere decir que todo no puede ser grano.

Celebráronle el desplante, y Altivas dijo:

—¿Cuándo querrá usted ser formal, amigo Morales?

—General, el buen humor es don de los dioses y
no se debe despreciar. Yo, para mi gobierno, he modificado el conocido refrán así: «mamando gallo» y con el
mazo dando.

Francisco López observó:

—Ya lo sabemos. Donde estás tú, ¡adiós formalidad!

—¡Bueno! ¡Bueno, mis amigos! Estamos interrumpiendo.

Y Altivas, enderezándose en el asiento, preparóse
a oír.

Reinaldo reanudó la lectura. Exponía el vasto plan
de la asociación, que, con un carácter franca y absolutamente civil, formada por elementos incontaminados
por las pasiones políticas y por la codicia del Poder,
echaría las bases de una Venezuela próspera, honrada
y laboriosa.

Concluída la exposición, que a todos pareció una obra
maestra, de visión clara y de sorprendente madurez,
Altivas observó:

—Pero no se haga ilusiones. Tendrá usted que luchar

mucho, mucho y duramente, porque no encontrará así
como así esos hombres de buena voluntad que secunden
su idea. No quiere decir esto que yo crea que no existen.
Sí. Hay muchos, muchísimos, porque este país, que por
algo se le compara con el infierno, está empedrado de
buenas intenciones.

—Sí — dijo el vibrador Dávila, parándose como para
soltar una larga perorata —. En Venezuela quedan
todavía energías, energías latentes...

Pero López le quitó la palabra:

—¡Energía subterránea!

Y Altivas:

—Los que aquí estamos somos buen ejemplo. En el
país hay muchos enamorados de los principios nobles
y generosos del verdadero liberalismo, como estos jóvenes que le han oído a usted con entusiasmo.

Reinaldo dijo:

—Siempre había creído que existieran; pero hace
mucho tiempo que esperamos su aparición. Por ninguna parte se ven los signos de una verdadera actividad
de esos elementos de civismo.

Y como comprendiese que su idea no había sido bien
interpretada, pues de los comentarios hechos por los
circunstantes se desprendía claramente que conside-
raban la Asociación Civilista como un cuerpo político,
se apresuró a puntualizar:

—Pero esto no es, ni debe ser, una institución de
carácter político. Precisamente es contra esta tendencia
que van encaminados los propósitos de la Asociación
Civilista. La formarán hombres de todos los credos y
agrupaciones, sin otra condición que la de la auténtica
buena fe. Braceros, intelectuales, comerciantes, indus-
triales, todos caben en ella, siempre que estén dispuestos a cumplir el sencillo precepto fundamental: que
cada cual cumpla su deber particular con honradez
absoluta en su hogar y en su trabajo personal. Si esto
se realiza, dentro de poco tiempo habrá en Venezuela
un grupo de hombres bien inspirados que, sin aparatos
ni bullangas y trabajando para sí, trabajen de una
manera eficaz para el bien común. Los mejores comerciantes, los más honrados e inteligentes, los mejores
agricultores, los profesionales y empleados más idóneos,

en fin, los mejores ciudadanos, se encontrarán en el seno de la Asociación.

Altivas lo interrumpió:

—Amigo Solar. Permítame que le diga que se equivoca usted. Es muy hermosa esa visión suya, de una agrupación de hombres de buena fe, trabajando silenciosamente para el porvenir de la Patria; pero muy utópica, muy lírica.

—Sin embargo, es un ideal realizado en otros países. Yo lo creo perfectamente viable entre nosotros, trabajando así, silenciosamente; procurando cada cual el mejoramiento individual haremos patria. Sin que se vea que la estamos haciendo, sin que se proclame a los cuatro vientos, pero de una manera eficaz y perdurable.

Morales observó:

—¿Es decir, como si todo el país fuera un convento donde en cada celda hay una abeja mística que trabaja en la propia purificación espiritual?

—Justamente. Sólo que éste sería un misticismo práctico, del cual saldría el beneficio material: el país floreciente, rico, serio, sabiamente organizado.

López apoyó:

—A mí me parece un ideal perfectamente realizable. Lo que pasa es que para eso se necesita una gran fe y una gran voluntad. Y, como muy bien dice el señor Solar, eso se ha hecho ya en otros países.

Altivas objetó:

—No le diré que no; pero en nuestro país hay que trabajar de otro modo. De una manera más humana.

Y Dávila, con las primicias de sociología:

—De una manera cónsona con el alma nacional. Porque cada pueblo tiene su característica y es necesario amoldarse a ella.

Y Morales:

—Yo creo que no es incompatible con el espíritu de su asociación darle cierto carácter político, puesto que el fin de la asociación es canalizar las actividades nacionales por la vía de la acción civil, abandonando, de una vez por todas, los azarosos atajos de la política, que es por donde nos gusta andar a los venezolanos.

Reinaldo protestó:

—Perfectamente incompatible.

Altivas tronó:

—La política es la única forma viable de acción personal.

Y Dávila, disputándole la presa:

—La única vía de hecho para la acción del individuo sobre la colectividad.

Reinaldo insistía:

—Precisamente, eso es lo que necesitamos combatir: la acción del individuo sobre la colectividad, favoreciendo, por el contrario, la acción dentro de la colectividad. Todos nuestros males derivan de ese afán de todos los venezolanos por imponer la acción personal. Pero el progreso del país no puede ser obra de uno sobre muchos, sino obra de todos a la vez, resultado visible del mejoramiento espiritual. Y éste es el verdadero ideal de la agrupación, un ideal educativo, cuasi místico. La Asociación acabaría con las tendencias individualistas dando, precisamente, más fuerza a la acción del individuo dentro de la colectividad.

El tímido Zozalla se aventuró, por fin:

—¿No cree usted que los partidos políticos logran el mismo objetivo?

—Ya esa experiencia está hecha y no ha dado resultados. Quite usted las revoluciones armadas y dígame qué han hecho los partidos políticos.

Altivas, parándose de su asiento:

—¿Y qué piensa usted de las revoluciones armadas?

—No me parece que puedan defenderse.

—Pues yo sí las defiendo.

Dávila lo interrumpió:

—La guerra es la vía de hecho apropiada a la faz del proceso social que atravesamos. La revolución armada a la americana del sur es, entre nosotros, la única forma de civismo viable.

Reinaldo no lo dejó concluir:

—La revolución armada, a la americana del sur, es barbarie, puesto que no es sino una vía de hecho del individualismo.

Y Altivas, desatando los agudos de su voz bélica:

—No, Solar. ¡Yo sostengo que no! La guerra no es barbarie. ¡Es energía! Yo soy guerrero y no creo ser un bárbaro. ¡Y si lo fuere, aunque lo sea! ¡Caray! Sé defenderme con razonamientos; pero estoy acostumbrado a defenderme a tiros. Y no me diga que así se defienden los bárbaros. ¡Así se defienden los hombres!

Reinaldo trataba de explicarse, pero él no lo dejaba.

—Con razonamientos no vamos a ninguna parte. Con razonamientos nos demostrarán que no tenemos Patria, ni ideales por los cuales combatir.

Se detuvo para coger aliento, y Reinaldo aprovechó:

—No me dejó usted concluir. Pienso que la guerra no es solución eficaz, porque guerras ha habido siempre; pero, que yo sepa, de ninguna de ellas ha salido el estado de orden y progreso que se desea. Y no ha podido salir porque la revuelta armada ha sido entre nosotros una forma violenta de evolución democrática.

—¡Ah! ¿Y qué más quiere usted? La democracia es el ideal más alto de la humanidad. Todos los grandes acontecimientos que han conmovido al mundo han sido revoluciones democráticas. ¡Buda es la democracia! ¡Cristo es la democracia!

Reinaldo, con una sonrisa:

—No creo que se pueda afirmar que una montonera armada es el grupo representativo de nuestro estado social. Me sería muy difícil convencerme de que veinte o treinta aventureros, ávidos de sangre y de botín, son los únicos idealistas de mi país.

Morales gritó, entusiasmado:

—¡Apoyo!

Altivas, atragantado, rugió:

—¡No! ¡No!

Y luego, saltando por sobre toda consideración razonable:

—Yo comprendo. Nosotros dos no tenemos ni podemos tener una misma opinión a este respecto. Somos dos extremos: usted es el intelectual, que todo lo analiza y lo somete a razonamientos; yo soy el hombre de acción, que se siente impulsado por una fuerza que no razona, pero que conduce también a un fin noble. A esto lo llaman ustedes, los pensadores, ser impulsivo. Pero el porvenir resolverá y dirá de parte de quién está la razón. Usted fracasará con su proyecto. ¡Ah! Sí. Y entonces comprenderá que soy yo quien está en lo cierto.

Reinaldo comprendió que con aquel energúmeno era inútil discutir ideas y guardó silencio.

Recobróse, al cabo, Altivas, y parándose frente a Reinaldo, sumamente apenado, le dijo:

—Perdóneme, Solar. Me he exaltado sin motivo ni razón. Pero dése cuenta de mi situación: hace tiempo que estoy encerrado en este escondite, devorándome a mí mismo, comiendo de mis hígados, y esto me ha exacerbado el ánimo de tal manera, que ya ve usted: no sé lo que hago ni lo que digo.

Una hora después, Reinaldo regresaba a su casa con el ánimo turbado por las más contrarias reflexiones: El hallazgo de los «subterráneos» hacíale, por momentos, concebir halagüeñas esperanzas.

Aquellos diletantes de conspiradores hacían su aprendizaje en lo fantástico de una sociedad secreta que carecía de propósitos definidos, pero sin duda podían encontrarse entre ellos voluntades y condiciones utilizables.

Por pertenecer a una época de absoluta desorientación ideal, aquellas energías jóvenes, como las aguas de las ramblas del monte, tenían que buscar y hacerse sus cauces con la violencia y el desorden de los desbordamientos; pero una vez que las canalizara un propósito razonable y enderezado a un fin positivo, los impulsos locos se convertirían en constancia. Bien podría ser la estrafalaria asociación de los «subterráneos» el núcleo inicial de su proyectada agrupación civilista.

Días después, con ocasión del grado de Antonio Menéndez, fué a la Universidad y allí se encontró con los estudiantes a quienes había conocido en el escondite de Altivas. Formaban corrillo y hablaban entre sí en voz baja. Dávila le dijo:

—Graves noticias, amigo Solar.

—¿De qué se trata?

—Vicente Altivas desapareció anoche.

Y López agregó:

—Parece que se fué esta madrugada disfrazado de arriero.

—Parece, no. Positivo. Positivo. Lo sé por alguien que lo vió y habló con él.

Y Dávila se restregó las manos con un gesto de alegría infantil, para decir:

—La revolución es un hecho. Todo el país está movido.

Con esta noticia, no le fué posible a Reinaldo atender al discurso de colación de grado de Menéndez. Antes de que concluyera el acto abandonó el salón y bajó a los patios en busca de aire y de soledad. Caminó por los claustros silenciosos, meditando:

—Este mal es incurable. Está en la sangre. Somos incapaces para la obra paciente y silenciosa. Queremos hacerlo todo de un golpe; por eso nos seduce la forma violenta de la revolución armada. La incurable pereza nacional nos impulsa al esfuerzo violento, capaz del heroísmo, pero rápido, momentáneo. Después nos echamos a dormir, olvidados de todo. ¡Todo o nada! Pueblo de aventureros que sabe arriesgar la vida, pero que es absolutamente incapaz de consagrarla a una empresa tesonera. Al fin nos quedaremos sin nada.

Por los largos corredores revolaban las golondrinas que venían a guarecerse en sus nidos, entre las maderas de los techos; los pájaros nocturnos, que pasaran el día adormilados en los caballetes de la techumbre patinosa, empezaban a abrir en el aire crepuscular sus alas pardas, punteadas de blanco; un rayo de sol doraba el cimborrio de la iglesia de San Francisco; todo el viejo edificio conventual se anegaba de atardecer. Y aquel aire dorado dentro del recinto del antiguo convento, adecuábase, como una pátina del tiempo, a las masas pesadas y chatas de la arquitectura colonial.

Reinaldo pensaba:

—De aquí salen los segundones de nuestra democracia, aventureros también. El mayorazgo de la energía y de la voluntad va a los campamentos; los demás vienen a esta Universidad a pulirse las inteligencias, para introducirse por asalto o por sorpresa en esa aristocracia del talento, que, como la de la sangre, es, entre nosotros, oclocracia de advenedizos.

Y abarcando con la mirada la masa entera del edificio de la Universidad, la apostrofó:

—¡Casa de los segundones! ¡Hermana menor de la revuelta armada! Tú también tienes la culpa.

IV

—¿Y cómo fué eso? Cuéntame —decíale Carmen Rosa a Graciela, una tarde, mientras discurrían, cogidas de las manos, por un sendero del jardín doméstico.

—¿Qué he de contarte? Yo misma no sé cómo fué.

—Pues, ¡mira que es raro! Que una no se dé cuenta de lo que hace a sabiendas.

—Ése es tu error; esas cosas no se hacen nunca a sabiendas. Vienen por sí mismas, como si estuvieran dispuestas de antemano.

—¡Chica! No te remontes por esas filosofías de quinto piso y llama a las cosas por su nombre: que te enamoraste. Eso es todo.

—Pero eso no es explicar, porque yo misma me pregunto: ¿Cómo y cuándo empezó a suceder eso?

Y Graciela rió de su propia confusión.

Carmen Rosa dijo, con forzada jovialidad:

—Yo lo esperaba.

—Mentirosa. Tú no podías sospechar nada. Que Antonio Menéndez se parara una tarde en la ventana a conversar conmigo, no es motivo suficiente para suponer que había amor de por medio.

—Pues ya ves que lo había.

—Rectifico —dijo Graciela riendo de nuevo—. No lo había; empezó a haberlo.

—Lo mismo da.

Y Carmen Rosa, en diciendo esto, soltó la mano de Graciela y acercándose a un rosal púsose a quitarle las flores deshojadas.

Graciela miró largamente a la amiga y una sombra de congoja pasó por su rostro. Mentalmente le dijo:

—Comprendo lo que te pasa. Te habías hecho la ilusión de que Reinaldo y yo... Pero, hija, ¿qué le vamos a hacer? Si él no quiso...

Carmen Rosa, sin volver el rostro, tornó a decir:

—Lo esperaba. Y es muy natural. Antonio Menéndez

es un joven interesante y amable. Yo sé de positivo que hace tiempo pensaba en ti.

Graciela no respondió y fué a sentarse en el reborde de la pila que había en mitad del jardín. Hundiendo sus dedos en el agua distrájose en mirarlos, en espera de que se desvaneciese el resentimiento de Carmen Rosa, cuyos ojos, ¡bien lo adivinaba ella!, seguramente estaban humedecidos de las lágrimas.

Carmen Rosa preguntó:

—¿Verdad que hay personas desafortunadas?

—Según y cómo. Muchos hay que han tenido en la mano todo lo que han podido desear y lo han desechado.

—Es verdad. A veces sucede eso.

Dijo Carmen Rosa después de breve pausa. Y volviéndose de pronto hacia la amiga:

—Te hice esa pregunta pensando en mí.

—Y pensando en ti te la contesté. Tú también, en un momento, has tenido en la mano lo que después has echado de menos, y no supiste adueñártelo.

—Si te refieres a Pablo Leganez, te equivocas.

—No me vengas con cuentos. Estuviste enamorada de Pablo Leganez.

—¡Tonta!

Y acercándose más, le habló en tono confidencial:

—Seamos francas. Has dicho que hay personas que han tenido en la mano todo lo que han podido desear y lo han desechado. ¿No te referías a mí, verdad?

Graciela le respondió, con pleno dominio de sí misma:

—Bien sabes tú que no.

Miróla Carmen Rosa con la expresión de quien quiere ver a través de los ojos el fondo del alma:

—¿Y no te da miedo, Graciela?

—¿Qué estás diciendo? — y Graciela hizo un gesto altanero.

—Que me parece que has jugado con tu corazón.

—Tú no sabes de eso. No juzgues lo que jamás podrás comprender.

Siguió un momento de silencio, que a ambas pareció infinito.

Fué una pausa, una brusca interrupción de la continuidad de aquel afecto que se profesaran desde niñas, y una y otra, temiendo que aquella pausa, como la mancha de aceite en el papel, se extendiera y empañara

para siempre la tersura de la amistad profundamente
afincada en sus corazones, atormentáronse la mente
buscando la palabra o el ademán que las reconciliase.

Y fué Carmen Rosa quien dijo la primera, con dolo-
rido acento:

—Graciela, no recordemos jamás esto.

—Convenido. Pero antes de olvidarlo, expliquémo-
nos. Tú sabes muy bien que entre Reinaldo y yo no ha
mediado jamás sino un cariño de hermanos. Que de
este cariño al otro no había sino un paso, no te lo negaré. Pero quien había de dar ese paso era él, y por
esto o por aquello, no lo dió nunca. ¿Qué me tocaba
hacer a mí? ¿Esperar como las vírgenes prudentes del
Evangelio? Además, yo no abandoné un afecto por otro;
el que le tenía a Reinaldo, sigo teniéndoselo; el otro
se me dió de añadidura. ¿Cómo y cuándo? Ya te digo:
no sé. Imagínate que al lado de una mata que tú te la
pasas cuidando con mucho cariño, con la ilusión de las
flores que te ha de dar, aparece un día una matica que
tú no has sembrado y que, sin que te des cuenta, con el
agua que riegas a la otra, se alimenta y empieza a
crecer y a echar sus pimpollos. ¿La arrancarías? ¿No,
verdad? Pues eso es lo que me ha pasado. Un día me
encontré con Menéndez en la calle: Adiós. Adiós. Y
nada más. Al día siguiente vuelvo a encontrarlo. La
misma escena. Otro encuentro y otro y otro, y yo pienso:
¡qué casualidad! Se repite la cosa y yo me digo: ¡hum!,
ya esto no es casualidad. Hasta que por fin me doy
cuenta de que al salir de casa la primera idea que se me
viene a la mente es ésta: ¿lo encontraré hoy? Luego,
una tarde, se para en mi ventana; hablamos de cosas
indiferentes, y al despedirnos me dice: hasta mañana.
Hasta mañana, le respondo yo. Ahí tienes tú todo lo
que ha sucedido; te aseguro que entre nosotros no se ha
pronunciado todavía la palabra «amor».

—Ni hace falta, ¿verdad?

—¡Qué ha de hacer!

Y Graciela, sonrojándose, rió alegremente.

Nuevo silencio. Un unísono suspiro de ambas. Y
Carmen Rosa dijo:

—Tienes razón.

Acercóse a un rosal y tomando una hermosa «Reina
de las nieves» que se doblaba al peso de sus pétalos,

volvió junto a Graciela y se la prendió en el pecho. En un rapto de efusión, Graciela la abrazó y la besó. Luego, Carmen Rosa le dijo:

—Vete. Es hora de que pase y no te va a encontrar.

—Si me echas, no me queda más recurso que irme.

—Sí. Te echo.

Y Graciela salió de carrera, dejando en el aire la sonora estela de su clara risa.

Carmen Rosa fué a sentarse en el borde de la pila. Florecían las orquídeas de Pablo Leganez. De las cepas adheridas a los troncos de los árboles o aprisionadas en rústicas cestas que colgaban de las enramadas, surgían profusas corolas de variadas formas y matices: la flor de mayo blanca, rara y preciosa, las del suave color de las amatistas y las lilas, y aquellas donde el oro, desde el más desvaído tono hasta el más vivo y llameante, se iba acendrando; los pelícanos de delicioso y vago aroma; las macetas floridas de los chuchos, como enjambre de doradas avispas; las varas de los mayitos, en cuyas puntas el aire suave hacía temblar una mariposa policroma: la flor lívida, semejante a una araña repleta de sangre succionada, de la mulata, que sólo medra en los claros de sol.

Aquella aparición de las orquídeas que empezaban a abrirse con los soles floridos de abril y duraban hasta que mayo moría, era para Carmen Rosa una vacación espiritual dentro de su monótono vivir casero. Con el alba levantábase y pasaba todo el día en el corral contemplando y cuidando sus flores, recogiendo de cepa en cepa una sorpresa agradable cuando descubría alguna recién abierta, nueva en su colección, o atisbando con impaciencia el lento medrar de las cepas que no habían florecido todavía.

Aquella tarde, como viera doblegarse a un soplo del viento una flor de mayo ya mustia, viniéronsele a la mente pensamientos desapacibles.

—Pasado un mes, nada quedará de todo esto. Todas las flores se habrán caído y volverán a quedar las matas solas, sin adorno, todo el resto del año. Se me acabará, pues, esta distracción tan sabrosa, ¡la única!, ¡y volveré a mi vida de siempre! Es triste tener que llamar una a su vida, la de siempre.

Hizo una pausa, y luego, de pronto:

—¡Pero qué tonterías y qué disparates se me ocurren! Como si la del mundo fuera la vida; como si la única verdadera no fuera la otra, la de Dios.

Con este argumento quiso reprimir sus pensamientos, que quién sabe por qué atajo de disipaciones querían desbocarse; pero nunca, como entonces y muy a pesar suyo, le habían parecido aquellas palabras que acababa de pronunciar tan vacías de sentido.

Volvió a decirse, para tranquilidad de su conciencia:

—Será porque uno no alcanza nunca a darse cuenta de lo que debe ser la otra vida. Además, ¿por qué ha de ser pecado que yo piense con tristeza que mi vida sea así?: ¡tan igual siempre, tan monótona!; ¿en qué puedo ofender a Dios con esta simpleza?

Nueva pausa, y otra vez el tenaz escrúpulo:

—Pero ¿qué estoy pensando? ¿No le ofrecí al Señor esta vida en cambio de la que no tuve el valor de abrazar, como se lo había prometido? ¿Qué se me habrá metido hoy en la cabeza? ¿Será el sol que he llevado? Hoy he estado mucho tiempo al sol... Había aporcado el cuadro de las dalias. ¿Qué más hice?... ¡Ah! Sí. Puse unos injertos de «Reina de las nieves»... Sembré unas estacas... Quité el gusano a los crisantemos.

Y con este recuento del trabajo del día procuraba sujetar su pensamiento. ¡Bien sentía ella que allá, en la corriente subterránea de su conciencia, había un remolino tenaz, una idea fija, porfiada, perversa como una tentación del Maligno!

—Y después dicen que la soledad es la mejor compañera del alma. ¡Qué de cosas que nunca se me habían ocurrido! ¡Perdóname estos pensamientos que no son míos, Señor! La cabeza me da vueltas; ya estoy viendo la lluvia de estrellas. ¡Jaqueca segura! Debe haber sido el sol y tanto perfume... ¡La pobre Graciela! Bien se merece ser feliz.

—Fué el sol. Acaso es poco el que has llevado hoy —decía Ana Josefa, en la noche, mientras ponía en las sienes de la hija tiernas hojas de rosa, untadas de un bálsamo anodino, y que al punto se mustiaban como puestas al rescoldo.

Cuando la jaqueca cedió, Carmen Rosa quedóse dormida y tuvo un sueño extravagante:

Era un convento de la orden de Flor de Mayo. Las monjitas vestían hábitos muy raros: blancos, lilas, morados, amarillos, y todas tenían nombres de orquídeas. Todas las mañanas aparecía una nueva monjita, y la comunidad iba aumentando, cubriendo todo el jardín, llenando todos los rincones. Cierto día apareció una nueva hermana de hábitos blancos que imitaban la forma de una paloma: era la hermana Espiritusanto. Aquello anunciaba desgracia, y la campana del convento empezó a doblar. ¿Por qué se había empeñado Reinaldo en que tuviera aquella mata de mal agüero, que florece raramente y sólo para anunciar desgracia? ¡Reinaldo tenía unos caprichos! No la había dejado meterse al convento. ¡Reinaldo era el sol! Era el sol; su madre lo aseguraba...

Al amanecer, Carmen Rosa abandonó el lecho. Sentía la cabeza hueca y vacía, y a cada movimiento brusco sentía un golpetazo de dolor en el cráneo, como si adentro llevase una bola de hierro que rodaba y chocaba contra los huesos lacerados. En busca de la frescura sedante del aire matinal, se fué al jardín, y allí, bajo las últimas estrellas, empezó a hacer sus oraciones.

La alborada sobre el corral le produjo el sentimiento de una serena posesión del mundo, que se otorgaba a ella, como un don gracioso, con el más puro aspecto de su belleza. Y este pensamiento le confortó el espíritu.

Cubrían el cielo menudos cirros que iban poco a poco coloreándose y desvaneciéndose. Un aire fresco empezaba a moverse entre las ramas, comenzaba la parlería de los pájaros y las copas de las altas araucarias recogían la primera chispa de sol.

Bendita sea tu pureza,
y eternamente lo sea,
pues todo un Dios se recrea
en tu graciosa belleza.

El surtidor de la pila comenzó a sonar: llegaba el agua. A ratos saltaba un chorro, quebrando en el aire su vara cristalina. Por las ramas de los árboles, dorando los troncos, bajaba el sol.

Terminadas sus oraciones, sereno ya el espíritu, y entregándose a las caricias de la mañana fresca y lu-

minosa, volteó su pensamiento hacia las ocurrencias
de la víspera, como se vuelve la vista para mirar a quien
pasó y no retornará jamás.

No habían sido delirios precursores de jaqueca.
Hacía varios días que venía experimentando el bullir
intranquilizador, aunque todavía impreciso, de aquellos
pensamientos. Ésta era la causa de las repentinas melancolías, de la laxitud de la voluntad, de aquella sensación de desgonzamiento y marasmo de los miembros,
de aquellos súbitos accesos de nerviosismo que le hacían
experimentar la dulce necesidad del llanto.

El médico de la familia, consultado sobre el caso, dió
una explicación materialista: la sangre pobre no irri-
gaba bien los centros vitales; debía tomar hierro a
pasto. Reinaldo, sin duda, comprendió mejor que el
médico; pero, por salir del paso, había dicho despec-
tivamente:

—Sensiblerías de mal gusto. Romanticismos.

Pero la verdad era que Carmen Rosa atravesaba una
crisis espiritual. El propósito, largamente madurado,
de consagrarse a la vida religiosa, había ocupado de
tal modo su alma, que en ella no hubo, por mucho
tiempo, cabida para ningún otro deseo. La voz interior,
que repetía como un ritornelo: «Cuando Sor María de
la Luz...», y que al principio había sido la áspera y
gruesa voz del padre Moreno, había ido poco a poco
espiritualizándose, como una maleza en una alquitara,
hasta convertirse en la de una íntima y deliciosa aspiración de su alma, que resonaba sobre el silencio de
las ilusiones ahogadas al nacer, así como en la dulzura
triste de una tarde, sobre un paisaje de yermos, re-
suena el eco de un cantar lejano.

Y de este modo, por virtud de la fantasía, lo que en
sus comienzos fué sólo sugestión momentánea de un
nombre pintoresco — María de la Luz —, llegó a cobrar
la fuerza y la dureza de una firme resolución cristiana.

El propósito fracasó cuando Reinaldo, de vuelta de
Europa, y enterado por Ana Josefa, la llamó a su escritorio y poniéndole en las manos un fajo de billetes
de banco, le dijo, con una concisión inmisericorde:

—Sé que tienes pensado meterte en un convento.
No será por mí que no lo realices. Aquí tienes el dinero

que te corresponde. Y te vas cuando quieras. Cuanto antes, mejor.

Aquella brutalidad la había sorprendido y anonadado. Recordó después que, sin saber lo que hacía, había cogido el dinero que el hermano le daba y que, con el haz de pringosos papeles en la mano apuñada, había permanecido, quién sabe cuánto tiempo, enclavada en el sitio, sin noción de sí misma, hasta que la madre, que había presenciado la escena sin intervenir, por imposición de Reinaldo, cuando éste las dejó solas, se echó sobre ella llorando.

¿Por qué, al volver de su estupor, desistió de su propósito? No podía decirlo. Durante aquella pausa, algo más poderoso que ella le enajenó la voluntad y extirpó de su corazón hasta la más pequeña raíz de aquel deseo místico.

El padre Moreno díjole después que había sido el demonio de la soberbia y del despecho; y así debió de ser — pensaba ella —, puesto que durante los días consecutivos pudo observar que su corazón se había vuelto insensible a toda emoción.

Nada le importaban la tribulación de la madre ni el mal humor del hermano, y cuando Graciela, con sutiles razonamientos, se empeñaba en demostrarle que el verdadero sacrificio meritorio a los ojos de Dios lo había hecho al renunciar a su idea de meterse al convento, puesto que sacrificaba el egoísmo en aras de la caridad cristiana, para con la madre que se hubiera quedado desamparada y, sobre todo, para con el hermano, cuya alma, alejada de Dios, se habría perdido irremisiblemente, ella, hermética y empedernida, la oía sin escuchar y en veces le daban ganas de decirle:

—No me hables de sacrificio ni de merecimientos. Yo no he pensado en nada de eso que dices. Yo no soy la que tú te imaginas.

Aquel estado de ánimo había tenido una crisis inesperada: entonces fué una violenta ansia de gozar la vida, una desazón parecida a la impaciencia y no experimentada jamás. Como un metal precioso que va descubriendo su brillo bajo la mano que frota la costra patinosa, así fué revelándose imperiosamente la sensibilidad de su cuerpo, y fué para ella un goce nuevo e intenso aspirar largamente un perfume, hundir el rostro entre un manojo de flores cuajadas de rocío, sumergir los brazos, lenta y voluptuosamente, en el agua de la pila entibiada por el sol, abandonarse en la hora ardiente del mediodía, después del almuerzo, bajo el toldo de un árbol, y allí, entre el vaho canicular que se levantaba de la tierra y el estridir de las chicharras, que se extendía por el aire resplandeciente como una cúpula de sonoro metal que vibrase, anegarse en aquella sensación de sí misma que le producían el ritmo de su corazón y el calor de su aliento y la presión de su sangre bajo la piel sensibilísima.

De aquel sopor voluptuoso sacábala, a menudo, un sobresalto del alma que se sentía sorbida por la imperiosa materialidad; pero, bajo forma diferente, el tentador no tardaba en volver al asalto de aquella presa apetecible.

Una tarde, Carmen Rosa estuvo largo rato ante el espejo, luchando con la rebelde lisura del cabello acostumbrado a la crencha austera; otro día, remiróse en el sonrosado brillo de las uñas, que se las había pulido Graciela con traviesa intención, y como viese que este afeite asentaba bien en sus manos bonitas, compró un estuche, que fué para la madre motivo de sorpresa y alegría y asunto de misteriosos cuchicheos con Reinaldo.

En esto llegó abril y empezaron a florecer las orquídeas. Como todos los años, trajéronle el recuerdo de Pablo Leganez. ¿No fué, por ventura, un comienzo de amor aquella simpatía que él había despertado en su corazón? Reconstruyó los deliciosos paseos hechos al lado de aquel hombre alegre y buen mozo, en cuya mano cálida y vigorosa tantas veces se apoyó ella para salvar la zanja de la acequia o trepar por el empinado repecho, y en cuyos ojos tantas veces sorprendió la mirada honda que la contemplaba largamente.

Reconstruyó, asimismo, las bulliciosas conversaciones de él, en sabrosos coloquios consigo misma, hablando alto, en la discreta soledad del corral, confundiendo el recuerdo con la imaginación, engañando la desesperanza con el ensueño.

«—¿Quién va a enamorarse de mí, Pablo?»

«—¡Dianche! Cualquiera que tenga ojos y corazón».

Y entonces sobrevino el dulce deseo de estar triste. Buscó los rincones penumbrosos; añoró un poco más;

experimentó estados de ánimo inexpresables: la inquietó
el oculto sentido de las cosas sencillas, se preguntó por
qué y para qué, todos los días, un mismo pajarillo venía
y se posaba en silencio en una misma rama.

Pero, al cabo, el curso de sus pensamientos volvió
al enajenado cauce. Un viejo amigo, la «Imitación de
Cristo», tornó a decirle olvidadas cosas. El sol del yermo
cristiano le mustió la flor del ensueño, mucho antes
de que los soles de mayo marchitaran las últimas orquídeas, y ya ni siquiera pudo oír, como voz de promesa, aquella dulce voz del ritornelo místico: ¡Cuando
Sor María de la Luz!..., porque ya esto también había
dejado de ser esperanza.

V

—Pero, ¿te has vuelto loca, Rosaura? — exclamaba
la señora de Sojo, alarmada por lo que acababa de con-
fesarle su hermana, la de Mendeville.

—Tú no puedes comprenderme, María.

—¡No, no! ¡Ni quiero comprenderte! —y movía
las manos delante de su rostro, como para deshacer una
visión horrible —. Prefiero creer que te has vuelto loca.

—Ya lo creo. Como tú has encontrado en la vida lo
que buscabas, te parece un absurdo rebelarse contra el
destino que la sociedad le ha trazado a una.

—Pero si esa suerte contra la cual protestas la esco-
giste tú libremente. Te casaste con Luciano porque lo
querías.

—Tú sabes que eso no es verdad. ¡Cuántas veces me
regañaste porque yo me burlaba de él, apenas volteaba
la espalda! ¡Cómo me criticabas que me durmiera mientras me hacía la visita de novio! Me casé, como te casaste tú: porque éramos huérfanas y debíamos procurar
aligerar a papá de su carga. Pero tú corriste con suerte,
encontraste un hombre bueno.

—Mejor que Luciano no lo hay en el mundo.

—¡Por Dios!, María. No confundas. Luciano no es
un hombre bueno, sino un buen hombre. Hay alguna
diferencia entre una cosa y otra.

—Te quiere, te idolatra.

—Sí. Pero yo no puedo quererlo.

—Porque se te ha metido en la cabeza el jovencito ese. Bien me lo decía el corazón; desde que conocí a ese joven me pareció sumamente antipático. ¡Si lo tenía pintado en los ojos!

Rosaura Mendeville soltó la risa. La hermana le dijo, con indignación:

—Es que me acuerdo de tu ocurrencia. Me dijiste: «¡Jesús, chica! A ese joven no se le puede ver la boca sin pecar con el pensamiento. Parece que se la hubiera hecho el mismo diablo».

La señora de Sojo no encontraba las palabras para expresar la estupefacción que le causaba la tranquilidad, verdaderamente cínica, con que su hermana trataba aquel grave asunto. La veía definitivamente perdida, y aunque no quería pensarlo, la idea se le venía a la mente: pervertida.

Rosaura Mendeville lo leyó en sus ojos, y enseriando súbitamente, se puso de pie y dijo:

—¿Crees que no me doy cuenta de la situación? ¿Te imaginas que soy una mujer corrompida? Tú nunca me has comprendido. A mí nadie me ha comprendido nunca. Primero, todo eran chiquilladas, necedades de niña boba que la daba por ponerse a llorar sin motivo; después, fueron los caprichos de muchacha mal criada y voluntariosa que la cogía por burlarse del novio, porque sabía que esto mortificaba a los demás, a papá, que se remiraba y se relamía de gusto en presencia del inmejorable Mendeville, que era todo un buen partido; a ti, que pasabas la vergüenza de tener que decirle: «Rosaura no está aquí», cuando yo me acostaba temprano para no recibirle la visita; finalmente, fueron majaderías de mujer sin corazón, que no le importaba hacer sufrir al marido. Nunca se ha preocupado nadie en pensar que yo podía tener mis penas, mis tormentos morales, que no pedían reproches, sino consuelo y ayuda.

—Así dicen todas.

Rosaura se sintió fulminada por la frase de la hermana, que la confundía con una pecadora vulgar, con una viciosa sin elevación moral que busca en el amor lo que tiene de más abyecto.

Quedósela viendo, sin hallar qué decir, ahogada por

la presión de la garra de llanto que tampoco acertaba a brotar de sus ojos.

Entretanto, la señora de Sojo, enjugándose los suyos, se paraba dispuesta a despedirse. Rosaura la sujetó por los brazos:

—María. Me calumnias. Me calumnias.

—Déjame, Rosaura. Mejor es no seguir tratando de esto. No te imaginas la repugnancia que me produce esta escena.

—Pero no me condenes sin oírme. No...

El llanto le estranguló la voz. Lloró largo rato, abrazada a la hermana, sacudiéndola bajo la violencia del dolor que agitaba su cuerpo. Luego se desprendió de ella y le dijo, entre sollozos:

—Tú no te imaginas cómo he luchado yo contra esto. Al día siguiente de casada aborrecía a mi marido, y fuí a casa de papá, tú lo sabes, a decirle: ¡líbrame de este hombre a quien desprecio con toda mi alma, con todas las fuerzas de mis entrañas! Papá me habló del deber y me rechazó fríamente. Desde entonces empezó la batalla perenne, de todos los días, de todas las horas, y cada vez se hacía más grande el aborrecimiento que aquel hombre me inspiraba. Yo no te he dicho nunca por qué lo aborrecía tanto; pero tú has debido comprenderlo, tú has debido adivinar que ese hombre me había injuriado con una sospecha atroz, hasta el punto de...

La señora de Sojo hizo un movimiento de repugnancia.

—No lo digas, Rosaura.

—¿Es repugnante, verdad? ¿Comprendes ahora lo que he debido sufrir al lado de ése que tú has calificado siempre de marido ejemplar? Pues bien, yo me sacrifiqué al deber. Me sacrifiqué por ti, que no te habías casado todavía, y por papá. Pero yo había nacido para amar mucho y para ser amada, y como en mi matrimonio no podía haber amor, lo busqué en Dios. Entonces fué aquel meterme diariamente en la iglesia, que tú me censurabas. Hasta llegué a resolver meterme en un convento. No lo hice porque ya era madre y la esperanza de un hijo me sostuvo. También me has criticado siempre mi extremoso amor a Olguita, de lo cual se quejaba Luciano, recurriendo a ti para que intercedieras, porque yo no quería ni verlo. Creí que me bastaría mi hija.

—Y ha debido bastarte. Por eso me parece que es una locura imperdonable lo que estás haciendo.

—Pero, ¿tú no comprendes, María, que una mujer como yo no podía, por más que quisiera, renunciar a su juventud? Sin embargo, todavía luché. Me abracé a la música, como a una tabla de salvación, me enamoré de Chopín para no enamorarme de otro hombre, ¡para serle fiel a Luciano!

—¿Por qué te has cansado de luchar?

—¿Sabes tú, acaso, si me he cansado de luchar? Ahora más que nunca.

—Pero Rosaura, tú no reflexionas. ¿Crees que es manera de evitar la tentación estar en ella a toda hora? Tú deberías salirte de esta quinta, cuyo aislamiento te perjudica; irte a Caracas, a una calle céntrica, donde todo el mundo te vea. Necesitas desvirtuar las murmuraciones que pueden correr.

—Que están corriendo.

—¿Y lo dices con esa tranquilidad?

—¿Quieres que me eche a morir porque la gente murmura de mí? Dime tú quién está libre de las murmuraciones del prójimo.

—En este caso son fundadas. Ya que no quisiste irte con tu marido a Ciudad Bolívar, donde sus negocios reclaman su presencia, has debido quedarte a la vista de todo el mundo y no en esta quinta, demasiado discreta. Aunque no tanto como para que la gente que pasea por la avenida no haya visto cosas nada regulares.

—¿Cuáles son esas cosas? Di.

—Reinaldo Solar te visita a menndo.

—Viene a oír música. Puedes tener la seguridad de que no ha habido en mi vida horas más puras, más santas, que las que pasamos aquí, olvidados hasta de nosotros mismos. Solamente el arte nos ocupa. ¿Es que no tengo derecho a tener amistades que me comprendan y compartan conmigo mi amor al arte?

—También se ocupan de leer libros perversos, como ese drama cuyo argumento me referiste hace poco, y que te tiene la cabeza llena de atrocidades — díjole mostrándole un ejemplar del drama de Ibsen, «Casa de muñecas», del cual le hablara Rosaura con entusiasmo dos días antes, y que permanecía allí, en una mesa de la sala —. Y concluyó:

—Ya sé cuál es su intención. Te ha traído ese libro para convencerte de que cuando una mujer está en un caso semejante al tuyo, tiene derecho a disponer libremente de su persona, hasta abandonando a sus hijos, para salirse con la suya.

—Chica, eres demasiado perspicaz, demasiado maliciosa.

—Yo no sé lo que soy. Pero sí sé que no deben ser muy santas las horas que ustedes pasan aquí.

Ofendida, Rosaura asumió una actitud de desdén.

—Tú no podrás comprender nunca ciertas cosas, María.

—Te repito que no quiero comprenderlas.

Hubo una pausa. María recorría la salita, deteniéndose en las consolas para contemplar un retrato o un objeto que parecían interesarla y que soltaba en seguida sin haberse fijado en él. Rosaura, entretenida con los encajes de su bata:

—¡En fin! Cada una hace de su capa un sayo. Yo estoy dispuesta a no seguir siendo burguesa.

María se detuvo frente a ella, mirándola como si quisiera penetrarla hasta el fondo del alma.

—¿Y qué es lo que vas a ser, desgraciada? ¿No se te ha ocurrido pensarlo? ¿Sabes el nombre que vas a merecer?

—No lo pronuncies, María —atajó Rosaura, temerosa de que su hermana profiriese la palabra atroz.

—Sin embargo, sería bueno que te lo dijera claramente. Te serviría de remedio para curarte de esas fantasías que se te han metido en la cabeza.

Rosaura rompió a llorar de nuevo, diciendo:

—¿Crees que no lo he pensado? Demasiado sé cuál será mi destino; pero es mi destino y es inútil resistir más. Sólo te digo una cosa, María: todavía no he caído. Pero si ésa ha de ser mi suerte, no me culpes a mí sola. En realidad, yo no soy sino una desgraciada mujer que se ha creído con derecho a la felicidad, como todo el mundo, y como no la ha encontrado por el camino recto, se ha decidido a echar por el atajo.

Desesperada de no lograr hacerla entrar en cordura, la hermana recurrió a la tentativa suprema: enterne-

cerla para que pudiese oír la voz del corazón, que lo
tenía amoroso y vehemente:

—¿Y Olguita, Rosaura? ¿Qué será de ella?

Rosaura permaneció un rato en silencio. Luego respondió, lentamente, fríamente:

—Es el precio de la felicidad.

La señora de Sojo se apartó de ella, horrorizada:

—Tú estás empecinada.

Y salió sin despedirse.

Rosaura no la vió salir y permaneció pensativa, jugando con sus encajes. Luego, cuando se dió cuenta de
que la hermana se había ido, se asustó de sí misma y
salió a la puerta para llamarla.

María se alejaba por el sendero del jardín sombreado
por los pomagás, hacia la puerta, en la cual esperaba
un coche. Cuando ya entraba en él, Rosaura intentó
gritarle que se revolviera; pero comprendió que no
tenía nada que decirle, pues entre ellas acababan de
ser pronunciadas las últimas palabras. Permaneció en
el umbral de la puerta viendo alejarse el coche que se
llevaba, despedazado, uno de sus mayores afectos.

El sol de la mañana brillaba en las hojas de los árboles y sobre los tejados de la ciudad que se divisaban
por entre los sauces que bordeaban el curso del río. En
el fondo, el Ávila —el monte que Reinaldo Solar llamaba suyo— reposaba lleno de luz gloriosa, con sus
cumbres despejadas en el azul puro.

—¡Quien viviera allí! —murmuró Rosaura—. Lejos
del mundo, oyendo perennemente la «armonía de las
esferas».

Era una frase que le había oído a menudo a Reinaldo
Solar, cuyo sentido ella no comprendía enteramente,
pero que le parecía hermosa, como todo lo que él le
decía durante aquellas veladas que pasaban allí, en el
discreto apartamiento de la Quinta de los Pomagás,
oyendo pasar las almas de Beethoven y de Chopin, a
través de los espacios llenos de armonía, de sonatas
y nocturnos.

Recordó que la víspera, contemplando el paisaje pla-
teado de luna, habían concertado un paseo al pue-
blecito que desde allí se divisaba al extremo de la
avenida, y le pareció que no podía negarse a ir, porque,
como ya le había dicho a su hermana, si aquello era

su destino era inútil resistir. Abandonó la salita, llamando a la hija, que acababa de atravesar corriendo por el jardín.

—Amor, ven a vestirte.

Poco rato después, Reinaldo, que venía en dirección contraria a la que ella llevaba, hízose el encontradizo.

—¡Olguita! ¿Vas a pasear? —preguntó a la niña, cuya presencia lo intranquilizaba despertándole escrúpulos.

—Vamos hasta allí. ¿Tú no quieres venir también?

—¿Quieres que te acompañe?

—Sí. Yo le tengo miedo a los bueyes y por ahí hay muchos. Vente con nosotras para que los espantes si nos embisten.

—Bueno. Vamos.

Rosaura exclamó, disimulando su turbación:

—¡Las cosas de los muchachos! ¡Qué felicidad!

Reinaldo la miró hondamente. Un germen obscuro, del cual parecía que por momentos iba a brotar un zarzal de odio, se agitaba en aquel instante en el fondo de su amor a aquella mujer. Era el disgusto, la repulsión de sí mismo, que experimentaba cada vez que se veía en el caso de servirse de la inocente complicidad de la niña.

Caminaron buen espacio en silencio. Olguita iba adelante, saltando y charlando. Reinaldo no quitaba de ella sus ojos y pensaba:

—¡Esto es inicuo!

Rosaura suspiraba a menudo. En su interior resonaba implacable la frase de la hermana: «¿Sabes el nombre que vas a merecer?». Pero al mismo tiempo disfrutaba la voluptuosidad de su locura; como la jovencita con el primer amor, ella se complacía en pensar que estaba locamente enamorada, hasta el punto de no preocuparse por la inconveniencia que cometía.

Llegados al extremo de la avenida, siguieron por un callejón que conducía a La Vega, a través de los cañaverales. A poco andar, apareció el pueblo, tras un recodo.

El sórdido caserío, formado de ranchos de paja, se desparramaba por un terreno quebrado, entre tunas y cardones que se alzaban como alarde de fertilidad de la tierra rojiza. Circulaba por allí gente desarrapada, en la tierra escarbaban animales y muchachos en hambrienta camaradería. Un perro saludó a los paseantes con un gruñido hostil, mientras un chico, desnudo y horriblemente sucio, corrió a ponerse en salvo en la puerta del rancho donde vivía y desde allí los miró pasar, huraño y medroso.

—¡El salvajito! —exclamó Rosaura contemplando el cuerpo ventrudo y canijo del negrito.

Su voz hizo acudir a la madre del chico. Sus ojos, horriblemente blancos por el contraste con el color de la piel, se clavaron hostiles en los paseantes que iban a turbar la tranquilidad del vecindario.

En las palizadas secábanse sórdidos harapos; en los interiores, diverso trajín e idéntica miseria; aquí una mujer que lavaba, batiendo ruidosamente los trapos percudidos contra las piedras del embostadero; allí otra que, arremangada, amasijaba el pan con rápido movimiento de las manos; a veces, una que se entretenía en hurgarle los piojos a una muchachita de cabellos bravíos y rojizos por efecto del sol y de la intemperie; o una que, más desocupada, sentada a la puerta del cubil, hablaba con alguien que debía estar dentro, pero que no respondía, dando la impresión de que hablase a solas. Entre todos los oficios, esta holganza era lo más frecuente: en casi todos los bohíos había gente ociosa, sentada a la sombra exigua de los aleros, en los escaños de las puertas mano sobre mano y la mirada hundida en una abstracción de embrutecimiento. Y este sinquehacer de la absoluta miseria condensaba en los interiores un ambiente de paz imperturbable.

Más adelante comenzaba el pueblo, propiamente. Predominaba el ocre, en la calle sin empedrar y en las fachadas de las casas inconclusas, o que nunca serían concluidas, por los huecos de cuyas puertas y ventanas entreveíase un cielo de añil crudo o trozos de un paisaje que adquiría un prestigio singular, por la virtud del marco, evocador de ruinas y tristezas.

Excitado por la presión de sus sentimientos, Reinaldo Solar hablaba copiosa, gallardamente:

—¿Quería usted que yo le sirviese de «cicerone»? Para desempeñar bien mi papel tendría necesidad de mostrarle, como única cosa digna de importancia, la sencillez misma de esta vida y de estas almas. Mire usted. Todas las puertas se abren indiscretas, divulgando el secreto de los interiores llenos de colores obscuros y simples. Al pasar, nos detenemos a mirar hacia adentro, y ya habrá reparado usted cómo el asombro y la curiosidad de adentro proporcionan motivos estupendos que un pintor podía trasladar en cuadros sugerentes. En aquella casa fué un grupo de niños que jugaban en el patio y se pararon a vernos. ¿Recuerda cómo les brillaban los ojos en las caritas llenas de sol? Aquí, estas mujeres que hablan con palabras que no oímos, mientras trabajan. ¡Mire, ahora han levantado las caras de la labor! Todas se sorprenden de nuestra curiosidad y se preguntarán, probablemente: ¿qué verán tanto para adentro?

—Sonríen apenadas — dijo Rosaura.

Reinaldo continuó:

—Y nos miran, a su vez, para que no les robemos, sin darse ellas cuenta, el secreto de su vida interior. Nosotros preferimos verlas trabajar sin que se den cuenta de que las contemplamos, porque, indudablemente, tenemos mucho de ladrones. Algunas lo han comprendido y han mandado cerrar las puertas. Otras veces no hemos podido ver la vida; pero siempre hemos encontrado algo sencillamente bello: ¡patios bañados de sol, un poco de azul por encima de los tejados, un gajo florido en el aire luminoso! Y como nuestros ojos, nuestros oídos también han sorprendido algo, al pasar: trozos de conversaciones familiares, de uno de esos diálogos sin asunto, empezados nadie sabe cuándo y que terminan con la vida misma. Rendijas de almas, a través de las cuales vislumbramos interesantes episodios, tragedias quizá, donde seguramente no hubo sino un acontecimiento vulgar. No hemos visto nada todavía y, sin embargo, hace rato que estamos en presencia de la única cosa interesante que existe sobre la tierra: la vida simple, la vida de todos los días, hermética en su sencillez, pero colmada de sugerencias. Lo que no tiene finalidad aparente ni se manifiesta con aparato, la que asemeja al hombre con el tallo de hierba que da su flor sin saberlo ni desearlo. Hace rato que estamos en el corazón de ese misterio inefable; sin darnos cuenta hemos tratado de

escrutarlo; pero de ese misterio, a la vez interesante
y trivial, no poseeremos jamás el secreto. Abriríamos
las puertas cerradas, nos insinuaríamos para sorpren-
der en las almas el minúsculo pensamiento que ale-
gra o tortura, la angustia insignificante: por el marido que llegó de la calle sombrío, por el hijo que se
demora en el mandado, por el jornal que no alcanzó
para el pan de la familia, por la hija malenamorada
que está en peligro; la tragedia cotidiana que escarba
silenciosamente en el corazón, abriendo las heridas in-
curables del dolor sin nombre; la alegría pequeñita que
apenas hace sonreír y, sin embargo, está allí, sosteniendo la vida, como el agua de los fondos. Trataríamos
de descifrar esos sencillos misterios que una mano invisible va grabando en el corazón humano; pero nada
lograríamos: la vida huraña se escaparía a sus refu-
gios inexpugnables y no encontraríamos angustia que
no sonriera para engañarnos, ni alegría que se atreviese
a ser francamente risueña.

Rosaura lo escuchaba embobada. Aquellas palabras
le infundían un sentimiento inefable, mezcla de admiración y de respeto. Era el recogimiento que produce
la revelación de un alma que se muestra a través de
una palabra, que puede ser sencilla y trivial, pero que
trae y despide el olor indefinible de la pura esencia
humana.

Así llegaron a una plazoleta cercada con palizada
de alambre, entre la iglesia y la jefatura civil. Reinaldo
la invitó a sentarse allí un rato.

En la plazuela, sola y silenciosa, discurrían por los
senderos abiertos entre la hierba dos palomas pico-
teando. Ahuyentándolas, traspasaron el cercado dentro
de cuyo recinto se hacía más grata la eglógica quietud
aldeana.

Olguita corrió tras las palomas, cuyo aleteo turbó
un momento el silencio. Sentáronse Reinaldo y Rosaura
en un canto de piedra tumbado bajo un cedro, a manera de banco.

En la calle, junto a una alcantarilla, esperaban pa-
cientemente mujeres y muchachos, mientras un hilillo
de agua, turbio y moroso, iba llenando los cántaros,
uno a uno. Los que esperaban su turno miraban en
silencio y fijamente el agua.

De la iglesia salió una mujer con medallas al pecho; dentro de la Jefatura se conversaba monótonamente y aquel rumor parecía llenar todo el pueblo; desde las puertas de las casas próximas las mujeres observaban a los forasteros, con la misma expresión azorada y furtiva de las palomas que habían vuelto al sendero. Olguita, con las manos cruzadas bajo la espalda, las contemplaba embelesada.

En el aire diáfano, los colores tenían una nitidez y una inocencia de cromo.

Reinaldo hizo la observación y Rosaura agregó:

—Cromo de aldea, donde apenas falta el cura viejecito bendiciendo a un niño arrodillado. He visto tantas veces ese cromito.

Reinaldo volvió a decir:

—¡Qué fracaso si apareciera el cura de este pueblo! Por momentos espero verlo asomarse en el altozano: alto, huesudo, huraño, con el ceño fruncido por la elaboración del sermón próximo, porque entre las jactancias de esta parroquia no es la de menos ésta de tener un cura elocuente, tribunicio.

—¿De veras? Pues nada más natural que saliera a componer el sermón paseándose por el altozano. ¿Y cómo empezaría ese sermón? «¿La paz sea con vosotros?». Seguramente empezaría así. ¡Es tan apacible este lugar!

—Pero seguramente el orador ha agotado ya ese evangélico motivo y hay que buscar otro, nuevo y más humano.

—A ver. ¿Cuál sería? —dijo Rosaura, gozosa de provocar la charla de Reinaldo.

—Veamos. Veamos qué se ocurre. Yo sé que el cura trata preferentemente sobre temas de oportunidad, para fustigar a los feligreses empecatados. Imagínese que sucediera un escándalo.

—Eso —interrumpió Rosaura jubilosamente—. Supongamos que un día aparece en el pueblo una mujer hermosa... y...

—Justamente. Una cigarra entre las hormigas.

—¡Anjá!

—La pecadora ha venido en busca de descanso.

—Y en el pueblo no se habla sino de ella: sus trajes vistosos y descocados, sus coloretes, la manera de recogerse las faldas, sus sombrillas rojas como las amapolas...

—Perdón. Como las cayenas. Tiene más color local.

—Pues como las cayenas. Las madres cristianas y timoratas temen por sus hijos en peligro.

—Y las muchachas no dejan de pensar en ella y a veces se asustan de sus propios pensamientos. Lo que significaría para estas hormigas esa cigarra. La vida anodina, aburridora, sin amor y sin dolor; la semana para el trabajo, el domingo para la misa y el fastidio...

—Marta y María.

—Y si conocieran la evangélica elección de Jesús, ¡cuántas Marías! A menos que, en el sermón, el cura se decidiera por Marta, aun a riesgo de desacreditar a Jesús.

—Deje usted quieto a Jesús.

Y Rosaura rió largamente. Luego dijo:

—Pues ya tiene el asunto del sermón del señor cura que tantos quebraderos de cabeza le estaba costando.

—Si no me ayuda usted, no salgo del atolladero. Le doy las gracias en nombre del cura.

Pero Rosaura atendía a otra cosa.

—Mire —le dijo—. Todas las pueblanas se han asomado a sus puertas a vernos.

Una misma idea atravesó la mente de ambos y guardaron silencio. Al cabo de un rato volvieron a un tiempo las cabezas. Miráronse a los ojos y turbáronse como si se hubieran visto las almas. Rosaura dijo la primera:

—¿Nos vamos?

—Si usted lo desea.

—Sí. Creo que ya hemos visto todo lo que había que ver.

Reinaldo volvió a mirarla, para decirle intencionalmente:

—Y hemos sabido todo lo que había que saber, ¿verdad?

Enrojeció ella y respondió:

—Vámonos. Vámonos.

De regreso, apenas cruzaron algunas palabras. Cuando llegaron al sitio donde Reinaldo se les había reunido, éste se despidió, preguntándole:

—¿Hasta la noche?

Ella asintió moviendo la cabeza.

En el almuerzo no probó bocado. Sentía sobre el pecho una presión agobiadora y a cada momento la asaltaban ganas de echarse a llorar. Luego se encerró en su alcoba y lloró largamente.

Olguita, pegada a sus faldas, asustada de aquello que no acertaba a comprender, no hacía sino mirarla fijamente. La madre la abrazaba de pronto, en arrebatos frenéticos, y la besaba hasta fatigarla.

Luego, extenuada y con el espíritu más sereno, se salió al corredor que daba al jardín y se puso a leer el «Rafael», de Lamartine, que era la lectura de sus crisis románticas.

En la noche, después de acostar a Olguita, besándola muchas veces, se aderezó como para una fiesta y se fué al saloncito del piano, a esperar lo que «había de suceder».

Toda su vida giraba alrededor de aquel momento de ansiedad voluptuosamente dolorosa; con la tenacidad de una obsesión, reconstruía una y otra vez las horas vividas al lado del marido y le parecía imposible que no hubiese sucedido antes aquello «que iba a suceder ahora».

Reinaldo llegó, como de costumbre, furtivamente. Se saludaron en silencio, como si temieran a sus palabras, y ella se sentó al piano.

—¿Beethoven o Chopín?

—Beethoven.

Ella hubiera preferido la música de Chopín, más adecuada a sus sentimientos, y miró a Reinaldo con expresión de mudos reproches. Luego comenzó a tocar «La Appassionata».

Reinaldo experimentaba una pena áspera. Otras veces la soberana belleza de aquella sonata, a través de la cual pasaba el atormentado espíritu del músico genial, lo había transportado a esferas luminosas donde se escuchaba el ritmo inefable del mundo espiritual; pero ahora le era imposible libertarse de la violencia de su propia pasión exasperada.

Y un sentimiento imprevisto, que lo turbó como la presencia de un huésped misterioso, se adueñó de su alma: era una rabia sorda, un odio obscuro hacia aquella mujer que había abolido totalmente su vida interior.

Rosaura concluyó de tocar, casi jadeante. Una oleada

de sangre le arrebolaba el rostro; dentro del escote
la carne suave del regazo se hinchaba de alientos hon-
dos y angustiosos. Permaneció en el piano, con los dedos
inmóviles sobre el teclado y los ojos bajos.

Reinaldo se acercó a ella, le tomó las manos y la hizo
ponerse de pie. Un momento llegó a temer de sí mismo,
porque se sentía dominado por el bestial impulso de
rencor; pero advirtió una sombra de infinito sufrimiento en la faz que acababa de aparecérsele encendida
de deseos, y una oleada de ternura humana le brotó del
corazón.

Ella lo miraba asustada y esperaba resignadamente.
Todavía quiso resistir y echó la cabeza atrás, suavemente; pero los besos de Reinaldo la alcanzaron en los
ojos, en la boca, sosegados, casi puros...

VI

El sol de la mañana doraba las copas de los cipreses
del patio, aquellos dos cipreses simbólicos que plan-
taran el día de su boda los fundadores de la casa; en
los caballetes dormían unos pájaros nocturnos; por los
corredores discurría un soplo de brisa, sigiloso y suave
como el paso de un espíritu. Había un silencio hondo,
una paz conventual en toda la casa.

Carmen Rosa levantaba de cuando en cuando la cabeza fatigada, hacía una aspiración larga y profunda,
con la punta de los dedos se apartaba de la frente un
rizo tenaz y volvía a inclinarse sobre el bordado.

—¿Qué se habría hecho Pablo Leganez?

Era una obsesión dulce y triste que revelaba el ansia
resignada de su juventud en crisis. Por allá dentro,
junto al arcón de caoba, Ana Josefa estaba, seguramente, revolviendo sus billetes y listas de lotería; en
el alto, Reinaldo escribía; y en medio de estas dos vidas,
cada una consagrada a sus preocupaciones: la de la
madre, a la infantilidad de sus cábalas; la del hermano,
a sus empresas; la suya, pobre. vida de mujer sin ilusiones, languidecía, como una flor en un jarro seco,
en el recuerdo del joven ingeniero que un día trajo la
alegría sana y turbadora de su risa.

Avivárase esta nostalgia con la noticia que Graciela Aranda le había dado la noche anterior: el domingo próximo se cruzarían los aros nupciales ella y Menéndez. Por la amiga se había alegrado; pero luego, al meterse en su cama, pensando en ella e imaginándosela casada y feliz, con un niño en los brazos, se le ocurrió de pronto aquella interrogación que dirigía al destino, a la ley inmisericorde de su vida, a Dios:

—¿Qué se habría hecho Pablo Leganez?...

Entró una vecina. Traía en la mano un libro de oraciones, pringoso por el frecuente manoseo, y en las ropas olor de sacristía. Se sentó. Le preguntó por qué no había ido a misa.

—Porque no. ¡Qué sé yo!

—Te veo y no te conozco — exclamó la beata, abriendo mucho los ojos.

Y ella explicó, sin levantar la vista de la labor:

—Me levanté tarde, cuando daban último. Anoche dormí mal. Tuve jaqueca.

La vecina siguió charloteando, y luego, como si no hubiese ido a ello y se le acabase de ocurrir:

—¡Ah! Tengo que darte una noticia: ayer recibí carta de Clarita Reinoso. Está de lo más contenta. ¡Me dice tantas cosas!, ¡tantas cosas!

—Yo también recibí carta suya.

—¿Anjá? Pues que las hermanas y que la quieren mucho. Que el convento es como un pedazo de cielo, que hay un silencio tan grande, ¡tan grande¡, que se sienten volar los ángeles.

—Eso mismo me dice.

La vecina agotó el tema; dejó saludos para Ana Josefa y se fué, satisfecha de haber cumplido aquello que creía un deber: el asedio implacable de Carmen Rosa, para despertarle en el corazón el abandonado propósito.

Carmen Rosa se quedó pensando:

—¡Un silencio tan grande que se sienten volar los ángeles! ¡Hasta Clarita Reinoso realiza sus deseos!

Sintió en la escalera los pasos de Reinaldo, que bajaba del alto. Dejó el bordado y salió a su encuentro. El hermano, con un rollo de papeles en la mano, se disponía a salir. Ana Josefa, que saliera de su escondite, le preguntaba cuando ella se les acercó:

—¿Ésas son las escrituras?

—Claro está. Éstas son —respondió Reinaldo de mal humor.

Carmen Rosa cruzó con la madre una mirada rápida, de reconvención y acudió a barajar el tema:

—Anoche estuvo aquí buscándote Antonio Menéndez. Le dijimos que creíamos que te habías quedado a comer en el Club. ¿Te encontró?

—Sí.

—Por supuesto, para darte la noticia, ¿no es verdad?

—¿Cuál?

—Su compromiso. ¿No te dijo que el domingo se cruzan los aros?

—¡Bah! Había anoche cosas más importantes de qué tratar. Eso me lo había dicho hace días.

—¡Chico! ¿Y no nos habías dicho nada? ¡Si es una gran noticia!

—Para los que se ocupan de esas nimiedades —respondió Reinaldo con supremo desdén, dirigiéndose a la puerta de la calle.

Ana Josefa intervino:

—Ése es Dios que los ha premiado.

—Pues a quien Dios se lo da...

Carmen Rosa comprendía que tal conversación no era grata al hermano y guardó silencio; pero Ana Josefa continuaba, sin darse cuenta:

—Y hace muy bien Menéndez en pensar en formalizar eso, porque Graciela es una muchacha que se lo merece.

Ya en la puerta, Reinaldo se revolvió para preguntar a Carmen Rosa.

—¿Vino la mujer de quien te hablé?

—¡Ah, sí! Se me olvidaba decirte. Le di los cien bolívares que le dejaste. Se puso muy contenta; hasta lloró. Que su...

—¿Qué su qué?

—Bueno, su... compañero. ¿Cómo es que se llama él?

—¡Eso! ¡Su compañero! ¿Te parece calificativo indigno?

—Como dices que no son casados...

—Ni falta que hace.

—Pues que te mandaba a decir que quiere que te

traigas el cuadro para acá, porque y que ya no tiene
esperanzas de poderlo concluir. Que se siente muy mal.
Y que no dejes de ir a verlo siempre que puedas; que
cuando te oye se siente mejor.

—¡Pobre Riverito!

Y Reinaldo salió a la calle pensando en aquel tímido
pintor de «Los Sembradores», a quien años atrás había
galvanizado con su entusiasmo ante el cuadro viviente
de los mendigos que cultivaban la tierra detrás del
Asilo. Sentía que gravitaban sobre él tremendas res-
ponsabilidades.

Su prédica del deber de expatriación, que destruyó
después cuanto en aquella mañana había dicho sobre la
necesidad de echar raíces en el propio suelo, y su viaje
a Europa habían caído como una definitiva losa de
desengaños sobre el desorientado Riverito.

Abandonó el cuadro inconcluso, buscó consuelo en
la bohemia tabernaria, donde otros fracasados como él
engañaban, con una grotesca parodia de Montmartre, su
esencial incapacidad para todo lo que fuese aliento generoso; enamoró a una muchacha que vivía en «Agua
Salud» y que pasaba todas las tardes, de regreso del
trabajo en la cigarrería, atravesando el Viaducto del
Calvario, frente a la capillita de los cipreses, en cuya
escalinata él acostumbraba sentarse a contemplar la
gloria, también fugaz y desvanecente, de los incomparables crepúsculos de Caracas; la sedujo y la sacó de
su casa; buscó trabajo en una litografía, y se hundió
para siempre en la miseria y en la anonimia, en compañía de aquella muchacha, que le resultó buena y honrada y en la cual sembró hijos raquíticos, como los
mendigos de su cuadro, porque él también era un lisiado,
un mútilo de la voluntad, un escombro que se desmoronaba en silencio, allá cerca de aquellas otras ruinas
del Lazareto, donde tantas veces conversaban en las
jubilosas tardes de aquellos días de esperanzas.

Luego, agotado por el rudo trabajo, por el hambre
mal aplacada y por la desbordada incontinencia del
tímido que atraca tardíamente su barca de castidad
en el ribazo del amor, su miseria fisiológica lo entregó
sin defensa al blanco Moloch de la tuberculosis.

—Y todo esto —se decía a sí mismo Reinaldo Solar— es la obra de esos cambios de dirección, de una

de esas contradicciones de mi voluntad. Nuestra vida no nos pertenece a nosotros solos; es también una propiedad de los demás. Yo he cometido un verdadero despojo con ese pobre Riverito, que se apoyó en mí para andar su camino.

Entretanto, en su casa, las mujeres se habían quedado haciendo otros comentarios. Carmen Rosa sentía que en su interior algo muy recóndito se rebelaba contra aquel ciego amor que siempre profesara al hermano.

Reinaldo jugaba con las voluntades de los demás, como las criaturas con los gatos domésticos que se les apegan, mansísimos, pacientes.

—Bien sabía él que Graciela lo quería, y hasta hubo un comienzo de amores. Y aquella otra pobre América Peña, a quien dejó así... ¡Y ahora esa infeliz mujer de Mendeville, cuya reputación está en boca de todo el mundo, vuelta trizas! ¡Mal hecho, mal hecho! Después vienen los arrepentimientos, cuando se comprende que se ha podido ser bueno y no se quiso ser.

Al cabo de análogas reflexiones, Ana Josefa preguntó:

—¿Hoy es cuando Reinaldo va a firmar el contrato de arrendamiento?

—¿No viste que llevaba las escrituras?

—¡Qué disparate va a hacer ese niño! Al fin y al cabo el indio ése se quedará con la hacienda, a cuenta de las mejoras que le haga, porque Reinaldo no tendrá con qué pagárselas.

—¡Para lo que está produciendo la hacienda! Mortificaciones y disgustos. Reinaldo le echa las culpas a tío Agustín, y tío Agustín a Reinaldo. Yo no sé quién tenga la razón, pero lo que es cierto es que «Los Mijaos» ya no es ni la sombra de lo que era antes. La última vez que fuí me dió dolor ver cómo se habían perdido todos los tablones.

—Pero si Reinaldo no se ocupa de eso. Meses enteros se le pasan sin ir por allá.

—Ni se ocupará nunca. Por eso es mejor acabar de salir de ese quebradero de cabeza. Nos reduciremos a vivir de lo que pague el indio por el arrendamiento. La tranquilidad de la vida vale más que todo.

—¿Nos reduciremos? ¿Acaso Reinaldo es hombre que puede privarse de ciertas cosas? Y ahora menos,

con esos enredos que tiene con la señora ésa. Y para
colmo, la fulana Asociación que se le ha metido entre
ceja y ceja. Un dineral va a invertir en ella. Ya veo
el resultado y no muy lejos: la ruina. Dentro de poco
tendremos que vender esta casa para comer y después
nos quedaremos a la buena de Dios. Por mí no lo siento.
Para los años de vida que me quedan... Por él es que
me angustio. Reinaldo no ha nacido para pasar trabajos.

Y al cabo de un rato:

—Y por ti.

—Por mí no te mortifiques. Lo mismo me da una
cosa que otra. ¡A mí qué me importa que se pierda todo!

—Eso es. No te importa. Por eso conviniste tan ligero
en eso del arrendamiento. Como tú no piensas sino en
el convento.

—¡Ay, mamá, por Dios! No la vayas a coger conmigo. Yo lo único que he pedido siempre es que me
dejen tranquila. Yo no me meto con nadie, ni exijo
nada.

—Como tú no vives en este mundo...

—Será porque me he acostumbrado a que en este
mundo no ha habido nunca nada para mí. Pero no
me quejo.

—Ya sé por qué lo dices.

Y en seguida, con lágrimas en los ojos:

—No merezco que me hagas esos cargos. Yo me he
desvivido por ustedes dos, sin preferencias. Tú sí que
tienes especiales extremos para Reinaldo. Te miras y
te deseas para complacerlo en todo; basta que él quiera
algo para que tú convengas sin protestar. La prueba es
esto del arrendamiento de la hacienda. Has podido opo-
nerte, con perfecto derecho, y no lo hiciste. ¿Y con lo
de la ida al convento? Bastante lloré y te supliqué que
no me dejaras sola, que esperaras a que yo muriera. Y
tú, ¡como si tal cosa! Pero llega él, te tira tus reales
en las manos, te dice que te vayas inmediatamente, sin
consideración ni lástima de ninguna especie, y tú, ¡más
mansa que el Cordero Pascual!

Carmen Rosa se levantó de su asiento súbitamente
y se metió en su cuarto, rompiendo a llorar. Ana Josefa
permaneció en el corredor, con la frente sobre la mano,
llorando también.

Luego, alarmada por aquel llanto de la hija, fué

allá a consolarla, a tranquilizarla. Sentíase culpable, le parecía que había sido excesivamente dura e injusta, que había dicho palabras muy crueles, y, apesarada, medrosa, con ganas de estallar también en un llanto gritado, de sincero arrepentimiento, como si fuese la más malvada persona del universo, se acercó a la hija, se sentó a su lado en silencio y al cabo de un rato, insinuando en los cabellos de ella una tímida caricia, como el domador que se acerca a una bestia arisca, comenzó a decir:

—Carmen Rosa...

—Déjame, mamá. Déjame llorar... ¡Hoy he amanecido con una tristeza!... ¡Con unas ganas de gritar, gritar, gritar!...

Y Ana Josefa, con el corazón partido de dolor, la atrajo dulcemente sobre su pecho y empezó a balbucir:

—¡Pero, hija! ¿Por qué no me habías dicho nada? ¿Qué tienes?...

Mientras esta escena inusitada se desarrollaba en su casa, Reinaldo había llegado al hotel donde se alojaba cierto general Yaguarím González, a quien arrendaría «Los Mijaos».

Era el hombre un hermoso espécimen de esas razas vigorosas y brutas que se incrustan en la general debilidad fisiológica de la población venezolana, como una cuña inquietante en un leño blando; un indiazo alto, membrudo, que tenía una cara pavorizante, y a lo largo de ella, desde la cabeza, atravesándole la frente, partiéndole la pelambre de la ceja izquierda y bajándole por las mejillas una espantosa cicatriz de machetazo. Está en almillas limpiando el cañón de una escopeta, con un tabaco en la boca, contra la comisura izquierda, mascado, más que fumado.

Los gruesos biceps y los pectorales abultados como mamas, parecía que iban a hacer estallar la franela; el cabello liso, negrísimo y recién cortado, se levantaba recto sobre un cráneo pequeño.

Al ver a Reinaldo se paró, dejó la escopeta en la silla y le tendió la diestra, en la cual resplandecía un brillante escandaloso. Rió con estrépito:

—¡Ja, caranche! ¡Cómo me encuentra usted! Pero no se preocupe; en un brinco ya estoy aperao. Siéntese. Aquí estamos en campaña. Y pa que usté vea, así es que me gusta a mí. Por eso siempre que vengo a Caracas me hospedo en este hotel, donde le ponen a uno el cuarto pelao, sin ninguno de esos dengues de los hoteles de lujo. Aquí estoy como en mi casa; porque yo ando siempre escotero, como decimos allá, ¡pa no pisame el rabo! ¡Já, já, já! ¡Eso sí: mi chinchorro y mi gritona andan siempre conmigo! ¡La escopeta! ¡Já, já, já!

Reinaldo hizo el elogio del chinchorro. El general, complacido, dijo:

—Tejido por los indios. Lo compré en Guayana, el año pasado; una morocota me costó. Éste es el propio moriche. ¡Jale por ahí pa que vea como se estira! ¡Ah, bicho sabroso pa dormí!

—Muy fino, efectivamente.

—Ta a su orden. Si quiere lleváselo no tiene más que descolgalo.

—Gracias. Gracias.

Yaguarím, que se había puesto los pantalones, se ponía ahora la camisa y hacía esfuerzos para reducir a la disciplina del cuello el formidable pescuezo. Con la congestión del rostro el costurón de la cicatriz se ponía tenso y luciente.

Comprendió Yaguarím que Reinaldo se fijaba con espanto en aquello y explicó, con una tranquilidad perversa, que era un abuso de su hombría:

—Un machetacito que me dió el difunto, porque le quité la mujercita.

Aquella sencilla manera de decir que había matado al adversario, aterrorizó a Reinaldo. Yaguarím, como lo advirtiera, soltó una carcajada.

Terminó de vestirse, se puso el revólver al cinto, se asentó en la cabeza el panamá y cogió su bastón, un bastón de palo de oro con un grueso y complicado puño de este metal, donde lucían sus iniciales, y mientras se aseguraba la leontina de cochanos, dijo a Reinaldo:

—Bueno, amigo Solar. Yo estoy a su orden. ¿Usté trajo los papeles?

—Sí. Aquí está el documento.

—El documento. Anjá.

Lo cogió y comenzó a leerlo mientras salían.

—Bueno, yo supongo que debe está conforme a lo que convinimos ayer con el doctor abogado.

Y luego, ya en el coche que los llevaba al Tribunal:

—Pues sí señol, aquello está muy malo, muy aban-
donao. Es un puro rastrojo, y perdóneme la franqueza.
Se conoce que ha estao en manos de gentes que no saben
agricultura. Yo hago negocio polque..., en fin, francamente, polque usté me ha caío en gracia. Soy más
ñongo pa meteme en estos negocios de arrendamientos...
No me gustan. Prefiero comprá por too el cañón. Pero
como usté dice que la finca es un recuerdo de familia...

Reinaldo lo oía con profundo disgusto. Si el abuelo
hubiera sospechado que tal cosa habría de suceder,
con sus propias manos le habría pegado fuego a la
hacienda. Él, que se mostraba tan fiero y soberbioso
cuando le mostraba los agujeros de las balas en la fachada del antiguo repartimiento de los esclavos de «Los
Mijaos», como una muestra de lo cruda que fué la con-
tienda, allá en los tiempos de la Guerra Federal, entre
los Solar y los Yaguarím.

Menester era confesar que él no había sido digno
de la herencia del laborioso abuelo; en aquella tierra
de sus antepasados él no había hecho sino medrar, como
las malas hierbas, lo mismo que a la sombra de la tradicional prestanza de su apellido no había hecho sino
dilapidar su juventud en vanos alardes.

Pero no. Él sí tenía una obra que bien valía una vida.
La Asociación Civilista era ya un hecho y una prueba
de su constancia. Precisamente debían reunirse aquella
misma mañana para constituir la Junta Directiva de
la obra.

Y una vez más, Reinaldo hizo el voto de consagrar
todas sus fuerzas a la realización del proyecto.

Firmó el documento de arrendamiento y se despidió
de Yaguarím, rechazando la invitación que éste le hiciera «a celebrar el negocito con unas copas».

La tradicional sesión tendría lugar en el bufete del
doctor Lorenzo Allende. Cuando Reinaldo llegó había
allí plétora de asociados. Poetas que acreditaban el
calificativo de líricos con que ya se designaba, en blo-
que, a todos los adscriptos al naciente Cuerpo; un abogado que tenía figura y espíritu de ganzúa, pues con
las mañas de su ciencia se habían abierto todas las
puertas de lo vedado, y que ahora iba allí, pasado por
esa agua lustral de nuestro fácil olvidar, en la cual se
bañara con una conferencia que tenía escrita, sobre las

causas ético-sociales del peculado, asunto que, indudablemente, conocía a fondo; historiadores que habían abierto picas de ignominia en el bosque sagrado de las glorias pretéritas, para que por ellas discurriese, del brazo con las sombras augustas de los héroes, el irrisorio procerato de un megalómano, para cuyo allanamiento fué necesario inventar una geometría que se fundaba toda en este axioma: la distancia más corta de «abajo» a «arriba» es un discurso; sociólogos de esos que desempeñan en las «jóvenes democracias» el papel de los antiguos arúspices, sustituyendo la voluntad de los dioses por el «determinismo de la historia», las leyes del «proceso evolutivo», las «características de la raza», etc., por debajo de cuyo pulido aspecto científico se dejaba ver algo intranquilizador, como la punta de un revólver de largo alcance bajo el paletó, hecho a la moda de París, de un pendenciero de barrios bajos; intelectuales de la más variada especie, desde el que lo era de verdad y se movía dentro del reducido horizonte de un prestigio modesto, pero auténtico, como un honrado barco mercante con las bodegas abastecidas y el rumbo bien enderezado, hasta el que pirateaba en el mar sin fin de la cultura libresca, al abordaje de toda brillante idea ajena, para desembarcarla de contrabando ante la estupefacción de los tontos; hombres sencillamente serios y bien intencionados que iban con la buena disposición de hacer lo que se pudiese en servicio de aquel ideal de civismo; jóvenes que «debutaban en la actuación pública», como había dicho, alevosamente, un periodista, y que llevaban puestas en la generosidad de su juventud, fe en la obra y confianza en el éxito.

Toda aquella legión estaba dispuesta a emprender la gárrula campaña culturista, para propagar las ideas de progreso que, conforme a los ideales de la Asociación, debían esparcirse por todo el organismo nacional, como una substancia de vitalidad imperecedera que llevase a cada célula el elemento adecuado e imprescindible.

Indudablemente, corrían tiempos de delicioso candor nacional. Todo el mundo estaba convencido de que, para salvar, restaurar y engrandecer la Patria, bastaba con la prédica constante y elocuente, hecha en toda la República por oradores entusiastas.

De sobra había quienes dijesen las milagrosas palabras; la lista de los conferencistas asociados crecía por momentos: poetas, novelistas, historiadores, médicos, abogados, ingenieros, todos habían escrito conferencias sobre temas de la respectiva especialidad.

Tan abundante cosecha de palabras hacía que Reinaldo Solar temiese ver sepultadas las ideas esenciales de su proyecto, pues recelaba que después de aquella inquietante facundia que iba a desencadenarse sobre el país, sobreviniese un silencio definitivo, fastidiado el público de oír tanta lindeza sin substancia y cansados los oradores de predicar tanta doctrina que no profesaban. Pero, a falta de cosa más concreta y positiva, había que contentarse por el momento con aquello y fomentar la garrulería de los conferencistas.

Por otra parte, la flora intelectual se había enriquecido por aquellos días con preciosos ejemplares olvidados o ignorados. De todos los puntos del horizonte, del exterior y de las provincias acudían a Caracas genuinos representantes de la intelectualidad venezolana. De muchos de ellos no se sabía hasta entonces que lo fueran; pero la prensa lo afirmaba rotundamente y había que creerlo.

Reinaldo Solar se había impuesto la tarea de conocerlos. Siempre había alimentado la esperanza de ver aparecer algún día toda una pléyade de esta rara especie, seguro de que, cuando tal cosa sucediese, empezarían a palparse, como realidades tangibles, cuantos habían sido hasta allí sueños imposibles: la restitución de la pirámide invertida a su posición normal. Y aunque casi siempre salía descorazonado de tales visitas, su fe no desmayaba.

Cualquier día, cuando menos lo pensara, iba a toparse con «El Hombre». Él tenía el presentimiento de «El Hombre» y quería creer que las señales del tiempo anunciaban que había llegado por fin la hora.

Al llegar, Lorenzo Allende lo presentó a dos de estos recién llegados famosos.

Era uno de ellos el doctor Andrés Molinos, su compañero de viaje a quien oyera decir la frase que había sido el «deus ex machina» de la Asociación Civilista; y el otro, don Justiniano Olmedo, sujeto paquidérmico, acabado de llegar de la provincia.

Olmedo musitó su nombre, y después de dar a Reinaldo una mano áspera y sudorosa, enganchó los pulgares en las bocamangas del chaleco y se quedó así, hermético, inquietante.

Era un sabio. A nadie le constaba; pero todo el mundo lo decía. Un verdadero y profundo pozo de ciencia, que acaudalara sabiduría en largos años de obscura filtración allá en su pueblo llanero; pero sabiduría empozada, de esa que no corre, y no corriendo no fecundiza.

Andrés Molinos reconoció a Reinaldo y le estrechó la mano efusivamente, diciéndole:

—Tenía grandes deseos de conversar con usted.

Y en seguida, con un cambio brusco de la atención, dirigiéndose a Olmedo:

—Usted debe tener un libro que me interesa mucho.

—¿Cuál será?

Molinos entornó los ojos, como si hiciese memoria; pero de nuevo, súbitamente, cambió de pensamiento y dijo a Reinaldo:

—Me gustó mucho la frase final de su conferencia. «Y yo prometo grandes cosas».

Pero Reinaldo no le dió importancia al elogio, pues comprendió que no había que fiarse mucho del pensamiento saltarín de aquel hombre, que parecía padecer una enfermedad de la atención, si no fuese que la tenía ocupada toda con la idea fija de lograr un ministerio, como tenía que suponerlo por lo que le había oído decir a su regreso de Europa.

Al mismo tiempo, pudo hacer otra valiosa observación: de la inquietante faz de Olmedo acababa de borrarse el gesto de displicente superioridad con que acogiera su presentación, y ahora lo miraba como a persona cuya importancia no se había tenido en cuenta.

Molinos volvía a decir, después de haber estado unos momentos como en la luna:

—Ya, hablando con el doctor Olmedo, le había dicho que de esta Asociación Civilista pueden salir cosas estupendas.

—Un ministerio — pensó Reinaldo.

A tiempo que Olmedo, moviendo la cabezota atestada de sabiduría:

—¡Ah, sí!

—Yo tengo mi idea —concluyó Molinos, guiñando un ojo con un aire picaresco de mucho carácter —. Pero no hay que violentar los acontecimientos. Ellos vendrán a su hora. Es cuestión de saber esperar, que en estos casos es la gran ciencia. Por el momento, bien está la cosa así como la vamos a hacer.

—Cuestión de oportunidad — apoyó Olmedo.

—A mí me pareció muy acertado su plan, doctor Olmedo. Sólo le haría unas pequeñas objeciones de detalle.

Y en seguida a Reinaldo, como para enmendar su incorrección:

—Por supuesto que tenemos que ponernos de acuerdo con usted, que es el promotor de la obra.

Pero ya Reinaldo sabía todo lo que le importaba saber: aquellos dos hombres tenían puestas sobre la Asociación sus miras torcidas, aunque seguramente bien enderezadas al logro de sus ambiciones personales. Ganas tuvo de decirlo como lo había pensado; pero comprendió que no era prudente precipitar los acontecimientos. Eso sí, se prometió para sus adentros no permitir la intromisión de Olmedo y Molinos en los asuntos de la Asociación.

Ya se dejaba ver que eran buenos pájaros de presa y que estaban dispuestos a caer sobre la que les estaba deparando la buena fe de unos cuantos entusiastas.

Y se separó de ellos para acercarse a otro grupo instalado cerca del balcón.

Estaban allí el poeta José Leonárdez, la más pura, sólida y brillante reputación de su época, y el ironista Rafael Sierralta, para quien no había puesto en el encasillado literario, pues sólo practicaba la literatura hablada demostrando una gran inteligencia, tan desordenada como clara y vivaz, y un fondo de ingénita bondad, salpicada de escepticismo burlón.

Reinaldo les estrechó las manos con verdadero placer. Aquellos dos hombres lo reconciliaban con sus compatriotas. Con ellos estaban Antonio Menéndez y el cronista Gonzalo Andral, gran admirador de Reinaldo, en quien encontrara las características de un Mesías intelectual, que, a su decir, hacía tiempo que tenían prometido las señales del tiempo, concretando su pensamiento en esta frase, que repetía en todas partes: Reinaldo Solar, joven señor de familia prócera, es el hidalgo

profundo en teoría, pero no sabe irse así, como yo, derecho y rápido al caso concreto, a la aplicación de la
ley social. Porque una cosa es saber sociología en los
libros, y cualquiera que se dedique a leer la aprende,
y otra cosa es saber encontrar en el hecho histórico,
escueto, la verificación del postulado. ¡Eso sí que no
se aprende en los libros!

Y de este modo, negándole también a Olmedo el talento sociológico, la única forma de talento que era
para él digna de tenerse en cuenta, Molinos llegó a la
conclusión tácita, pero inconcusa, de que la única cabeza
bien puesta que había allí era la suya.

Por su parte, Olmedo monologaba para sus recónditos adentros, con algo de ese rencor del perro que
se queda lamiéndose los hocicos cuando otro más hábil
le quita el pingajo y sale corriendo:

—Este hombrecito se imagina que saber historia es
conocer tres o cuatro anécdotas para soltarlas en público y deslumbrar a los iletrados. ¡Vaya usted a ver
la biblioteca que tiene!

Entretanto, en el grupo del balcón, la ironía de Sierralta era una golosina que atraía a los escépticos.
Refugiábanse allí como empujados por esa fuerza irre-
sistible que irradia siempre de las voluntades decididas,
y que ahora hacía presión, de modo muy significativo,
de adentro a afuera, hacia la calle, echándolos a ellos,
los iniciadores y verdaderos enamorados de la idea que
allí los congregaba, hacia un rincón de murmuraciones
y de burlas, que eran ya una renuncia tácita, una confesión de la propia impotencia o de la desgana para la
lucha abierta y decidida.

Reinaldo hizo la observación, como quien aplica un
correctivo:

—Estamos cediendo terreno sin combatir.

Sierralta recurrió, una vez más, a las comparaciones
grotescas:

—Éste es un bailecito que hemos puesto unos neó-
fitos. Las buenas parejas estaban en la barra, y como
era una reunioncita de confianza, se fueron colando y
se han hecho dueños de la fiesta. Tengamos el valor de
decirnos la verdad: nos falta fe. En cambio, ellos sí
la tienen. Buena o mala, pero la tienen.

—La fe, como todo en este mundo, es relativo —comenzó a exponer uno de los contertulios, que profesaba el escepticismo en su forma más elevada: la filosófica negación de lo absoluto.

Pero José Leonárdez interrumpió:

—La tienen porque saben de una manera cabal a qué han venido. Cada uno de esos señores que ahí están exhibiendo sus sociologías, como cualquier charlatán de feria sus chucherías, ha traído un propósito suyo, personalísimo, que no vacilará ante ninguna consideración; saben qué buscan y cómo han de lograrlo. Nosotros, por el contrario, perseguimos una falsa ideología que no hemos visto nunca realizada y que tampoco sabemos si es posible realizar. Vea las caras de los que aquí estamos, para que se convenza: los de buena voluntad tenemos en los rostros esa ambigua sonrisa de incredulidad y de rubor que parece decir: aquí estoy, pero conste que no creo en esto. En cambio, los rostros serios, graves, convencidos, son los de los hombres que ya han claudicado o que tienen una idea emboscada, como esa del doctor Molinos que usted acaba de contarnos.

La voz de Lorenzo Allende puso término a las charlas:

—Bueno, señores. Estamos todos; creo que podemos proceder.

Leonárdez dijo, tirando el cigarrillo:

—Sí. Salgamos de esto de una vez.

Y Sierralta:

—Convénzase, Solar: nuestro reino no es de este mundo.

Y fué a sentarse en el ángulo que formaban las paredes cerca del balcón. Reinaldo se sentó al lado de él.

Molinos tomó la palabra para exponer, aunque todos lo sabían, cuál era el objeto de la reunión.

Y Reinaldo se preguntó, en un momento de lucidez, qué era, en concreto, lo que ellos iban a hacer con aquella Asociación. Sólo él no lo sabía.

Frente a él, en una repisa rinconera, había una miniatura de la Victoria de Samotracia. Aquello era un símbolo que podía aplicarse a todos ellos: «el glorioso vuelo de la minúscula estatuilla decapitada sintetizaba de modo cabal el verdadero sentido del acto que allí se estaba cumpliendo: parodia de un gran esfuerzo

que tendía las alas sin ver hacia dónde, era aquella
sesión en la cual unos hombres descreídos y abúlicos
y otros hombres de negada moralidad iban a declarar
fundada una institución utópica que no pasaría de las
páginas del acta de instalación, como no abandonaban
la repisa del rincón las alas de la Victoria de Samotracia».

VII

Era también un símbolo. Una figura sarmentosa,
de rostro cubierto de sórdida pelambre y ojos cavados,
con el cuerpo senil derrumbado sobre la diestra apoyada en un báculo de mendigo y la actitud marcando
el paso vacilante por el surco, al cual echaba siniestros
puñados de semillas, con un ademán suplicatorio; otra
figura más allá, larga, trágica, abocetada apenas, con
una pierna de palo que hundía en la gleba su contera,
reposante sobre el ástil del azadón y la mirada vuelta
hacia una lumbre que ponía en su faz un livor agónico;
un terrazgo pedregoso sobre el cual el rayo sesgado de
un sol de oros muertos tumbaba la sombra de los sur-
cos; un fondo inconcluso con la silueta aflictiva de un
árbol desnudo, sobre una alucinante lejanía de cam-
piñas desoladas, y en cuyas ramas escuetas un absurdo
bando de zamuros alargaba los picos agoreros hacia
aquella siembra estrafalaria que unos mendigos hacían
en un yermo...; trozos donde vibraba el color feliz-
mente hallado; grandes porciones incomprensibles en
las cuales el desdibujo y la falsedad del colorido revelaban incapacidad y cansancio; espacios de tela, ni man-
chados siquiera, denunciando el súbito abandono; un
asunto extravagante, que sólo el genio hubiera podido
salvar del ridículo; una tentativa de obra grande y definitiva que se quedó en boceto... ¡Todo un símbolo
que paró en caricatura!

A Manuel Alcor se le derramaba la risa por encima
de la forzada seriedad del rostro.

—Están muy buenos los zamuritos. Muy circuns-
pectos.

—Pues en ellos está el corazón del símbolo — observó

burlón Antonio Menéndez, guiñando un ojo por encima
del hombro de Reinaldo.

Y éste dijo:

—Una desgraciada ocurrencia que tampoco fué de
Riverito. Cuando él estaba componiendo este cuadro,
yo tenía una pasión romántica por esos árboles secos
en donde pernoctan los zamuros. Me parecía el colmo
de la sugerencia.

Menéndez observó formalmente:

—Es lástima que Riverito no se limitara a pintar;
la literatura le echó a perder el cuadro.

Reinaldo corrió piadosamente el lienzo que tapara
aquel cuadro, como se vuelve a poner el pañuelo mortuorio sobre la faz que se amó bella y la muerte estro-
peó: allí había muerto algo suyo, un entusiasmo de
juventud, uno de aquellos entusiasmos que ya no sa-
cudían su espíritu con la vehemencia de antes, que ya
lo abandonaban para siempre, dejándole en el corazón
el temprano estrago de las fuerzas despilfarradas. ¡Qué
no daría él por volver a sentir ante la desolación de un
árbol seco la ingenua emoción de los veinte años! Para
sus ojos comenzaba a apagarse, prematuramente, en
las cosas sencillas la sobrelumbre del sueño, y así como
por el aire desdorado del anochecer volaban hacia el
albergue nocturno aquellos zamuros del lamentable
símbolo de Riverito, las nostalgias de sus pasados entusiasmos comenzaban a llegar a su corazón para contemplar aquella loca siembra de sueños que no flore-
cieron: ¡su vida!

¡No! ¡No! Era menester ahuyentar estos pensamientos malsanos. Su voluntad no se había cansado todavía;
por el contrario, ahora era cuando estaba dando sus
verdaderos frutos plenos. Su obra estaba realizándose.
No era una empresa sobrehumana, como las que antes
concibiera, para las cuales se necesitaba la voluntad
de un dios, sino una actuación sencilla, un metódico
empleo de constancia, que es, precisamente, la plenitud
de la energía. La Asociación Civilista luchaba contra
enemigos solapados y encontraba a cada paso un obs-
táculo; pero allá iba marchando, poco a poco...

¡La Asociación!... ¿Era acaso su verdadera obra?
¿No sería, más bien, uno de tantos pasos dados en
falso, por un camino que no era el suyo? En manos

de otros estaba su idea inicial, transformándose en una cosa tan ajena a él como se transformó en las de Riverito aquella otra idea suya, que por ninguna parte veía aparecer en el cuadro de « Los Sembradores» ¡Y, sin embargo, ¡este cuadro y aquella institución eran los únicos sueños suyos que habían tenido realización! ¡Y quién lo creyera! ¡Fueron voluntades atrofiadas, caracteres negados: Riverito, el burlón Sierralta, el escéptico José Leonárdez, quienes la llevaron a cabo!

Unas mujeres hicieron irrupción en el comedor en donde ellos se habían refugiado para ver el cuadro y para alejarse del molesto espectáculo del velatorio. Las mujeres, se disponían a aderezar la mesa para la cena de medianoche, y lo hacían con esa ostentosa servicialidad de las personas entrometidas que creen de su deber hacerse dueñas de las casas donde la muerte ha hecho una presa.

Reinaldo y sus compañeros abandonaron el comedor. Luego Menéndez y Alcor se despidieron. Reinaldo quería que lo dejasen solo y dijo que permanecería un rato más en la casa mortuoria.

En la antesala, sobre un catre vestido con una sábana, entre dos velas que parpadeaban angustiosamente, como si las agitase el soplo mortal que por allí estaba pasando, dormía su último sueño Riverito. A la cabecera del lecho mortuorio su mujer le hacía compañía, y de cuando en cuando deslizaba una lenta caricia sobre la frente helada, como si le enjugara el sudor mortal.

Reinaldo se detuvo en el umbral y púsose a contemplar el rostro horriblemente afeado de Riverito, en cuyas consumidas facciones la rigidez cadavérica había dejado una contracción que simulaba una sonrisa macábrica. Se complació en pensar que sonreía realmente, de sí mismo, de lo ridículo que estaba con aquel pañuelo que le sostenía el maxilar, acostado en aquel catre, tan tieso y tan solemne, convertido en centro de un vulgarísimo universo: de gimoteos desapacibles de la mujer, de rezos de las vecinas del barrio, de cuentos grotescos allá en el corredor, donde sus compañeros de trabajo estaban esperando la cena.

Así estuvo largo rato, impasible ante la infinita vulgaridad de la muerte, cuyo espectáculo antiestético, grotesco, apenas le producía ese vago malestar que le

causaba toda manifestación del ridículo humano, ese
disgusto semejante a la impaciencia que en él tenía
una singular repercusión fisiológica: una sensación
indiscernible de éxtasis circulatorio a lo largo de la
pierna izquierda. De pronto se vió a sí mismo en el
puesto de Riverito y llegó hasta sentir el hedor de su
propia descomposición cadavérica.

Fué un relámpago alucinatorio que le turbó el ánimo,
desatándole en seguida la tornada del humor sombrío
que hacía algún tiempo lo asaltaba a menudo.

Abandonó la casa mortuoria. Con el cigarro en la
boca y las manos hundidas en las faltriqueras de los
pantalones recorrió a pie el largo trayecto desde el
barrio hasta el centro de la ciudad.

Olor de humaredas saturaba la atmósfera; hacia
el norte veíase un resplandor de quemazones. Eran las
rozas que devoraban los bosques del Ávila, afeando la
belleza del monte tutelar, secando las fuentes de sus
escasos regatos.

La enfermiza irritabilidad de los nervios de Reinaldo
llegó al colmo de la exacerbación; sin cuidarse de que
lo oyeran los que pasaban, exclamó en alta voz, incre-
pando a los que hubieran prendido aquel fuego inútil:
¡Asesinos!

Escasas personas recorrían las calles, lentamente,
con pasos lánguidos, con los brazos desgonzados. Reinaldo púsose a observar las expresiones: acusaban una
absoluta ausencia de vida interior; en todos los ojos
había una mirada torva o mustia y en todos los rostros desemblantados el mismo gesto de mal humor, mezcla de rencor y de fastidio, que los hacía horriblemente
parecidos.

—Es que vivimos una vida enojosa — seguía monolo-
gando Reinaldo—. Llena de continuas angustias, so-
bresaltos y desalientos sin fin. Y estas máscaras trá-
gicas van pegadas a unas caras sin fisonomías, en todas
las cuales grita la fealdad de la hibridez. No constituí-
mos una raza. ¡Qué rostros! En ninguno se advierte
un rasgo varonil que no sea feroz; todos revelan el
mismo pavoroso descoyuntamiento del carácter. Con
este pueblo no se puede contar para nada; parece el
feto de una nación abortada. ¡En cada uno de nosotros
se están disolviendo todas las razas!

pues no trabajes; si hace desgraciada a tu familia, abandona de una vez a tu familia. De este modo la bebida nunca te causará daños.

La bronca voz del Filósofo fué interrumpida a cada máxima por unánimes risotadas de sus compañeros y de los que bebían en las otras mesas.

Cuando concluyó de hablar, Laínez se paró y le echó los brazos, diciendo:

—¡Estás sublime, Filósofo! Dame un beso.

—Quita allá, borracho sentimental. No desacredites al aguardiente.

Y Julián Navas, mirando a Solar de soslayo, comenzó a hacer el elogio del alcohol:

—El alcohol es un civilizador, ha desbastado al hombre de su animalidad primitiva. Ganivet, que se lo sabía, dióle alcohol a sus salvajes del reino de Maya para despertarles la imaginación, que es la gran propulsora del progreso. ¡Cuántas obras geniales no se deben al alcohol!

Wladimiro Laínez afirmó, a manera de comprobación:

—Mis versos más bellos los he compuesto en el divino estado de embriaguez. Verlaine también era un borracho. Pero los espíritus burgueses no comprenden esto.

Y Julián Navas, enardecido por el deseo alcohólico de provocar a Reinaldo:

—Yo no he sido nunca avaro de mis adjetivos. Siempre he tenido adjetivos generosos para todos los que empiezan a hacer pinicos literarios. Muchos me deben a mí lo que son. Esto sí que es nobleza, nobleza de alma, que no la de la sangre que es a las veces dudosa, y siempre vanidad sin fundamento.

—¿A qué viene eso ahora, Julián? —comenzó a decir Gonzalo Andral. Pero el Filósofo no lo dejó concluir:

—Eres, pues, una meretriz del adjetivo. Yo no creo en las reputaciones que tú has consagrado, primeramente, porque tú eres un imbécil sin pizca de autoridad para ello, y luego, por lo mismo que no creo en el amor pagado.

En la puerta, óyese de pronto la voz escandalosa de un borracho popular:

—¡Aquí está el negro Sotero Ulpín! ¿Quién dice más? ¡Trozo e negro!

Y esta jactancia brutal pareció contagiarse a todos los que la oyeron. Cada cual empezó a hablar de su «yo».

—¡Yo tengo un físico muy fino! —clamaba Laínez con una voz doliente, como un balido—. No puedo vivir aquí; mi espíritu no tiene registros para este medio. Estas civilizaciones occidentales son estólidas, anodinas. Yo amo el Oriente refinado y mágico. Quiero morir en una borrachera de «haschid», en un palanquín, bajo un quitasol nipón, en brazos de una musmé. Yo me siento hijo de los Imperios Celestes.

—Tú estás borracho y no sabes estarlo —rugía el Filósofo, agarrado a su copa—. Sí. Perdida y estúpidamente borracho, querido pobre diablo. No leas esas novelas que te hacen daño; ¡ese Pierre Loti, ese Claude Farrere!... Bebe tu cocuy vernáculo, refocílate con tus mulatas y déjate de estar pensando en el «haschid» y en las «musmés». Tú eres bueno y serías inmejorable si no fuera por esos horribles versos que escribes.

Y Navas:

—Óigame esto, Filósofo. Óigame esto. Yo digo que no se puede ser escritor si no se domina un copioso número de vocablos. ¡Yo digo eso! ¡Y puedo comprobarlo!

Laínez le arrebató la palabra:

—¿Recuerdan ustedes aquel soneto mío que empieza: «El carnino aroma de tus henojiles...»?

—«Carnino»; de carne. «Henojiles»; ligas con que se sujetan las mujeres las medias. ¡Qué bonita palabra! ¿Ah?

Pero no le hicieron caso. Navas prosiguió:

—Con eso solo podría yo lapidar cualquiera naciente reputación. Pero no lo hago, a fuer de generoso. Porque yo calzo puntos, ¡sépanlo ustedes!

Afuera oíase la voz:

—¿Quién dijo miedo? ¡Yo soy el negro Sotero!

Reinaldo comparó aquellas dos jactancias en las cuales el alcohol abultaba una misma condición característica: la exagerada noción del yo, el sentimiento absorbente de la personalidad. Apenas diferían en el punto de vista; para el hombre del pueblo era la hiperconciencia del valor bruto; para el sedicente intelectual, el excèsivo aprecio de su concepto personal, absoluto, irrebatible; pero en ambos era un signo de la total ausencia de verdadera cultura, que es, cabalmente, esmeril para las esperanzas de la individualidad y paliativo de las categóricas afirmaciones del yo.

Julián Navas no habló más. La copa que acababa de vaciar fué el golpe de gracia. Desmalazado el cuerpo sobre la silla, con un brazo péndulo fuera de ella, empalidecido el semblante grasiento, errátil la pupila turbia, como un vidrio empañado, quedóse mirando a Reinaldo con esa insistencia del idiota.

El Filósofo, entero todavía, articulaba unos sonidos broncos como truenos lejanos:

—¡Humanidad pigmea!

Wladimiro Laínez, al cabo de inauditos esfuerzos, púsose de pie y mirando a Reinaldo empezó a decir:

—Ahora y que tenemos arist... aristo... cracia literaria, Gonzalo ha descubierto a este joven... señor que viene a po... nernos su bota ferrada en la cer... viz.

Reinaldo se le encaró:

—No se intranquilice por su cerviz; ya eso de botas ferradas no se usa, para fortuna suya.

Quedóse viendo Laínez, con visible esfuerzo mental para comprender lo que dijeron, pero no lo logró, y, encogiéndose de hombros, volvió a sentarse.

Pero Julián Navas salió en su defensa, y como si hablara con el Filósofo, volcó el resto de sus diatribas:

—Este país es la tierra de los arribistas. Convénzase, Filósofo: arribistas. Cuando usted vea a un individuo diciendo conferencias y promoviendo sociedades, diga: éste busca un consulado.

Reinaldo no pudo contenerse más y saltando de su asiento se abalanzó sobre Navas. Lo agarró por las solapas del paletó y le dijo, manoteándole en la cara:

—Cuando usted deje de estar borracho repetirá eso que ha dicho y entonces le daré la bofetada que usted merece.

Acudieron el Filósofo y Andral a quitarle de las manos al pobre Navas, que se había puesto lívido de miedo. Reinaldo lo soltó, tirándolo sobre el asiento, y abandonó la cervecería.

Andral salió con él, rogándole una y otra vez que lo perdonase.

—No se mortifique. Usted no tiene la culpa. Hace tiempo que ese mal nacido viene asediándome con sus reticencias. Él es el autor de esos sueltos insidiosos que aparecen todos los días en los periódicos contra mí.

—No lo crea, amigo Solar. Es que está borracho. No vale la pena que usted se ocupe de sus majaderías. Yo me acerco a ellos, a veces, para que no crean que los menosprecio. Yo siento una íntima necesidad de acercarme a esas pobres vidas torturadas y producirles una simpatía, decirles una palabra tierna que los estimule y los conforte, endulzarles la amargura en que se ahogan.

En la puerta, el borracho popular interceptaba el paso:

—¡Aquí está el negro! ¿Quién quiere vé un hombre completo?

Andral proseguía, colgado del brazo de Reinaldo:

—Haciéndolo así, sigo un impulso de mi corazón. Creo que una buena palabra, una sonrisa de hermano, producen en esas almas atormentadas una hora santa, de paz, de esperanza. Ellos serían buenos si hubieran podido seguir siendo inteligentes; pero este trópico, ¡este inexorable trópico tan hermoso y voraz! ¡Este Moloch resplandeciente devora en flor todo lo que pudiera ser fruto bueno!

—¡Qué trópico ni qué Moloch! Eso es frase hecha. En esos individuos no ha habido nunca ningún germen bueno. Espíritus romos y grotescos en los cuales no despunta jamás una manifestación de verdadero talento, crápula disfrazada de bohemianismo, intelectualidad sin inteligencia, compuesta de advenedizos del arte. Un poco de imaginación y otro poco de lecturas descosidas son lo que produce ese aparato de inteligencia que deslumbra en los primeros momentos. Vomitan lo que no han digerido en tres o cuatro sonetos compuestos subrayando versos ajenos, y naturalmente se quedan vacíos para toda la vida. No es que se malogran, es que, en realidad, no se son ni valen nada. Ni pueden valer, porque les falta lo esencial: moralidad y bondad.

Y se separó de Andral sin despedirse.

Una y otra vez se repetía las palabras de Navas: «busca un consulado». Eran los gajes de la publicidad, el primer desgarrón de la honra, el juicio temerario y perverso que lo arrojaba para siempre al montón de los prostituídos. Sintió la necesidad fisiológica de desahogar en llanto su congoja. Sí. ¡En llanto! En abundoso correr de lágrimas buenas que le brotaran del corazón bárbaramente estrujado por aquella garra de pesimismo.

Apurando el sinsabor de estos pensamientos ambuló desesperadamente por las calles desiertas, a lo largo de las cuales sus pasos resonaban en el alto silencio de medianoche, produciéndole la impresión de una marcha sin fin hacia el término que corría delante de él como una pesadilla.

Un perro que dormía en el escaño de una puerta, despertado por el ruido de sus pisadas, saltó a la calle y púsose a ladrarle, primero furiosamente y luego con siniestros aullidos de can visionario. Ya Reinaldo iba lejos y todavía escuchábanse, turbando la paz de la ciudad, los lúgubres ladridos, largos, desmayados, obsesionantes.

Al llegar a una esquina lo hizo detenerse un coche que pasaba. Una mujer que iba dentro trató de ocultarse, reclinándose en el ángulo obscuro; pero ya él la había reconocido: era Rosaura Mendeville. Reinaldo gritó al cochero que parase. Cuando ponía el pie en el estribo oyó que ella decía:

—¡Siga, siga! No se pare.

Pero ya él había subido.

—¿Qué significa esto? ¿A dónde ibas? ¿He cometido una indiscreción subiendo al coche? ¿Para dónde ibas?

Ella se echó a llorar. Por la mente exaltada de Reinaldo pasó un tropel de ideas indiscernibles. Volvió a preguntar:

—¿Qué significa esto?

—No sé.

—Es extraño que no lo sepas. Algún rumbo llevabas.

—Salí de casa sin saber para dónde. Ya no tengo rumbo fijo en la vida.

Reinaldo se impacientaba:

—Explícate. Explícate de manera que pueda entenderte.

Pero en seguida se sorprendió del tono autoritario y casi brutal con que le hablaba, y agregó enmendándose:

—Quiero saber qué te sucede. ¿Puedo servirte en algo?

—Mi marido me ha echado de casa.

—¡Cómo!

—Me puso en la disyuntiva: o me iba mañana mismo con él o cogía la calle inmediatamente. Un amigo suyo le escribió que su honor estaba en peligro y él vino a buscarme. No. No necesito decirte qué fué lo que respondí. Ya ves: estoy en la calle.

Lo absurdo de la situación acabó de violentar a Reinaldo.

—¡Es odioso! ¡Es odioso! —repetía, protestando contra aquel hecho que añadía a la vida un horror más.

Rosaura creyó que lo decía por su marido, y dijo:

—¡Pobrecito! Al fin y al cabo él no es sino un pobre hombre. Se imaginó que yo no me atrevería y por eso me dejó salir. De seguro que a estas horas estará desesperado buscándome.

—¿Y por qué lo has abandonado entonces?

Ella lo miró con una expresión de doloroso reproche, y le respondió:

—¡Reinaldo! ¿No era peor irme con él después que lo sabía todo?

Reinaldo se avergonzó de su ocurrencia.

—Tienes razón. Hubiera sido más odioso aún. Perdóname que te haya hecho tal pregunta. He debido comprender que tú no podías irte con él.

—¿Verdad que no? —exclamó ella con súbita alegría, poniéndole las manos sobre los hombros y viéndolo a los ojos—. ¿Verdad que no podía hacer eso? Tú no te imaginas, amor mío, cómo me consuela que lo comprendas así. En esta noche horrible, que es mi noche de perdición, la hora menguada de mi vida, lo que más me ha hecho sufrir ha sido pensar que no hubiera quien dijera de mí: no es una mujer corrompida totalmente, puesto que entre una y otra cosa escogió la menos innoble y tuvo siquiera el valor de sacrificarse.

Y agregó oprimiéndose el pecho con un gesto teatral, pero sincero:

—¡Hace tanta falta el juicio bondadoso de una persona siquiera, así sea la más desprecibale, cuando se está en mi caso! Yo no comprendía esto. Te aseguro,

Reinaldo, que yo daría la vida con gusto por oír decir:
¡Pobre mujer! No es mala, sino desgraciada.

Entretanto, Reinaldo pensaba:

—¡Qué maldita manía de análisis! Deseo creer en la
la sinceridad de las palabras de esta infeliz y no creo.
¡Qué no diera yo también por tener esta noche un poco
de fe en algo!

Herida por el silencio de Reinaldo, Rosaura le dijo:

—Vete, Reinaldo. Déjame sola, abandóname a mi
suerte. Yo no quería encontrarte esta noche.

Reinaldo le tomó las manos y le habló amorosamente:

—¿Qué ibas a hacer?

—Llegar de una vez al fin de mi carrera. Hundirme
definitivamente. Acabar de perderme con el primero
que encontrara. ¿Y sabes por qué lo deseaba? Por ti,
por salvarte a ti, porque sabía que si te encontraba
no me lo ibas a dejar hacer, y yo no quiero atarte a mi
desgracia.

Reinaldo experimentó una honda alegría interior al
darse cuenta de que creía en la sinceridad de aquellas
palabras. Le acarició las manos, con una pura caricia
fraternal.

—Mal hecho, chica. Mal hecho. Has debido pensar
en mí.

—Era comprometerte, cortarte tu porvenir, y yo te
quiero demasiado para procurar tu mal.

—¡Tonta! No pienses más en eso. Tu imaginación
exagera las cosas y te complaces demasiado en esas
cavilaciones malsanas.

El coche se detuvo y el cochero les preguntó:

—¿Se sigue derecho?

Habían llegado al extremo de la ciudad. De allí para
adelante la calle se prolongaba en un camino que atravesaba una sabana donde había algunos tejares.

Reinaldo y Rosaura se vieron las caras. ¿Qué dirección darían al cochero? ¿A dónde iban? Era cerca de
la medianoche y no tenían sitio adonde ir, ni era
posible hallarlo a aquella hora.

En la indecisión, Reinaldo ordenó al cochero seguir
derecho.

Rosaura dijo dulcemente:

—¿Ves cómo empiezo a ponerte en conflictos?

—El caso no es tan grave. Nos queda el recurso de

pasar la noche en el coche; esperemos que amanezca rodando por las calles, a la ventura.

Y al cabo de una pausa:

—En esta noche absurda, lo mejor es que nos dejemos arrastrar por esta fuerza loca que se ha introducido de pronto en nuestros destinos. Desde que comenzó esta noche sentí que la lógica de mi vida se había roto; yo también he vagado largas horas por las calles, como si buscara un camino perdido. Era natural que nos encontráramos, estando en el mismo caso. Esperemos que acabe de pasar esta tromba del destino; mientras tanto, es inútil pensar qué se hará.

Rosaura experimentaba un placer malsano oyéndolo hablar de este modo; la idea de ser víctima de una fuerza ciega y fatal le producía esa rara voluptuosidad de la voluntad de sufrir.

El coche volvió a detenerse. El cochero les dijo, ásperamente:

—Bueno. Ustedes dirán pa aonde los llevo. De aquí pa alante no se puede seguir.

—Bajemos — dijo Reinaldo.

Estaban en un sitio despoblado. A ambas orillas del camino se extendían terrenos quebrados y cubiertos de hierbas. El Ávila, cercano, se erguía negro en la obscuridad de la noche. En el oriente comenzaban a dibujarse los celajes del orto lunar.

—Espere aquí — dijo Reinaldo al cochero.

Pero éste respondió, de mal humor:

—Señor. Yo no puedo seguir cargándolos. Los caballos están cansados.

—Está bien — y sacando la cartera le dió un billete, sin preguntarle cuánto le debían.

Luego tomó del brazo a Rosaura. Ésta se sentía aplanada al comprender que el cochero la confundía con una mujer vulgar, pues de otro modo no se hubiera atrevido a dejarlos en aquel sitio.

—¡Qué vergüenza, Reinaldo! Ese hombre me ha tomado por una mujer de la calle.

—Todo eso entra en los designios de la voluntad que gobierna nuestras vidas esta noche. Por lo demás, no vale la pena.

Anduvieron buen espacio en silencio, a través de la sabana tenebrosa, hasta el borde de una barranca cuyos taludes desnudos blanqueaban en la negra oquedad.

Acometida de un miedo súbito, Rosaura se aferró al brazo de su compañero. Él creyó penetrar en su sospecha y le dijo, para tranquilizarla:

—Después de todo, es agradable hacer locuras, a veces. Se comprende mejor el sentido de la vida.

—¡Anjá! ¡Conque tenía razón cuando te decía que a veces me provocaba hacer un disparate grandote! ¿Te acuerdas que te propuse que hiciéramos la escena del balcón de «Romeo y Julieta», vestidos como se acostumbraba entonces? Te reíste de mi ocurrencia hasta hacerme abochornar.

—Aquello no era una locura.

—¿Sino una tontería?

Y soltó su risa cantarina, que fué el primer canto de alegría de aquella noche triste. Oyéndola, Reinaldo sintió alivio hondo y calmoso. Guardaron silencio de nuevo.

El alba lunar se levantaba plateando los bordes de unos sombríos nubarrones, por entre los cuales los trozos de cielo despejado fingían aguas claras, dormidas en la serenidad de fantásticas lejanías. El monte, por detrás de cuyas crestas iba a surgir la luna, recortaba su silueta vigorosa sobre la mortecina claridad que venía subiendo por los cielos.

Rosaura dijo, en una explosión de júbilo:

—Oye, Reinaldo. ¡La 14! ¿No oyes el andante? Esa claridad que viene subiendo por detrás del cerro es como la melodía lenta que reposa sobre las amplias armonías del andante; los ribetes plateados de las nubes son aquellos arpegios tranquilos. ¿No ves que es el andante de la 14?

Reinaldo se complacía oyéndola. Era él quien la había enseñado a encontrar las misteriosas relaciones de la música con el universo material; aquellas palabras que ella acababa de pronunciar eran sus propias palabras, devueltas por un eco delicioso, la resonancia de amor de un corazón en el cual había sabido despertar los inagotables registros de la recóndita armonía de la vida interior. Colaboró en su fantasía:

—Ahora viene el «scherzo» triste. Ya sale la luna, menguada, deforme.

Ella se quedó viéndolo, y le preguntó:

—¿Por qué has dicho: triste?

Reinaldo vaciló antes de responder:

—Porque es triste el «scherzo» de la 14.

Hubo una pausa. Rosaura volvió a hablar, quedamente:

—Tú sufres, Reinaldo.

Reinaldo tornó a experimentar la necesidad del llanto que lo acometiera poco antes de encontrarse con ella; pero se avergonzó de su reblandecimiento sentimental, y tratando de sobreponerse, respondió:

—Caminemos. Caminemos.

Siguieron por el borde de la barranca, llena del rumor de los grillos entre los hierbajos. Pasaron ante una tejería abandonada. Rosaura comenzaba a sentir frío y propuso guarecerse bajo aquel techo.

Buscando dónde sentarse encontraron una tabla. Reinaldo la colocó sobre unos bordes crudos que por allí había, restos del interrumpido trabajo de aquella rústica fábrica, y en ella se sentaron.

Rosaura se reclinó, apoyando su cabeza en las piernas de él. Reinaldo la acarició suavemente, diciéndole:

—Eso es. Duerme. Duerme. Yo velaré.

Ella suspiró dulcemente, aliviada de su congoja, y cerró los ojos para saborear mejor la suavidad de aquel remanso en donde, por fin, se aquietaba su atormentada existencia.

Entretanto, Reinaldo se abandonaba a sombrías cavilaciones, y una tristeza infinita, formada de sentimientos indiscernibles, de ideas inaferrables, comenzó a caer sobre su alma, como una lluvia lenta y silenciosa sobre el yermo.

Frente a él, a poca distancia del cobertizo de la tejería, un gran árbol sin fronda trazaba sobre el albo lunar el alucinante arabesco de sus ramas desnudas, en las cuales dormían unos zamuros.

Una aprensión pueril encogió el corazón de Reinaldo: era el árbol de sus sueños, el inquietante árbol en cuyo fatídico ramaje la última hoja estaba siempre a punto de caer, como la última esperanza en un corazón. Previó el fracaso definitivo de su vida, la ruina de sus ilusiones, para cuyo sustento agotara la substancia misma de su ser, y su alma se llenó de mortal congoja cuando comprendió que todos los ideales generosos que enfer-

vorizaron su juventud habían hecho bancarrota; sólo
le quedaba el triste amor de aquella mujer que era
también «hoja del árbol caída».

De allí en adelante, vivir consagrado a ella sería un
lamentable sobrevivirse...

Las lágrimas comenzaron a brotar de sus ojos. Una
cayó sobre la frente de Rosaura. Incorporóse ésta, y
cogiéndole la cabeza entre sus manos, lo besó en los ojos,
amorosa como una madre.

La menguante, abollada y mustia, subía lenta por
el cielo sembrado de menudos copos de nubes; su lumbre espectral se deslizaba sobre la negrura del paisaje
como una lenta procesión de fantasmas... Un gallo
cantó tres veces en el silencio...

VIII

Pocos días después comenzaron a realizarse los presagios de aquella noche siniestra. La Asociación Civilista había abortado a causa de un cisma suscitado
en sus heterogéneas entrañas por un artículo que el
sabio Olmedo había publicado alevosamente.

Era éste un monumento de sociología venezolana,
en el cual se afirmaba, paladinamente, que nada había
sido más perjudicial al país que las utopías de los
idealistas, todo encaminado a desacreditar ante el público la quijotesca empresa que estaban forjando aquel
puñado de líricos de la Asociación Civilista.

Claro estaba que Olmedo no había escrito aquello a
humo de pajas, ni para ocioso esparcimiento de su formidable sabiduría, y aunque todavía no se había descubierto de dónde tiraba el hilo que movió la espanta-
ble marioneta, rellena de ciencia de relance y cargada
ahora, además, de maliciosa intención, como un tra-
buco hasta la boca en manos de un asaltacaminos, ojos
zahoríes vislumbraron inequívocas señales del tiempo,
tales como los de Molinos, y a remolque los del doctor
Ganzúa, e inmediatamente estalló el cisma.

Fué José Leonárdez la causa ocasional, declarando
en la sesión que se celebró aquel mismo día que el
artículo de Olmedo era una auténtica gansada, aparte

de estar lleno de absolutas ignorancias en punto a la
misma sociología.

Aquí intervino Molinos, celoso de que ciencia tan
estupenda, pudiese estar al alcance de un poeta, para
demostrar que allí, el único que podía «saber de eso»,
era él. A José Leonárdez se le escapó una frase irónica, y la sesión se convirtió en campo de Agramante.
Rafael Sierralta intervino para conjurar el peligro,
como un pastor que bracea para atajar reses desgarî-
tadas, pero no hizo sino alborotarlas más.

Al día siguiente la mayor parte de los correligionarios, y toda la opinión pública estaban con Olmedo,
Molinos y Ganzúa.

Acababa de saber Reinaldo lo sucedido cuando se
encontró con Olmedo en la calle. Lo abordó violentamente.

—Leí su artículo, doctor.

—Anjá.

—Permítame decirle que lo he lamentado mucho,
por su reputación.

Engallóse el sabio con altivez descompuesta, y se
quedó viendo al joven, con una mirada de suprema
compasión, para decir:

—Usted no conoce, como conozco yo, la sociología
venezolana.

—Tal vez no. Pero convendrá usted conmigo en que
hay verdades de buena y mala ley.

—Joven. Usted ha entrado muy muchacho en estas
cosas.

—Ojalá no llegue a viejo en ellas.

—Pues ya usted sabe el camino para no llegar.

—En cuanto a caminos, tengo la esperanza de que
algún día vuelva a ser el recto la distancia más corta
para lograr lo que se desee en este país; por ahora,
el más corto es el que se ha escogido usted: tortuoso y
con emboscadas.

Y Reinaldo se alejó, dejándolo con la protesta en
los labios.

Olmedo sonrió olímpico. Su vanidad de sabio y su
rencor de primitivo, las dos mitades absurdamente her-
manadas de su psicología, le llenaban el corazón de un
violento deseo de venganza. Ya se la pagaría aquel
mocito insolente.

En separándose de Olmedo, Reinaldo fué en busca de los compañeros que habían permanecido fieles al ideal; pero ni José Leonárdez ni Sierralta creían ya en la viabilidad del propósito, y el primero le confesó a Reinaldo que, habiendo cumplido ya el deber filial que le hizo regresar a la Patria, estaba decidido a abandonarla de nuevo y definitivamente.

Sierralta dijo:

—Todo ha sucedido conforme a la más estricta lógica venezolana, que es un capítulo especial de la lógica universal. Ahora cada cual a su guarida. Fué un bello gesto, una jactancia hermosa; hemos embellecido a la Patria con una ilusión más y ella sabrá agradecérnosla. Cumplimos nuestro deber, hicimos acto de presencia y hemos sufrido buenamente nuestra parte de dolor patrio.

Reinaldo protestó:

—No. Ahora es cuando comienza nuestro deber.

Un señor, de dos que allí estaban y acababan de serle presentados, rearguyó en apoyo de Sierralta:

—Convénzase, señor Solar, en este país...

Pero Reinaldo no lo dejó concluir:

—Permítame que no lo deje concluir esa frase que no he podido oír nunca sin pensar que somos una nación de Pilatos, donde todos estamos constantemente lavándonos las manos. Hablando así, parece que nos redimimos de la ignominia que debe caer sobre todos, echando la culpa de nuestros males a un vago personaje que no se encuentra en ninguna parte, que no es nadie, que no es ninguno de nosotros, siendo en realidad todos nosotros. Asumamos con valor nuestra responsabilidad, confesemos que cada uno de nosotros ha crucificado muchas veces el ideal y ha sentido hervir en su interior el podrido fondo de tendencias disolventes que hay en el corazón de este pueblo.

Concluyó de pie, con la voz enronquecida y las manos trémulas, mientras el personaje que había dado motivo a esta explosión, avergonzado de sus palabras, se hundía en la poltrona como si quisiera desaparecer.

El otro recién conocido se paró de un salto, clamando:

—¡Bravo, joven! ¡Bravo! Usted es uno de esos hombres que aparecen en el mundo de siglo en siglo, y con su corazón y con su inteligencia y con su energía ¡rompen el hielo de esta indiferencia nuestra!

Lanzó las últimas palabras con un gesto formidable, estirando los brazos y el mentón, enorme, agresivo, agudo como un espolón de barco que fuese hendiendo auténticos témpanos polares, y en esta actitud de rompehielos permaneció largo rato, inmóvil, con las horribles escleróticas volteadas hacia el techo y la boca despatarrada, mostrando los dientes enormes.

Luego, descoyuntado el cuerpo, completó la frase con una voz fofa, en tanto que arrastraba las piernas temblequeantes:

—¡Los demás vamos por ahí, como unos carneros, dejándonos cortar las lanas!

Una carcajada casi unánime, de la cual sólo Reinaldo no participó, celebró el grotesco desplante de aquel hombre, y así terminó la Asociación Civilista, que nunca fué sino una bella quimera en la cual nadie tuvo fe.

IX

Para olvidarse de todo y renunciando a todo, Reinaldo decidió consagrarse al amor de Rosaura.

Como un torbellino de fuego, el alma ardiente de la amante galvanizó su corazón, envolviéndolo en caricias arrebatadoras. Fueron días enteros de amorosas locuras, de éxtasis de voluptuosidad, de absoluta ausencia de pensamientos.

Nocturnos y sonatas resonaban incansablemente en el campesino silencio que rodeaba la quinta. Reinaldo se había aferrado a la música como a la postrera razón de existir y obligaba a Rosaura a tocar sin tregua. Ella prefería a Chopín, cuya música femenina, llena de dolorida pasión, le hablaba mejor a su espíritu que la atormentada y semidivina de Beethoven; pero Reinaldo pedía siempre de ésta, que le producía una misteriosa sensación de infinito.

Sobre todo, gustábale oír aquellas obras a través de las cuales pasaba el soplo inquietante del torturado espíritu del músico genial, que parece haber buscado en el dolor aquel «solo día de alegría» por el cual clamó siempre con toda la vehemencia del atormentado corazón.

Rosaura, que vigilaba con solicitudes maternales las crisis del humor del amante, comprendía que aquella música lo hacía sufrir, y a veces la interrumpía bruscamente para tocar trozos sueltos: un «adagio» sereno, una «arietta» de ritmo apacible en la cual la melodía se deslizara, lenta y dichosa, evocando paisajes bucólicos donde resonaban cornamusas de pastores y claros sones de danzas campestres; trozos llenos de animación y de luz, en los que el tono radiante y las amplias sonoridades de las armonías elevaban, glorioso, el canto a la alegría, la inquietante alegría de Beethoven, o donde el alma del músico, después de una crisis de pesadumbre, reunía todas sus fuerzas indomables para triunfar una vez más sobre el destino.

Reinaldo volvía a sentir la invencible atracción del arte y comprendía que éste era su verdadero camino. Con la impaciencia del que teme que la vida se le agote antes de realizar el sueño, se dedicó al aprendizaje de la música.

Pero no se resignaba al enojoso balbuceo de escalas y arpegios; quería tocar apresuradamente, sin someterse a la disciplina del estudio paciente. Rosaura lo iniciaba en la técnica musical, gozosa de transmitirle sus conocimientos, ayudándolo a descifrar la arquitectura milagrosa de nocturnos, sonatas y sinfonías.

Y así pasaron tardes enteras, días enteros, olvidados de todo, hasta de su propio amor.

Luego, a la hora del paseo por los solitarios parajes de Gamboa y Anauco, a través de las herbosas colinas sobredoradas de sol o por el cauce enjuto de las ramblas avileñas, llenas de silenciosa tristeza, soñaban en alta voz, forjando planes para una vida errante por el mundo, unidos en el arte y para el arte.

Pero una tarde Rosaura notó que Reinaldo oía con displicencia su jubiloso charloteo.

Rápida, pasó por su mente la idea del temido rompimiento que vivía esperando a cada momento. Le preguntó, dulcificando la voz:

—¿Qué tienes?

—Pensaba en otra cosa, tal vez.

—¿No lo sabes? ¿En qué pensabas?

—Ahora no podría decirlo. Seguramente en nada

concreto. Sombras de ideas que a veces le pasan a uno
por el cerebro.

—Sombras malas que deben desecharse.

Reinaldo volvió a encerrarse en su mutismo, sombrío,
inabordable, y ella, despechada, no insistió en hacerlo
hablar.

Caminaron en silencio, ella en pos de él, por el angosto sendero; Reinaldo, en la característica actitud de
sus estados de aplanamiento moral, el cigarro en la boca
y las manos hundidas en los bolsillos; Rosaura, entre-
teniéndose en arrancar unas espigas bermejas que bro-
taban de las hierbas altas, para arrojarlas luego que
mascaba los tallos, distraídamente.

Frente a ellos, un crepúsculo acerado se iba desva-
neciendo poco a poco sobre los tejados de la ciudad
próxima, cuyas torres escasas alzaban sus negras si-
luetas contra el resplandor de aquella lumbre.

Reinaldo dijo de pronto:

—Tengo que ir mañana a Caracas. Hace tiempo que
no me ocupo de mis asuntos.

Rosaura se sintió herida por aquella manera indirecta de confesar que ella y su amor no entraban en el
número de las cosas a que Reinaldo llamaba sus asuntos.
Permaneció en silencio, entregada a ese raro deleite
de las imaginaciones del despecho, que en el espíritu de
ella cobraba, como todas las imaginaciones, lucidez y
fuerza de realidades tangibles.

—Tal vez no regrese en varios días — volvió a decir
él, con un evidente deseo de provocar la escena de la
ruptura.

Pero ella supo disimular:

—Verdaderamente, haces mal en olvidar tus asuntos.

A él le pareció que había recalcado insidiosamente
la última palabra y se quedó viéndola, para preguntar:

—¿Te molesta que yo tenga cosas más serias en qué
pensar?

—No, Reinaldo. ¿Por qué va a molestarme? Te lo
digo sinceramente, como te lo dije el primer día: no
debes entregarte demasiado a «esto», olvidando que
tienes deberes sagrados que cumplir.

Reinaldo tornó a mirarla mientras buscaba las palabras definitivas. Ella fingía asegurar la rosa que llevaba prendida en el pecho, bajando los ojos para que él no viese que se le habían llenado de lágrimas. Él, entretanto, sin atreverse a pronunciar las palabras que debían resolver la situación, se sentía impulsado por contrarios sentimientos: un deseo voraz, impetuoso, y una sorda repulsión que era también un movimiento que se agitaba en los bajos fondos de su animalidad.

Instintivamente, sin poderlo evitar, miró el vientre plano de Rosaura, y una repugnancia mayor, ahora puramente espiritual: la de pensar que allí estuviese germinando una simiente suya, acabó de exacerbarlo. Lo horrorizó la idea de un hijo, tenido en una hora de amor carnal en una mujer como aquélla.

¿Qué herencia siniestra traería el ser que pudiese salir de aquella unión?

Por mucho que él hubiese querido justificar la conducta de Rosaura, y por mucho que hubiese hecho por ennoblecer aquella alma devorada por el ansia de amor, ella era una pasional, terreno abonado para las flores del vicio.

Esta reflexión le sugirió el deseo sano de tener un hijo que fuese verdaderamente suyo. ¡Acaso, al fin de cuentas, fuera esto lo único que vendría a quedar de él!

Rosaura alzó la cabeza y le dijo con súbita resolución:

—Reinaldo, te repito lo que te dije la noche de nuestra unión: yo no quiero ser un estorbo en tu camino. Piensa bien, mi hijito, lo que debes hacer y no te sacrifiques inútilmente. Yo sé que tú me quieres; pero comprendo que hay cosas más poderosas que el amor.

Reinaldo comprendió que era mejor no pronunciar las palabras crueles que estaba buscando y continuó como si no hubiese atendido a las de ella. Al cabo de un rato, ya de regreso a la quinta, se le acercó más y tomándole la mano le preguntó, amorosamente:

—¿Y tú... qué harías?

Ella no esperaba esto y se quedó viéndolo, con los ojos arrasados en lágrimas silenciosas. Reinaldo le oprimió suavemente la mano que tenía entre la suya y no habló más.

Luego, ella murmuró:

—Tenía que suceder.

En la noche, después de la comida, que fué triste y silenciosa, Rosaura se sentó al piano, como de costumbre. Reinaldo pidió música de Beethoven; pero ella le dijo, dolorosamente:

—Esta noche me toca elegir. Es la gracia del ajusticiado.

Y comenzó a tocar nocturnos y valses de Chopín. Tocaba desesperadamente, poniendo toda el alma transida de dolor en los pasajes apasionados, a cuyo ritmo nació y creció el amor de Reinaldo para ella y que ahora clamaban inútiles, como la voz del desierto.

Reinaldo la quitó del piano, diciéndole:

—Chica. Sé razonable.

Ella se enjugó rápidamente las lágrimas.

—Sabes — comenzó a decirle, tratando de sonreír —. Tengo una idea. Me iré de Venezuela a recorrer el mundo. Me ganaré la vida tocando, dando conciertos. ¿Te parece buena la idea? Yo no lo hago tal mal como para que no me gane siquiera el pan. ¿Qué me dices?

—¿Qué voy a decirte, Rosaura?

—Es verdad. Tú también sufres.

Deslizó sus dedos entre los cabellos del amante, repitiendo:

—Tú también sufres, y quizá más que yo. Ahora comprendo aquello que me decías la otra tarde, viendo las piedras que arrastraba la corriente del río. ¿Te acuerdas? «¿Qué pensarán las piedras — dijiste — cuando sienten que se acercan unas a otras y luego se alejan para acercarse de nuevo?». Ahora me lo explico: estabas pensando en esto que debía suceder tarde o temprano y te parecía que el destino jugaba con nosotros, como la corriente con las piedras, y que así como nosotros pensamos que es nuestra propia voluntad quien dispone las cosas, las piedras podían creer que se acercaban y se alejaban porque querían. ¿No es eso?

—Así es. Pero recuerda que no estás inventando esa explicación: fuí yo quien la inventó, y, por lo tanto, reclamo la paternidad de la ocurrencia.

Advirtió Reinaldo, aprovechando la coyuntura para darle un sesgo jovial a la conversación.

—¿Quiere decir que te estaba plagiando? —dijo Rosaura sonriendo forzadamente.

—De la manera más desfachatada.

Pero ella volvió al tema:

—Y es la pura verdad: no somos nosotros, sino el destino quien dispone de nuestras vidas a su antojo.

Y al cabo de una pausa:

—Después de todo, lo que sucede es siempre lo mejor. Yo necesito redimirme, y el arte me purificará. Viviré sólo para el arte, y tu recuerdo me acompañará y me confortará. El dolor mismo, el enorme dolor de haberte conocido para perderte en seguida, será mi consuelo. No, si ahora me parece que mi vida tiene, por fin, un objeto noble y santo: sufrir. ¡Qué hermoso es sufrir por el amor, Reinaldo! ¡Imagínate cómo interpretaré desde ahora a los grandes atormentados del amor! ¡Ese Chopín! ¡Ese Beethoven!

Hablaba precipitadamente, nerviosamente, como para no dar cabida al llanto que se le venía a los ojos. A través de sus palabras, Reinaldo le vió el alma desgarrada, y una emoción humana, ante un dolor humano, se adueñó dulcemente de su corazón. La atrajo sobre su pecho y le dijo:

—No te irás.

Ella se zafó suavemente de sus brazos, y poniéndose de pie, murmuró lento:

—No, Reinaldo. Ya está decidido.

Pocos días después iban en el tren, rumbo a La Guaira, en donde ella tomaría el vapor que debía conducirla al extranjero.

Reinaldo había querido acompañarla hasta el último momento, y ya se arrepentía de haber accedido al desesperado propósito de expatriación de aquella mujer, a quien debía, tal vez, las horas más intensas de su existencia: las horas de la absoluta posesión de un alma que es el don más precioso que puede hacernos la vida.

Reclinada en el hombro del amado, en la soledad del vagón donde sólo ellos viajaban, Rosaura veía pasar ante sus ojos velados de lágrimas, como en un sueño triste, las masas de luz y de color de la pintoresca serranía por entre la cual el tren se deslizaba, y cuando vió aparecer el mar tras el abra de «Boquerón», un fiero golpetazo de dolor deshizo en un acceso angustioso el llanto contenido.

Reinaldo sufría también, cruelmente: era un sueño más que se desvanecía. ¡Tal vez la última hoja del árbol fatídico de sus pesadillas!

Deseaba retener a Rosaura; pero su voluntad parecía haber caído definitivamente en un colapso mortal, y el vago deseo se quedaba flotando a flor del alma, produciéndole la impresión de que no era un deseo suyo, sino una ansia errante, un elemento de vidas extinguidas que se hubiera quedado suspendido sobre el mundo en el torbellino de lo invisible y que al pasar cerca de su espíritu, gravitó y se inflamó en la llama fugaz de la exhalación.

En silencio y dulcemente enjugó las lágrimas de ella. Rosaura le hizo guardar el pañuelo, diciéndole:

—Consérvalo siempre así. ¿Me lo prometes?

El estado de ánimo de Reinaldo era propicio a los abandonos sentimentales, y lo prometió de todo corazón.

En el puerto, esperando la llegada del vapor, que venía retardado, estuvieron tres días.

Rosaura quiso recorrer los sitios donde había nacido aquel infortunado amor: la calle donde vivía su padre, en cuya casa pasaba ella una temporada cuando Reinaldo la oyó tocar el inolvidable nocturno; la playa de Maiquetía, a lo largo de la cual emprendía él aquellas carreras byronianas, de noche, hasta agotar el caballo...

La víspera de la partida, en la tarde, iban por allí, siguiendo un sendero abierto entre los uveros, que más adelante se borraba sobre los bruñidos guijarros que la resaca amontonara a lo largo de la costa.

Tras del cabo, el resplandor de la puesta de sol; a lo largo de la costa solitaria, el fragor del pedrusco arrastrado por la resaca, enorme, abrumador.

El agua infinita y resonante se movía bajo el ala del viento, y todo el mar parecía correr hacia el poniente, contra cuya viva lumbre destacaban sus mástiles desnudos dos barcas que estaban al pairo, cerca del Cabo. Reinaldo tendió las miradas sobre la ancha faz del mar. ¡Ni una vela en el horizonte! ¡Ni un rumbo marcado en aquella desolación de infinitos! ¡Ni una

actividad que no fuese el atormentado vaivén de las
fuerzas que se han quedado encadenadas dentro del
colmo de las medidas! ¡Tan sólo aquellas dos barcas
cuyos mástiles trazaban sobre el crepúsculo los signos
vacilantes de los destinos detenidos!

Interpretando el místico sentido de las cosas, vió en
ello un símbolo de su vida. Al mismo tiempo Rosaura,
abrumada por el silencio, le preguntó, dolorosamente:

—¿Y tú... qué harás ahora?

—No sé. Busco todavía el rumbo de mi vida, la definitiva orientación de mi espíritu.

—Me parece haberte oído otra vez esas mismas palabras.

—¡Cuántas veces las habré repetido! Ahora, al cabo
de tantos años gastados inútilmente en buscar mi camino, me encuentro otra vez en la encrucijada, ¡en la
perenne encrucijada de la incertidumbre de mí mismo!
¡Esto es horrible, atroz! ¡Buscarse a sí mismo toda la
vida, por todos los caminos, y no encontrarse! ¡Ser una
sombra que no se sabe quién la proyecta! ¡Una voz
que no se sabe quién la pronuncia!

Asustada, Rosaura le dijo, sin saber qué decía:

—Llora. Llora. Cuando se sufre se debe llorar.

Reinaldo obedeció, como un niño. El saludable estrago
del llanto apaciguó su ánimo exaltado, y una infinita
melancolía cayó sobre su espíritu, como el anochecer
sobre el mar.

Al día siguiente, en la punta del muelle, Reinaldo
contemplaba el vapor que se alejaba llevándose a Rosaura. Y se preguntaba:

—¿Por qué la dejé partir? ¿En nombre de qué ideal
renuncié a ella? ¿Acaso no han fracasado ya todos en
mis manos? ¿Vale tanto mi vida como para que no
tenga derecho a consagrarla al amor de una mujer?
¿Hasta cuándo esta ansia insensata de fines trascendentales, esta actitud heroica, si hace mucho tiempo
que me he convencido de mi absoluta incapacidad?

Sobre el mar, cubierto de láminas de oro crepuscular,
el barco se alejaba velozmente... Ya era una masa som-
bría que dejaba un rastro de humo negro y denso en
el aire inflamado de arreboles.

Reinaldo permanecía en el extremo del muelle, junto

al faro, entre el trueno del oleaje contra el malecón
y el silencio del agua dormida de la rada... Vió pasar
una pirágua que abandonaba el puerto; la vela hin-
chada de viento cabeceaba lenta; a bordo, junto al
mástil, iba un hombre de pie; un gallo cantaba sobre
la cubierta...

El sol se hundió tras el Cabo. Una boya, mecida
por las ondas, sonaba a intervalos, como una campana
sumergida.

EPÍLOGO

I

Tres años después, una tarde de marzo, veinte hombres armados, rotos y famélicos, se deslizaban sigilosamente por los bosques de cardones que pueblan las costas arenosas del estuario del Neverí. A la cabeza de ellos iba, sobre una yegua cansina, un joven taciturno, aniquilado por el paludismo y por los rigores de una larga campaña, flaco, macilento, barbudo, infinitamente triste. Sólo en los ojos el brillo febril del pensamiento era cuanto quedaba de aquella lozana y generosa juventud de Reinaldo Solar.

Cerca de un año hacía que andaba en aquella revolución que ensangrentó al país en mil escaramuzas inútiles, en muchas de las cuales estuvo él, adquiriendo una siniestra experiencia.

Sentíase definitivamente rendido, con un hervidero de gérmenes insanos en el cuerpo, con una vorágine de brutal animalidad desatada dentro del alma. Había matado, había robado, había perseguido con saña y castigado con crueldad, había sentido, en todo su horror, el salto del ancestro bestial dentro de su ser revertido.

La conciencia de su propia ferocidad desencadenada, de sus bajos instintos destruyendo en momentos la obra de años de depuración espiritual, de su individualidad, arrollando todos los principios y violando todos los nexos humanos, quebrantó y aniquiló casi todas las fuerzas de su voluntad.

Con el resto de ella concluyeron: el hambre y las intemperies; el sobresalto continuo, las jornadas de noches y días enteros a través de montañas inholladas sin ver un rayo de sol, o de llanuras desesperantes,

con los nervios tensos en la expectativa de la emboscada
o del asalto; el enardecimiento agotador de las refrie-
gas; el pánico de las derrotas; la convivencia con la
soldadesca, mezclado y confundido en una misma masa
de brutalidad, de suciedad y de abyección.

Con las manos apoyadas en la coraza de la silla, abandonadas las bridas y la mirada fija en un punto del
camino, siempre el mismo y siempre distinto, iba a la
cabeza de la montonera bisoña, sin darse cuenta del
propósito que lo guiaba, sin pensar en el peligro inminente que corría por aquellos sitios ocupados por las
tropas enemigas.

Llegados a las márgenes del río, bajó de su cabal-
gadura y se tendió en la arena, de cara al cielo.

Un negro mal encarado, que hacía de teniente de la
guerrilla, acercóse a decirle:

—Capitán.

Reinaldo no había podido acostumbrarse todavía a
la idea de que él fuese una cosa tan absurda como la
que significaba aquella palabra y no se dió cuenta de
que era a él a quien se dirigía el soldado. Éste repitió:

—Capitán. ¿Usté cómo quiere que nos cojan aquí
a todos como unos zoquetes?

—¿Y usted por qué me habla de ese modo?

—Dispénseme, mi capitán —replicó el hombre, con
el último resto de subordinación que le quedaba—. Yo
sé que la disiplina es la disiplina; pero, francamente,
esto de meterse por aquí, con la mar a retaguardia,
es un error militar.

—Siempre ha de estar usted con el error militar en
la boca. Usted no sabe de eso, ni a mí me interesan los
consejos que usted pueda darme.

—Está bien, mi capitán.

Y se fué refunfuñando a reunirse con los otros de la
partida, que se habían detenido más allá. Reinaldo le
dijo, alzando la voz:

—Disponga usted el campamento como mejor le parezca.

—Sí, señor, mi capitán.

Reinaldo tuvo un impulso momentáneo: saltar sobre
el teniente, agarrarlo por el pescuezo y estrangularlo,
para que no volviese a decirle «mi capitán».

Un rumor de voces que se aproximaban por el río lo hizo abandonar el sitio donde se había tendido a descansar. Corrió a ocultarse entre los matojos de la ribera, haciendo señas a sus hombres para que hiciesen lo mismo. Esperó un momento, con el revólver en la mano; pero oyó el traqueteo de las armas de los suyos apercibidas para el ataque inminente, y la imaginación de lo que iba a suceder le heló la sangre en las venas: ya veía la horrible voltereta de los que caían heridos en la cabeza, ya oía el fatídico hipido de los que recibían en el abdomen el golpe subitáneo del balazo, y aquel momento de ansiedad le pareció infinito.

Luego se vió lo que era: una pequeña embarcación de pescadores que bajaba por el río. Cuando hubo desaparecido, el teniente le dijo socarronamente a Reinaldo:

—Al capitán como que se le enfrió...

No lo dejó concluir la frase. Saltó sobre él, revólver en mano y poniéndoselo en el pecho, le dijo:

—Mire, amigo, sepa usted que yo he aprendido a matar a sangre fría.

El negro le respondió tranquilamente:

—Fué una chanza, mi capitán. No se lo tome a pecho, que yo sé que usté es de los que «paran» de verdad.

Reinaldo guardó el arma y se alejó por la orilla del río.

Era un paraje descampado, de terreno salitroso, que se extendía llano y deshabitado, como una tierra maldita. En medio de aquella soledad se levantaba, con cierto aire inquietante, el edificio de la antigua aduana, separado del mar por un trecho cubierto de arenal menudo que las aguas habían abandonado hacía tiempo, retirándose más y más de año en año; a poca distancia de allí veíanse unas salinetas, donde los rayos sesgados del sol poniente producían un efecto mágico de reflejos que fingían un inquieto escarceo de mar alborotado; más allá se extendía el bosque fantástico de cardones cubriendo la llanura.

Sobre todo aquello gravitaba un enorme silencio, que por momentos parecía que iba a ser turbado por un alarido de espanto o de dolor que surgiese de bocas invisibles, cuya presencia casi se sentía allí.

Reinaldo recorría el solitario paraje, volviendo a cada rato la cabeza, presa de un miedo inexplicable, de un verdadero terror animal, apurando el paso para reunirse con los compañeros que estaban acampados en los mogotes de las márgenes del río, y cuando llegó allí y oyó voces humanas, el corazón se le llenó de una alegría tumultuosa, desbordante, como hacía tiempo que no la experimentaba.

Sentóse cerca del teniente, reconciliado con él, y púsose a oír los cuentos con que aquellos hombres distraían su sobresalto por la proximidad de la noche, propicia a las sorpresas del enemigo.

El teniente hablaba:

—Pues sí, ca vez que veo un río de estos por donde se pué navegá, me acuerdo de aquellos ríos de mi tierra. Esos sí que meten mieo. ¡Mien que yo he bregao po esas regiones! Me acuerdo de una vez que el cacique de una de aquellas montañas me dió una comisión muy fuñía: matá a unos ingenieros que iban pallá, a levantá planos pa quitarle lo que él se había cogío a las guapas. Pues, sí señol, yo me aposté en una orilla del río, a esperá que pasara la piragua que llevaba a mis hombres. Eran dos, uno de ellos un catire, muy simpático, buen mozo él.

Chupó el tabaco que fumaba, escupió y prosiguió su relato:

—Sería como la hora de ésta cuando pasó la piragua. Yo me embojoté en mi cobija y le grité: «Señores. ¿ustés me puen hacé el favor de llevarme en la piragua hasta más arriba? Es que tengo la calentura y me ha cogío la noche. Yo le pago lo que sea».

—¿Y pa qué era eso, teniente? —preguntó uno de los soldados.

—¿Cómo pa qué? Pa tanteá el terreno. ¿Crees que yo me iba a zumbá así, a la loca? Pues, como les iba diciendo, les propuse que me aceptaran en la piragua. El catire buen mozo, que era el jefe de la expedición, convino en recibirme sin que yo le pagara ná.

—No vió el hoyo donde iba a caé.

—No lo vió —repitió el teniente con una siniestra sonrisa en la negra faz, mientras chupaba otra vez su tabaco.

Reinaldo Solar, horrorizado, lo miraba fijamente,

como para no perder un rasgo de aquella cosa atroz
que iba a oír.

El negro prosiguió:

—Yo que entro en la piragua y los bogas que se
echan a temblá. ¡Esos indios tienen una malicia! Me
conocieron la intención. Yo me quedé viendo a uno de
ellos y en un espabilá de los ingenieros le enseñé el
cañón del revólver, que llevaba en la mano, por debajo
de la cobija. El catire, que era muy zamarro, le preguntó a los indios que qué les pasaba, y el que yo había
amenazado respondió, disimulando: «¿No escucha usté
ese pájaro que está cantando en aquel palo? Es de mal
agüero. El catire se rió; pero yo le dije, pa ayudá la
mentira del indio: «¡Jum! Ésa es la pura verdá: el que
oye cantá ese bicho no sale con vida del territorio!»

—¡Já, negro malo! —celebró uno de los soldados.

—Se lo dije por su bien, pa vé si se devolvía. Pero
él se empeñó en seguí y ésa fué su perdición. Más alan-
tico estaban mis hombres esperándome, en un paso del
río muy alevoso. Yo dije que había llegao a mi casa,
que quedaba po allí cerquita y ellos arrimaron la piragua a tierra pa desembarcame.

Se interrumpió un momento, para decir luego:

—Media hora después no había ni rastro de piragua
subiendo po el río.

—¿Te los pegaste a toos?

—Los bogas se salvaron porque eran muy baquianos;
pero los ingenieros se quedaron allí pa siempre.

Nueva pausa, y en seguida:

—¡Y tan simpático que era el catire aquél.

Reinaldo se puso de pie y echó a andar, alejándose
del campamento, desertando definitivamente de aquella
tropa de asesinos, entre los cuales él había sido uno de
tantos.

Horrorizado de sí mismo, huía por la orilla del mar,
apresuradamente, como un autómata.

II

En el extremo norte de la ciudad, donde mueren las
estribaciones del Ávila, hay unas barrancas por cuyos
cauces hace tiempo que no corre el agua de los regatos

de la montaña, y en cuyos bordes no cuelga ningún florido festón.

Las lluvias han desmoronado aquellos taludes de greda y arenisco y en algunas partes han labrado caprichosas formas que presentan aspecto de fantásticas ruinas, entre cuyas grietas crecen retamas y ñaragatos.

Aquellas barrancas están a menudo solas, y apenas, por las tardes, pasan por ellas mujeres que bajan del cerro, con grandes haces de chamizas sobre las cabezas. De trecho en trecho se encuentran algunas tejerías, donde ya no se trabaja, abandonadas por sus dueños o reducidas a escombros por el fuego; en sus plataformas, generalmente, se han quedado algunos adobes que las lluvias han desmoronado, un molde, una artesa u otro instrumento del oficio, que, abandonados allí, le dan sugestivo valor trágico a aquella interrupción del trabajo.

A estas tejerías iba Alcor a menudo. En aquel ambiente de abandono, entre aquellos taludes que parecen ruinas bajo la luz cruda del sol, en medio de aquel silencio que sólo interrumpe el rumor del viento corriendo por la barranca solitaria, y de cuando en cuando, el balido triste de un chivo, cerca de aquellos cauces secos por donde antes corriera el agua que bajara de las quiebras del monte, descuajados ahora por las quemazones junto al horno frío en cuyo fondo algunos materiales esperaban el fuego que ya más no se encendería, sentía Alcor un hálito de la tragedia obscura y silenciosa que había pasado por allí y trataba de reconstruirla, componiendo así asuntos para sus dramas.

De este modo era como él sentía el dolor de la Patria. El abandono de aquellos tejares, la humilde tragedia de aquel trabajador anónimo, eran para Alcor una tragedia de la Patria. A él no lo conmovían tanto las grandes calamidades públicas, el fracaso de las grandes empresas de regeneración nacional, como aquellas angustias cotidianas, humildes y obscuras, pero que juntas componen la tragedia de un pueblo.

Una tarde paseaba por allí, acompañado de Menéndez. Recordaban los generosos tiempos de las alegres excursiones por los arrabales, a la caza del rincón poético, en las gloriosas mañanas llenas de brisas, de luz y de

color, o en las tardes doradas, llenas de dulzura, pro-
picias al ensueño.

Menéndez decía:

—Otra vez estamos como entonces: el paisaje vuelve
a ser nuestro refugio. Pero ya el paisaje no es para
nosotros lo que era antes: sueño y entusiasmo; ahora
es reposo, abandono.

Alcor caminaba ceñudo, sin hablar. Pensaba en aquel
conterráneo suyo, el poeta de La Esperada, regresando
a su casa, cuando el yate del mecánico, donde escapa-
ban los únicos hombres fuertes de la ciudad natal, se
perdió tras el recodo del río.

Con igual desesperanza silenciosa caminaban ellos
ahora por el cauce de la barranca solitaria. La suerte
estaba echada para todos: Reinaldo acababa de ser cap-
turado por las fuerzas del Gobierno; Menéndez se había
casado y esperaba un hijo; él, convencido de que la literatura no le daría para vivir, se había decidido por
fin a regresar a su pueblo y encargarse de los negocios
del padre, que estaba viejo y reclamaba su ayuda. Sobre
todos ellos había caído «la losa de los sueños»...

Menéndez concluyó:

—Ya hemos dejado de oír cantar la Sirena; pero
hemos cumplido con la juventud, porque hemos sabido
soñar, y con la Patria, porque hemos sufrido su dolor.

La noche invadió la barranca solitaria.

III

Tres meses después, Reinaldo fué puesto en libertad.
El paludismo que adquiriera en la campaña había aniquilado su organismo de manera irremediable; con el
resto de sus fuerzas morales concluyó el aislamiento
de la prisión.

Cuando, ayudado por Gonzalo Andral, a cuya influencia debía su libertad, entró en el coche donde lo esperaban el tío Valerio Allende y Antonio Menéndez, éstos
comprendieron que aquella vida preciosa y amada no
duraría mucho tiempo.

Tratando de sonreír, dijo al cabo de un rato de
doloroso silencio:

—¿Y qué tal?...

Menéndez respondió vagamente:

—Ya ves.

—¿Y que te casaste y tienes un hijo?

—Sí.

Nuevo silencio, y luego a Valerio Allende:

—¿A dónde me llevan ustedes?

—A casa —respondió Valerio, enjugándose las lágrimas.

De pronto, Reinaldo comenzó a temblar, a tiempo que sus ojos, horriblemente dilatados, clavaban en el amigo una mirada de terror.

Menéndez acudió:

—¿Qué tienes?

—¡La fiebre! ¡Que ya empieza otra vez la fiebre!

Y durante largo rato sólo se oyó en el coche el espantoso castañeteo de sus dientes. Luego cesó aquel ruido y Reinaldo murmuró, lanzando un suspiro de cansancio:

—Ahora: ¡a arder!, ¡como un condenado!

En la casa de los Allende se acentuó la incurable tristeza que roía el corazón del bello enfermo. Cuando la fiebre le daba treguas, abandonaba la cama y poníase a contemplar las ciudades antiguas y el sinfín de menudas figuritas que llenaban la habitación del tío Valerio. A veces éste, para distraerlo, comenzaba a tallar alguna que dejara inconclusa, o a perfeccionar sus reconstrucciones de cartón.

Reinaldo pasaba horas enteras atento al inútil trabajo, silencioso, exento de pensamientos.

Como si su vida mental hubiera vuelto a la primera infancia, las impresiones de los sentidos pasaban por él sin dejar la huella de las ideas.

Vivía solamente de sensaciones, y con la volubilidad de un niño pasaba de la alegría a la tristeza, súbitamente y por motivos fútiles: porque un rayo de sol venía a meterse en su cuarto, porque la sombra de una nube pasaba sobre el patio, porque una vez vió caer en éste una brizna carbonizada y supo que toda la noche habían estado ardiendo los flancos del Ávila.

Menéndez, que iba a menudo a hacerle compañía, trataba de distraerlo, recurriendo a todos los temas posibles; pero él lo oía encerrado en un mutismo inabordable. Un día rompió a llorar de pronto:

—¡Esto es horrible, Antonio! Hace rato que estoy haciendo esfuerzos por pensar algo que te debía decir, y no lo logro.

Graciela, que pasaba allí la mayor parte del día, supliendo la falta de mujeres en la casa de los solterones Allende, acudió a tranquilizarlo:

—Pero no pienses. Estás muy débil y te haría daño. Ya pensarás todo lo que quieras cuando estés bueno.

—¡Cuando esté bueno! No hay que hacerse ilusiones: esta máquina dejará de funcionar muy pronto.

—¡Dale con el pesimista!

—No creas que esto me aflige. Lo que me horroriza no es la idea de la muerte, segura y próxima. Lo más horrible es que ya no puedo pensar. Lo que tengo aquí no es un cerebro. El mío se ha disuelto ya. A veces se me ocurre que el calor de la fiebre lo ha fundido y que lo que llevo dentro del cráneo es una bolsa de líquido. El trabajo de mi espíritu es blando, flojo, líquido. Nada de pensamientos, nada, absolutamente nada, de voluntad. Éstas son funciones sólidas, y a mí no me quedan sino funciones líquidas, líquidas, líquidas...

Y se quedó repitiendo la palabra obsesionante. Luego prosiguió:

—Un enternecimiento desmedido, no una blandura de alma, sino un reblandecimiento. Deseos frecuentes de llorar, necesidad inmensa de llamar a mamá, a Carmen Rosa, a ti, para que me acaricien..., ganas locas de empequeñecerme, de volver a ser niño, para que me carguen en sus brazos: hambre, ¡verdadera hambre!, de que estén diciendo a cada rato que me quieren mucho..., y unos deseos atroces de matar a quien tiene alguien que lo quiera y lo mime; de matar a Antonio porque te tiene a ti.

Antonio Menéndez quiso darle un sesgo jovial, y dijo:

—Eso no es nuevo; siempre has sido un muchacho egoísta.

Él se quedó viéndolo, y al cabo, murmuró:

—Tienes razón. ¿Y sabes una cosa? Yo he poseído todo lo que un hombre puede poseer en la tierra, y todo lo he despilfarrado.

Y en seguida a Graciela, sin transición:

—¿Has visto la casa?

—¿La casa de ustedes?

—Sí. Me dicen que la han derribado completamente para edificar dos de esas jaulitas que ahora se acostumbran. Por supuesto, talarían los cipreses del patio.

—Eso fué lo primero que desapareció.

—¿Y la habitación de papá? ¿Y la galería del estrado?

—Ni rastro.

—¿Y el corral de Carmen Rosa?

—Una ruina.

—¡Qué bárbaro!

Menéndez comentó el caso. Ya habían desaparecido en Caracas casi todas las viejas mansiones solariegas, nobles y austeras como las gentes que en ellas vivieron en tiempos definitivamente idos, para dar lugar a las casas modernas, incómodas y cursis, sobrecargadas de ornamentos baratos, disparatadas y exóticas, como los espíritus de los advenedizos que reemplazaban en la primacía social a las familias de raigambre y de verdadera selección.

La casa de los Solar, ahora en manos del general Yaguarím, era tal vez la última de aquella noble época desaparecida.

Reinaldo dobló la cabeza, abrumado bajo el peso de sus amargas reflexiones.

Interrumpió el silencio la llegada del aya con el niño de Menéndez y de Graciela. Ésta se paró a recibirlo, con explosiones de maternal ternura.

—Papaíto. ¿Te dejó solo tu mamá?

El aya le dijo que se había despertado llorando y que tenía hambre. Graciela lo cogió en sus brazos, y acercándolo a Reinaldo:

—Salude a su amigo.

Reinaldo deslizó una caricia lenta y triste sobre la cabecita de la criatura, preguntándole:

—¿Vas a comer, chico?

—Sí. Porque me estoy muriendo de hambre —respondió Graciela aniñando la voz. Y pasó a una de las habitaciones.

Reinaldo se sumió en una dolorosa meditación. Luego, sin darse cuenta de que hablaba, comenzó a decir, con lágrimas en los ojos.

—Sólo en mí no se cumplirá la ley que dice que en la naturaleza nada se pierde. ¡Todo se ha perdido en mí! Mi cerebro trabajó mucho; pero inútilmente, como una rueda en el vacío: ni una de mis ideas ocupará jamás otro pensamiento; mi corazón palpitó por todos los amores, y todos fueron estériles, infructuosos. ¡No he realizado una obra, ni siquiera he engendrado un hijo! La tristeza de la absoluta destrucción será mi compañera de viaje... Ni siquiera tengo fe para morir con la ilusión de que mi alma sobrevivirá. He perdido inútilmente la vida. Por esto sólo se perdería mi alma. En el juicio final, el acusador podría preguntarme: ¿Dónde están los hijos que has podido engendrar? ¿Dónde está la obra que has podido consumar?

Dobló la cabeza sobre el pecho, irremediablemente vencido.

Estas emociones empeoraron su deplorable estado fisiológico; pero a medida que las fuentes de la vida se secaban en su organismo, el huésped inefable que en él estuviera sepultado comenzó a manifestarse.

Depositada la carga de la acción en el seno del renunciamiento definitivo, relajados los lazos que lo retenían encadenado a la obra, al afán de la obra, su espíritu se iba sumergiendo más y más en la beata dulzura de la serenidad interior. Ni placenteras ni fúnebres, las ideas lo habían dejado en paz.

Una noche, en sueños, volvió a ver el árbol de sus pesadillas; pero ahora florecía en él una primavera mística: gajos floridos, todo blancura y olor suavísimo, cubríanlo totalmente ocultando el fatídico esqueleto del ramaje que antes fuera símbolo desolador.

Despertó bajo la impresión de una vuelta del éxtasis. Trató de recordar lo que acababa de soñar; pero no pudo, las imágenes concretas se habían desvanecido, y sólo sentía en la mente la presencia del halo inaferrable de ideas no pensadas que rodeara a aquéllas, como un armónico subconsciente.

Con vago acento de trasueños comenzó a decirle a Menéndez, que velaba junto a su lecho:

—¡Qué raro! ¡Qué raro! Me ha sucedido una cosa muy singular: no he visto nada y, sin embargo, me lo explico todo.

Y sonreía con aire de dulce perplejidad.

Bajo esta impresión permaneció durante los días sucesivos, sumido en apacibles alelamientos. Aunque sin formas concretas de devoción religiosa, sentía que un ansia inefable de elevación mística estaba llenando su espíritu de beatas claridades.

La intuición del mundo desconocido al cual se acercaba, y que creyó tener en su olvidado ensueño, parecía haber desarrollado en él una visión superior: penetraba en el misterio de las cosas sencillas, comprendía mejor el hondo sentido de la Vida, veía los números radiantes que miden el ritmo de las esferas del universo espiritual. Horas enteras pasaba en estos quietos arrobos, cada vez más largos y profundos.

La idea de la muerte se había convertido en una obsesión dulce y tranquila; veía abrirse sus claros abismos, llenos de serenidad, dentro de los cuales resplandecían los enigmas solucionados, la faz inefable de Isis manifestada.

Una tarde, sintiendo ya próximo su fin, quiso que lo trasladaran al alto de la casa, desde donde se divisabe el Ávila, porque no quería morir sin ver por última vez el monte amado.

Contra la prescripción del médico, que había recomendado absoluto reposo, Menéndez y Alcor se prestaron a complacerlo. Él quiso hacer con sus propios pasos aquella «última excursión a la montaña». Fatigado por el esfuerzo supremo que había hecho subiendo la escalera del alto, ahogándose casi, lo sentaron frente a la puerta del balconcito, desde el cual se veía, por encima de los tejados de las casas vecinas, la explanada del cuartel San Carlos y una gran extensión del cerro.

Las laderas tendidas, a trechos carbonizadas por el fuego de las rozas; las lomas suaves y serenas, vestidas con el raso joyante de los pajonales dorados de atardecer; los canjilones donde exiguos arbolados señalan el curso de los regatos cumbreños; la fila, en espacios empenachada de bosques azules, en espacios descampada y rocosa; toda la incomparable belleza del monte, gracioso y majestuoso, estilizado en la sobrelumbre del aire que lo envolvía haciendo resaltar los tonos y

valores con una pureza inexpresable, mostrábase ante
la visión espiritualizada del moribundo.

Reinaldo se deleitó en la contemplación postrera
de aquel espectáculo. El amor al paisaje avileño fué la
fuente de sus más nobles amores: a la Belleza, a la
Patria. Ahora, al despedirse de él, pensaba con sosegado deleite que su alma iba pronto a sumirse en la
diuturna serenidad del alma del monte y sentía ya dentro de su ser aniquilado la penetración de las energías
eternas de la Naturaleza, que lo arrebataban en el torbellino de la Vida sin formas.

Menéndez y Alcor permanecían en silencio, como en
expectación religiosa, contemplando al amigo cuyo
rostro expresaba la beatitud interior.

De pronto, un áspero ruido de tambores los distrajo
de sus respectivos pensamientos. Reinaldo volvió la
vista, interrogando con la mirada. En la explanada del
cuartel, un pelotón de soldados se preparaba a hacer
los honores a la bandera que iba a ser arriada. Menéndez explicó.

Y Reinaldo, tratando de recoger sus ideas, preguntó:

—¿Qué día es hoy?

—Veintiocho de octubre.

—¡Ah! El día del Libertador.

Y luego, lentamente:

—El Libertador es la Patria.

No pudo hablar más. Sus ojos, toda su cara y su actitud revelaban una profunda emoción. ¡Nunca había
sentido, como ahora la sentía, la grandeza del Héroe
amado, él sólo grande y glorioso!

Entonces comenzó a oírse el Himno Nacional, a tiempo que la bandera empezó a descender, lentamente, a
lo largo del mástil suspendido sobre la puerta del
cuartel. Sus colores resplandecían en un rayo de sol; a
intervalos aparecía y desaparecía la menuda constela-
ción de sus estrellas...

El Himno se elevaba en la tarde dorada evocando
las glorias del «bravo pueblo», lánguidamente, no como
una música marcial, sino como un canto donde gimiera
la incurable melancolía de la raza... La bandera descendía..., los últimos acordes del Himno se prolon-
gaban desmayadamente...; luego, después de unos com-

pases precipitados que parecían sugerir la angustia de atropellados singultos, se levantaba de nuevo, clamando, con alientos sacados de un esfuerzo supremo, por las glorias pasadas del bravo pueblo...

La emoción de Reinaldo crecía, se hacía angustiosa, mortal. Una intensa palidez bañaba por momentos su rostro, sus ojos se dilataban como para recoger y conservar para siempre aquella visión de la Patria, que se le aparecía, en un suave crepúsculo, sobre un fondo de montaña, en los bellos colores de una bandera suelta al aire, que descendía al son de una música llena de melancolía... Era la Patria. La Patria misma, que de pronto, por un milagro de alucinación, se transformaba en la figura rediviva del Libertador, luminosa, resplandeciente, ¡ella sola toda la lumbre de la gloria!...

La bandera acabó de descender, cayó, se apagó como una antorcha al tocar el suelo, y dejando de ser el símbolo de la Patria, se convirtió en un rollo de tela de colores entre las manos de un soldado que se la llevaba a guardar... Los tambores redoblaron...

Reinaldo permanecía mirando, mirando... más allá de las cosas, en el fondo mismo de las esencias indestructibles. En aquel momento él también era la Patria, alentando en una mirada llena de amor y de dolor...

De pronto se estremeció. Luego dobló la cabeza, dulcemente, y expiró.

F I N